DIE ZEIT

Das Junior-Lexikon

IN SECHS BÄNDEN

5 Pas-Soz

Herausgegeben von
Zeitverlag Gerd Bucerius GmbH & Co. KG, Hamburg
und Wissen Media Verlag GmbH, Gütersloh

Herausgeberin und Redaktionsleiterin ZEIT:
Dr. Susanne Gaschke
Redaktionsleiterin Wissen Media Verlag:
Dr. Beate Varnhorn

Projektleiterin Wissen Media Verlag: Katja Baier

Redaktion ZEIT: Christian Staas
Redaktion Wissen Media Verlag:
Christian Adams, Petra Bischof, Anke Braun, Antonia Hansmeier, Dr. Manfred Hoffmeister, Dr. Ulrike Hönsch, Christina Langner, Tanja Loos, Heike Linnemannstöns, Hans-Georg Michel, Ursula Rzepka, Peter Wassen-Lamberty

Layout und Einbandgestaltung: Kay Lübke
Datenaufbereitung und Satz:
Dirk Bischoff, Jo.Pelle Küker-Bünermann
Karten- und Grafikredaktion: Dr. Matthias Herkt
Bildredaktion: Ursula Franz, Anka Hartenstein, Sonja Rudowicz, Svenja Schumann, Thekla Sielemann
Herstellung: Joachim Weintz

Druck und Bindung:
MOHN Media Mohndruck GmbH, Gütersloh
Printed in Germany

DIE ZEIT

ISBN Gesamtwerk: 978-3-577-07640-1
ISBN Band 5: 978-3-577-07645-6

Vorwort

Eine ganze Weile war es Mode, darüber zu klagen, wie schnell unser Wissen angeblich »veraltet«. Damit war gemeint, dass sich die Welt so schnell verändert, dass die Menschen kaum noch alles mitbekommen, wahrnehmen und begreifen können, was um sie herum geschieht. Ein bisschen klang dieses Gerede vom veraltenden Wissen auch immer so, als müsse man sich gar nicht mehr bemühen, irgendetwas genau zu wissen – es konnte sich ja morgen schon geändert haben. Wenn es tatsächlich so wäre, dann wären das schlechte Zeiten für Lexika, für Bücher, die davon leben, dass ihr Inhalt sich viele Jahre hält.

Wir ahnen jedoch aus unseren Alltagserfahrungen, dass es sich so nicht verhält: Es gibt massenhaft Dinge, die im Großen und Ganzen so bleiben, wie sie sind, und über die man durchaus genau Bescheid wissen kann. Manchmal sogar muss. Und nicht immer »veraltet« eine bestehende Erkenntnis, wenn eine Neue hinzukommt. Meist wird es dann einfach noch mehr, was man wissen sollte.

Richtig ist allerdings, dass es schwer sein kann zu entscheiden, welche Informationen wichtig und richtig sind: Von allen Seiten senden, funken, blinken Medien – Zeitungen, Fernsehsender, Rundfunk, das Internet – uns interessante Dinge entgegen. Was können wir in unserer begrenzten Zeit lesen und verstehen? Was stimmt, was stimmt nicht?

Ein Lexikon ist in Zeiten der Informationsüberflutung eine große Hilfe. Nicht, weil es alles Wissen der Welt enthielte – das kann selbst das beste Nachschlagewerk nicht. Aber es kann etwas anderes: Es kann Informationen, die viele Menschen gut gebrauchen können, prüfen, sortieren und – begrenzen. Und so wird das alte, als »langsam« beschimpfte Medium Buch plötzlich zur Abkürzung: Bevor ich mich durch endlose, ungeordnete und vielleicht sogar widersprüchliche Datenmengen wühle, sagt mir das Lexikon schnell das Wichtigste über Abgeordnete, Belichtungsmesser oder Chromosomen, über Wildkatzen, Yin und Yang oder auch die Zehn Gebote. Und natürlich zu vielen anderen Themen. Herausgeber und Redaktion stehen dafür gerade, dass die Informationen stimmen und dass man sie verwenden kann – für den Vortrag ebenso wie für eine Hausaufgabe. Wir haben den »normalen« Inhalt eines Nachschlagewerks – 10 000 Stichworte, erklärt und bebildert – um 60 Beiträge von ZEIT-Autoren ergänzt, die noch mehr bieten: Sie machen Zusammenhänge sichtbar, sie beantworten Fragen, die über die nackten Tatsachen hinausgehen. Wie kommt das Fischstäbchen auf meinen Teller? Warum hat Deutschland keinen König? Wann fingen die Menschen an, Musik immer und überall hören zu wollen? Was geschieht eigentlich in einem Computer?

Die Redaktion hofft, dass diese Beiträge interessant und vergnüglich zu lesen sind – und dass sie das leisten, was die ZEIT auch als Zeitung für Erwachsene tun möchte: Orientierung geben. Hintergründe ausleuchten. Erklären, wie es sich wirklich verhält. Solche Texte für junge Leser zu schreiben, war für die Autoren eine Herausforderung: Es ist nämlich sehr viel schwerer, Auskunft zu geben, wenn man sich nicht auf das herausreden kann, was der Leser vermeintlich sowieso schon weiß. Aber es hat uns großen Spaß gemacht. Und den wünschen wir allen Lesern unseres ZEIT Junior-Lexikons, auch und gerade denen, die älter als 14 Jahre sind.

Susanne Gaschke
Herausgeberin ZEIT Junior-Lexikon

Wie benutzt man dieses Lexikon?

Stichwort

Die Stichwörter sind fett gedruckt und alphabetisch geordnet. Die Umlaute ä, ö, ü werden behandelt wie die Buchstaben a, o, u (z. B. folgt Flöte auf Flossen); ß wird wie ss eingeordnet. Buchstaben mit Akzenten (z.B. á, é, í) werden wie solche ohne Akzente behandelt.

Manchmal sind für ein und dasselbe Stichwort unterschiedliche Schreibweisen möglich. Wir haben für dieses Lexikon die Form gewählt, die am gebräuchlichsten ist. Andere Schreibweisen, wie auch Synonyme, stehen in schräger Schrift hinter dem Hauptstichwort (z. B. **Coffein** [das], *Koffein* …). In Zweifelsfällen wird das Auffinden eines Stichworts durch Verweise erleichtert. Findet man ein Stichwort unter C nicht, könnte es z. B. auch unter K oder Z zu finden sein oder umgekehrt (z. B. **Koffein** → Coffein). Das Gleiche gilt für V und W, F und Ph (z. B. **Photographie** → Fotografie), J und Y (z. B. **Joga** → Yoga). Bei gleich lautenden Stichwörtern mit verschiedenen Bedeutungen werden die Erläuterungen aneinander gereiht und mit Ziffern versehen: **1.** … **2.** …

Besonders wichtige Begriffe und interessante Themen werden in deutlich hervorgehobenen Übersichtsartikeln und in ZEIT-Beiträgen behandelt.

Angaben zum Stichwort

Hinter dem Stichwort stehen in eckigen Klammern [ ] folgende Angaben:

1. die Aussprache, falls diese von der deutschen Schreibweise abweicht;
2. bei Hauptwörtern das grammatikalische Geschlecht (der, die, das). Ist ein Begriff im Plural gebräuchlicher, steht Pl. in der eckigen Klammer;
3. die sprachliche Herkunft bei Lehn- und Fremdwörtern. Sie ist nur dann angegeben, wenn sie zur Erläuterung des Begriffs beiträgt, und steht in abgekürzter Form in der eckigen Klammer:

arab.	= arabisch
chin.	= chinesisch
engl.	= englisch
franz.	= französisch
griech.	= griechisch
hebr.	= hebräisch
ital.	= italienisch
lat.	= lateinisch
niederländ.	= niederländisch
österreich.	= österreichisch
russ.	= russisch
schweiz.	= schweizerisch
span.	= spanisch

Zeichen

*	geboren
†	gestorben
→	Verweis
%	Prozent
®	registered

Lautschrift

Für die Lautschrift werden – zusätzlich zu den bekannten deutschen Buchstaben – folgende Zeichen der internationalen Lautschrift verwendet:

Vokale und Diphthonge (Doppelvokale)

ː	der vorausgegangene Vokal wird lang gesprochen
'	Betonung der nachfolgenden Silbe
a	kurzes a (wie in *kann*)
aː	langes a (wie in *Magen*)
æ	sehr offenes kurzes ä (wie in engl. *match*)
ʌ	kurzes dumpfes a (wie in *Butler*)
ɑ̃	nasaliertes a (wie in *Montblanc* [ː mɔ̃ːblɑ̃])
ai	Diphthong (wie in *Mai, Brei*)
au	Diphthong (wie in *Baum*)
e	halb langes geschlossenes e (wie in *gebt*)
eː	langes geschlossenes e (wie in *Beere*)
ə	kurzes dumpfes e (wie in *Masse, Linie*)
əː	langes dumpfes e (wie in *Churchill* [ː tʃəːtʃil])
ɛ	kurzes offenes e (wie in *Fest, Gänse*)
ɛː	langes offenes e (wie in *ordinär*)
ɛi	Diphthong (wie in *Rio de Janeiro* ['riu di ʒa' nɛiru])
ɛ̃	nasaliertes e (wie in franz. *jardin* [ʒar'dɛ̃])
i	kurzes i (wie in *bin, sind*)
iː	langes i (wie in *Bibel, Lied*)
ɔ	kurzes offenes o (wie in *Ross*)
ɔː	langes offenes o (wie in engl. *Wallstreet* ['wɔːlstriːt])
ɔ̃	nasaliertes o (wie in *Montblanc* ['mɔ̃'blɑ̃])
ɔi	Diphthong (wie in *heute*)
ɔu	Diphthong (wie in engl. *Bowling* ['bɔuliŋ])
o	halb langes geschlossenes o (wie in *Obst*)
oː	langes geschlossenes o (wie in *Moos*)
œ	kurzes offenes ö (wie in *Köln*)
ø	halb langes geschlossenes ö (wie in *Fischöl*)
øː	langes geschlossenes ö (wie in *nervös*)
œ̃	nasaliertes ö (wie in franz. *Verdun* [vɛr'dœ̃])
u	kurzes u (wie in *kurz*)
uː	langes u (wie in *Gruß*)
y	kurzes ü (wie in *schützen*; franz. *Tartuffe* [tar'tyf])
y'	langes ü (wie in *führen, lyrisch*)

Konsonanten

ç	ch (wie in *ich*)
x	ch (wie in *machen*; span. *Junta* ['xunta])
ŋ	ng (wie in *Klang, Bank*)
s	stimmloses s (wie in *essen, weiß*)
z	stimmhaftes s (wie in *Saal, Waise*)
ʃ	stimmloser sch-Laut (wie in *schaffen*; engl. *Shakespeare* ['ʃɛikspiə])
ʒ	stimmhafter sch-Laut (wie in *Journal* [ʒur'naːl], *Etage* [e'taːʒə])
θ	stimmloser Lispellaut (wie in engl. *Commonwealth* ['kɔmənwɛlθ])
ð	stimmhafter Lispellaut (wie in engl. *father* ['faːðə])

Abkürzungsverzeichnis

bzw.	beziehungsweise	Mrd.	Milliarden	u. Ä.	und Ähnliches
ca.	circa	n. Chr.	nach Christus	u. a. m.	und anderes mehr
cm	Zentimeter	nm	Nanometer	ü. M.	über dem Meeresspiegel
Jh.	Jahrhundert	Pl.	Plural	usw.	und so weiter
kg	Kilogramm	Sg.	Singular	v. a.	vor allem
km	Kilometer	St.	Sankt, Saint	v. Chr.	vor Christus
m	Meter	t	Tonne	z. B.	zum Beispiel
Mio.	Millionen	u. a.	unter anderem; und andere(s)	z. T.	zum Teil

ZEIT-Beiträge

Band 1: A – Detail

Band 2: Deutsche Demokratische Republik – Hamster

Band 3: Handball – Leiter

Band 4: Lektoren – Parzival

Band 5: Pascal – Soziologie

Band 6: Spacelab – Z

P

(Fortsetzung)

Pascal, Blaise, * 1623, † 1662; französischer Mathematiker und Philosoph. Pascal begründete die Wahrscheinlichkeitsrechnung, erfand eine Rechenmaschine und verwendete erstmals einen Luftdruckmesser zur Höhenbestimmung (Barometer). Nach ihm ist die Maßeinheit *Pascal* (Pa) benannt, die Einheit des Drucks beziehungsweise der mechanischen Spannung.

Pascha [der], früher der Titel höchster türkischer und ägyptischer Offiziere. Heute versteht man unter Pascha einen Mann, der sich Frauen gegenüber herrschsüchtig verhält.

Pass [der], **1.** ein schmaler Durchgang, ein Weg durch ein Gebirge oder eine unwegsame Gegend. **2.** das genaue Zuspielen des Balls (besonders beim Fußball) zwischen zwei Spielern einer Mannschaft. **3.** *Reisepass,* öffentlicher Ausweis mit Angaben zur Person des Inhabers sowie dessen Foto und Unterschrift (besonders für Auslandsreisen außerhalb der EU).

Passage [pa'saːʒə, die], **1.** ein überdachter Durchgang, z. B. Schaufensterpassage. **2.** Überfahrt, Durchfahrt, Reise mit dem Schiff.

Passah [das], *Pessach,* das höchste jüdische Fest, das vom Tage des 1. Frühlingsvollmondes an acht Tage lang gefeiert wird. Es soll an den Auszug des Volkes Israel aus Ägypten erinnern.

Passat [der], ein das ganze Jahr über wehender, mäßiger Wind in den Tropen.

Passion [die], **1.** Leidenschaft, Hingabe. **2.** das Leiden und Sterben Jesu Christi. **3.** die musikalische Darstellung der Leidensgeschichte Jesu Christi nach Berichten der Evangelien, meist in Form der Kantate oder des Oratoriums (z. B. die Matthäus-Passion von J. S. *Bach*).

passiv, untätig, teilnahmslos, unentschlossen.

Passiv [das], in der Grammatik die Leideform der Verben, z. B. »ich werde getragen«; Gegensatz: *Aktiv.*

Pastell [das], ein Bild, das mit Kreidefarbstiften (Pastellfarben) auf rauem Papier oder auf Leinwand gemalt wird. Man kann mehrere Farbschichten übereinandermalen oder miteinander mischen sowie durch Verreiben mit dem Finger weiche Übergänge schaffen. Pastellbilder wirken hell und zart und haben meist eine starke Leuchtkraft.

Pastell: Edgar Degas, Sitzende Tänzerin mit hochgestelltem rechten Bein; 1897–1900. Basel, Sammlung Beyeler

Pasternak, Boris, * 1890, † 1960; russischer Schriftsteller. Sein 1958 geschriebener Roman »Doktor Schiwago« wurde ein Welterfolg (auch verfilmt), durfte aber in Russland erst 1988 erscheinen. 1958 erhielt Pasternak den Nobelpreis, den er jedoch – unter politischem Druck – ablehnte.

Pasteur [pas'tœːr], Louis, * 1822, † 1895; französischer Chemiker und Biologe. Pasteur befasste sich besonders mit der Erforschung der Kleinstlebewesen als Gärungs-, Fäulnis- und Krankheitserreger. Er wies nach, dass Mikroorganismen an der Gärung mitwirken und dass Nahrungsmittel nach der Abtötung von Keimen durch Erhitzung (»Pasteurisieren«) länger gelagert werden können. Auf Pasteur gehen auch die ersten Impfstoffe gegen Tollwut, Rotlauf und Milzbrand zurück.

Pastor [der], ein evangelischer Pfarrer, Seelsorger.

Patchworkfamilie [pætʃwœːk-], Familie, in der Eltern mit gemeinsamen und/oder Kindern aus unterschiedlichen früheren Beziehungen zusammenleben. Siehe auch ZEIT-Beitrag → »Patchworkfamilie: Familie mit buntem Muster«, Seite 14–17.

Pate [der], der Tauf- oder Firmzeuge. Der Pate ist für die Erziehung des getauften Kindes im christlichen Glauben verantwortlich.

Patent [das], eine vom Staat (Patent- und Markenamt) erteilte Urkunde, die einem Erfinder für eine bestimmte Zeitspanne das alleinige Recht sichert, seine Erfindung wirtschaftlich zu nutzen.

Pathologie [die], die Lehre von den Krankheiten.

Pathos [das], übertriebene Gefühlsäußerung, leidenschaftliche (schwungvolle) Redeweise.

Patriarchat [das], *Männerherrschaft,* ursprünglich die Herrschaft des Vaters im Familien- oder Sippenverband. Heute bezeichnet man eine Gesellschaftsform, bei der die wirtschaftliche und politische Macht vor allem bei den Männern liegt, als Patriarchat; Gegensatz: *Matriarchat.*

Patriotismus [der], Vaterlandsliebe, ein starkes Zugehörigkeitsgefühl zur Heimat und die Bereitschaft, für sein Land einzutreten.

Patrizier [Pl.], die Mitglieder der vornehmsten und einflussreichsten altrömischen Familien. Im Mittelalter waren die Patrizier Angehörige des wohlhabenden Bürgertums.

Patt [das, franz.], beim Schachspiel eine Stellung, in der der am Zug befindliche Spieler (ohne im Schach zu stehen) keine seiner Figuren mehr ziehen kann. Die Partie endet dann unentschieden *(remis).* Im übertragenen Sinn bezeichnet man als Patt eine politische oder militärische Situation, in der die Gegner gleich stark und daher bewegungsunfähig sind.

Pauke [die], ein Schlaginstrument, das aus einem Kessel aus Metall besteht, über den ein Kalbs-, Eselsoder ein synthetisches Fell gespannt ist. Das Instrument wird mit einem Filz-, Holz- oder Lederschlägel geschlagen.

Pauling ['pɔːliŋ], Linus, * 1901, † 1994; US-amerikanischer Chemiker. Er entdeckte die Spiralstruktur von Eiweißkörpern und begründete die Molekularbiologie. Er erhielt 1954 den Nobelpreis für Chemie und 1962 den Friedensnobelpreis.

Paulus, * um 10 n.Chr., † um 64; Apostel, Heiliger und bedeutendster Missionar des Urchristentums. Als strenggläubiger Jude gehörte er zu den Verfolgern der Christen, bis er nahe bei Damaskus durch eine Erscheinung Jesu Christi zum Christentum bekehrt wurde (»vom Saulus zum Paulus«).

Pauschale [die], eine gerundete Summe, Schätzbetrag, Gesamtsumme statt genauer Einzelverrechnung.

Paulus: Der Apostel Paulus mit seinen Attributen Schwert und Buch; Buchmalerei in der Bible historiale des Guiard des Moulins; 15. Jh. Oxford, Bodleian Library

Paviane [Pl.], Affen im mittleren Afrika mit einem schnauzenartig verlängerten Gesicht und sehr kräftigem Gebiss. Sie haben einen langen Schwanz und Gesäßschwielen; meist sind sie Felsbewohner.

Pawlow [-lɔf], Iwan Petrowitsch, * 1849, † 1936; russischer Physiologe und Verhaltensforscher. Er erforschte die Reflexe von Lebewesen auf Reize und entdeckte, dass bestimmte Reaktionen auf Reize auch gelernt werden können (*Pawlow'scher Reflex*). 1904 erhielt er den Nobelpreis.

Pazifischer Ozean, *Pazifik, Stiller Ozean,* das größte Weltmeer, zwischen der Beringstraße im Norden und der Antarktis im Süden, Asien und Australien im Westen und Amerika im Osten. Der Pazifische Ozean bedeckt rund 35% der Erdoberfläche, er hat eine mittlere Tiefe von 3940 m und erreicht seine größte Tiefe bei 11 034 m.

Pazifismus [der], eine politisch-moralische Einstellung, die jegliche Gewaltanwendung verurteilt, besonders die Ablehnung des Krieges und des Kriegsdienstes.

Pb, chemisches Zeichen für das Element → Blei.

PC [der], die Abkürzung für → **P**ersonal**c**omputer.

PDA, Abkürzung für → **P**ersonal **D**igital **A**ssistant.

PDS, Abkürzung für → **P**artei des **D**emokratischen **S**ozialismus.

Peanuts ['pi:nats], eine Gruppe von Zeichentrickfiguren aus einer 1950 von Charles M. *Schulz* geschaffenen Serie; die bekanntesten sind Charlie Brown und der Hund Snoopy.

Peary ['piəri], Robert Edwin, * 1856, † 1920; US-amerikanischer Polarforscher. Peary bewies, dass Grönland eine Insel ist, und erreichte als Erster das Gebiet um den Nordpol (1909).

Pech [das], ein dunkelbrauner bis schwarzer, zähflüssiger Rückstand bei der Destillation von Erdöl und Teer. Pech wird häufig zum Abdichten gegen Wasser und zur Isolierung sowie in Form von Asphalt benutzt.

Paviane lieben es, sich gegenseitig zu entlausen.

Pedant [der], ein übergenauer Mensch, Kleinlichkeitskrämer. – *Pedanterie,* übertriebener Ordnungssinn.

Pediküre [die], Fußpflege.

Pegel [der], ein Flutmesser, Wasserstandsmesser in Flüssen, Seen und an den Meeresküsten.

Peilung [die], ein Verfahren der Navigation zur Ortung eines bestimmten Punktes oder Gegenstandes (z. B. Flugzeuge, Schiffe). Früher peilte man auf optischem Wege durch Anpeilen bekannter Punkte (z. B. Gestirne, Leuchttürme), heute vor allem durch Funksignale mit Hilfe drehbarer Richtantennen.

Peking, Hauptstadt der Volksrepublik China, 14,6 Mio. Einwohner (mit Vororten), wirtschaftliches, kulturelles und Verwaltungszentrum des Landes. Das alte Peking gliedert sich in 4 Bezirke, einer davon ist die ehemalige »Verbotene Stadt« mit dem Kaiserpalast.

Pele, eigentlich *Edson Arantes do Nascimento,* * 1940; brasilianischer Fußballspieler. 1958, 1962 und 1970 wurde er mit Brasilien Fußballweltmeister. Er schoss im Laufe seiner Karriere mehr als 1200 Tore und gilt als der beste Spieler aller Zeiten.

Pelikane [Pl.], bis 1,80 m große Vögel mit einem riesigen hakenförmig gebogenen Oberschnabel und einem Kehlsack am Unterschnabel, der zum Fangen von Fischen dient. Sie leben gesellig an den Küsten Asiens, Afrikas und z.T. auch Südosteuropas.

Vater in einer Patchworkfamilie: der französische Präsident Nicolas Sarkozy (rechts)

Patchworkfamilie

Familie mit buntem Muster

Von Corinna Emundts

Frankreichs Staatspräsident Nicolas Sarkozy hat drei Söhne von zwei Frauen. Seine Ehefrau Cécilia hat zwei Töchter und einen Sohn von zwei Männern. Alle bilden zusammen eine Familie. Wie kann das sein? Und wie viele Kinder sind das zusammen? In der Familie Sarkozy leben insgesamt fünf Kinder, beide Elternteile waren schon einmal verheiratet und haben jeweils zwei Kinder aus der ersten Ehe mitgebracht. Nach Scheidung und neuer Heirat haben die Sarkozys dann einen gemeinsamen Sohn bekommen. In einer Großstadt wie Paris kommt ein solches Familiendurcheinander oft vor, dort wird jede zweite Ehe geschieden. Die Franzosen nennen das *famille recomposée* – eine neu zusammengesetzte Familie.

In Deutschland findet man solche Verbindungen in großstädtischen Regionen auch immer öfter. Bei uns nennt man sie »Patchworkfamilien«, weil sie sich aus vielen bunten kleinen Einheiten zu einem großen Ganzen zusammensetzen – wie das kunstvoll genähte Flickenmuster aus farbigen Stoffen, das auf Englisch *patchwork* heißt.

Eine große Veränderung

Solche neuen Familienformen könnten der Anfang einer großen Veränderung sein, sagt Walter Bien vom Deutschen Jugendinstitut. Wissenschaftler weisen schon seit Längerem darauf hin, dass die typische Kleinfamilie, die uns so normal erscheint – Vater, Mutter, verheiratet, zwei Kinder –, auch hierzulande eine kurze Ausnahmesituation in der Geschichte war. Und zwar in den fünfziger und sechziger Jahren des 20. Jahrhunderts – in der Nachkriegszeit.

Überkommene Vorstellungen

In dieser Zeit waren Scheidungen nicht üblich. Und es galt als ungewöhnlich und unmoralisch, wenn ein Paar zusammen Kinder bekam und dabei nicht verheiratet war. Aus jenen Jahren stammt die Vorstellung, dass man im Leben einmal heiratet und dann das ganze Leben lang verheiratet bleibt.

Diese Vorstellung hat sich lange in der Kaffee- und Waschmittelwerbung gehalten. Und interessanterweise in der Politik viel länger als in den Jugendbüchern: In der Kinder- und Jugendliteratur existieren Patchworkfamilien schon seit den vierziger Jahren, zum Beispiel in den Büchern der englischen Autorin Enid Blyton.

In der deutschen Kinderliteratur tauchen die neuen Familien seit den neunziger Jahren häufiger auf – als völlig normale Formen des Zusammenlebens. Politiker in unserem Land nahmen sie allerdings erst seit den späten neunziger Jahren richtig ernst. Dabei wächst schon seit vielen Jahrzehnten die Zahl der Ehescheidungen. Und viele Paare wollen einfach gar nicht mehr heiraten.

War 1981 noch fast jeder und jede Vierzigjährige verheiratet (84 Prozent), so sind es heute, rund ein Vierteljahrhundert später, nur noch 60 Prozent. Die Zahl der Scheidungen ist im selben Zeitraum um 35 Prozent gestiegen. Allein im Jahr 2005 trennten sich 201 693 Ehepaare. Das heißt: Mehr als jede dritte Ehe wird geschieden – Tendenz steigend. Bald wird also fast die Hälfte aller Leute, die sich einmal vor dem Traualtar oder im Standesamt Treue geschworen haben, nach ein paar Jahren gemeinsamen Lebens wieder getrennte Wege gehen. Und viele werden mit neuen Partnern zusammenkommen, die ihrerseits oft schon geschieden sind.

Viele Menschen, so scheint es, verbinden sich also nicht mehr zu einem gemeinsamen Wir für alle Zeiten, sondern tun sich nur für eine begrenzte Zeit zusammen. Davon sind natürlich auch viele Kinder betroffen: Im Jahr 2005 erlebten allein in Deutschland 156 390 Kinder, wie es ist, wenn sich die Eltern trennen. Meistens behalten die Kinder dann ihren Hauptwohnsitz bei der Mutter – und schauen der Zukunft in einer Patchworkfamilie entgegen.

Patchworkdecken: Bunt zusammengewürfelt – wie die nach ihnen benannten Familien

Dazu kommt noch die Gruppe der Menschen, die überhaupt nicht mehr heiraten, obwohl sie für ein paar Jahre oder gar ihr Leben lang zusammenwohnen – und auch Kinder bekommen. Über diese Menschen weiß die offizielle Statistik weniger, weil solche Verbindungen nicht so einfach registrierbar sind wie Ehen auf dem Standesamt. Jedoch gibt es Schätzungen, dass jedes zweite unehelich geborene Kind in einer Patchworkfamilie aufwächst.

Im Jahr 1990 hat die Gesellschaft für deutsche Sprache den Begriff »Patchworkfamilie« erstmals gedruckt entdeckt – auf einem Buchtitel. Seit den späten neunziger Jahren ist er in den normalen Sprachgebrauch übergegangen. Seit den neunziger Jahren ist außerdem der Begriff »Regenbogenfamilie« dazugekommen, der eine Familienform beschreibt, die ebenfalls als Patchworkfamilie gelten kann: Gemeint sind Familien, in denen zwei Männer oder zwei Frauen, die einander lieben, zusammen Kinder großziehen.

Ein Blick in die Geschichte zeigt dabei, dass die Familie nicht erst heute, sondern schon immer in einem ständigen Wandel begriffen war.

Zu Zeiten des Alten Testaments etwa, in denen Männer und Frauen nicht gleichberechtigt waren, durften die Männer entscheiden, mit verschiedenen Frauen Kinder zu haben. Abraham bekam ein Kind von seiner Magd, weil er und seine Frau Sara kinderlos geblieben waren. Später dann kam doch noch ein gemeinsames Kind auf die Welt.

Stiefmütter und Halbbrüder

Bis zum 20. Jahrhundert gab es außerdem viele Stieffamilien, weil die Sterblichkeit auch jüngerer Menschen hoch war – durch Hungersnöte, Kriege, Epidemien und schlechtere gesundheitliche Versorgung. Vor allem Frauen starben oft bei der Geburt ihrer Kinder zu Hause, sodass der zurückbleibende Ehemann sich eine neue Frau und Stiefmutter für seine Kinder suchte. Bekannt ist der Begriff »Stiefmutter« deswegen aus den Märchen, die aus früheren Jahrhunderten stammen. Auch damals gab es also komplizierte Familien- und Verwandtschaftsverhältnisse. Halb- oder Stiefgeschwister waren normal.

In 100 Jahren werden vielleicht Kinder bestaunt, die nur ein verheiratetes Elternpaar haben

In einer Patchworkfamilie gehören alle zusammen – ob verwandt oder nicht

Was diese Vorläufer der Patchworkfamilien von den heutigen unterscheidet? Dass meistens eben der Tod eines Partners, also ein Schicksalsschlag, eine neue Familiengründung nötig machte. Heute sind es weniger Schicksalsschläge als bewusst und freiwillig getroffene Trennungsentscheidungen von Paaren, die das Patchwork, das bunte Muster, ergeben.

Die Suche nach dem Glück

Die Menschen leben länger, sie sind gesünder, und seit wenigen Jahrzehnten sind Frauen und Männer auch rechtlich und beruflich gleichberechtigt. Die Ansprüche an das Leben sind höher geworden – man will wirklich glücklich sein mit dem Partner und richtig zufrieden mit seinem Beruf. Weil heute Frauen genauso gut ausgebildet sind wie Männer und ihrem Beruf mit eigenem Einkommen nachgehen, sind sie nicht mehr so abhängig vom Einkommen des Mannes wie früher. Gleichzeitig hat sich auch die Arbeitswelt so gewandelt, dass Männer wie Frauen nicht mehr sicher sein können, lebenslang einen gut bezahlten Arbeitsplatz zu haben. Und schon gar nicht unbedingt am selben Ort.

Das alles macht den Menschen viele Sorgen und trägt sicher dazu bei, dass es häufiger zu Trennungen kommt. Im Gegenzug ist die Angst vor einer Scheidung heute viel geringer geworden, denn es ist – im Gegensatz zu früher – nicht mehr peinlich, getrennt oder geschieden zu sein. Niemand wird deswegen schief angeschaut. Es ist sogar eher der Normalfall. Deswegen müsste man eigentlich für die Patchworkfamilie keinen Sonderbegriff benutzen, sondern andersherum: Familie bedeutet heute und in Zukunft eher Patchwork. In 100 Jahren werden vielleicht Kinder in der Schule bestaunt werden, die nur ein verheiratetes Elternpaar haben.

Peloponnes [der oder die], eine Halbinsel im Süden Griechenlands, die durch den *Isthmus von Korinth* (Landenge) mit der Balkanhalbinsel verbunden ist. Die Halbinsel war Sitz der mykenischen Kultur, das Kernland der Spartaner mit Sparta im Süden und der Standort des Zeusheiligtums Olympia.

Peleponnes: Korinth gilt als antiker Umschlagplatz zwischen Asien und westlichem Mittelmeer. Noch die Ruinen künden von seinem Reichtum.

Pelota [die, span.], ein Rückschlagspiel, das aus dem baskischen Nationalspiel »Blaid a chistera« entwickelt wurde. Ein Gummiball wird von 2 Spielern oder Mannschaften mit einem oval gebogenen Schläger aus Korbgeflecht abwechselnd gegen eine Wand geschlagen. Der Ball muss dabei oberhalb einer 80 cm hohen Linie auf die Wand treffen; im Spielfeld darf er nur einmal aufprallen. Die Spielwertung erfolgt nach Punkten, Spielen und Sätzen, ähnlich wie beim Tennis.

PEN-Club, *P.E.N.-Club,* Abkürzung für **P**oets and Playwrights, **E**ssayists and Editors, **N**ovelists (in Anlehnung an engl. *pen* für »Schreibfeder«); eine 1921 gegründete internationale Vereinigung von Schriftstellern.

Pendel [das], ein starrer Körper, der unter dem Einfluss der Schwerkraft um eine Achse hin- und herschwingen kann.

penetrant, aufdringlich, hartnäckig, unverschämt.

Penis [der], das männliche Glied. Auch →Geschlechtsorgane.

Penizillin [das], *Penicillin,* das Stoffwechselprodukt verschiedener Arten des *Pinselschimmels (Penicillium).* Es wurde 1928 von A. *Fleming* entdeckt und wird als Antibiotikum gegen viele Krankheitserreger verwendet.

Pension [pã'zjoːn, die], **1.** das Ruhegehalt, die Altersversorgung bei Beamten. **2.** ein Fremdenheim, Unterkunft und Verpflegung.

Pentameter, ein 6-hebiger Vers mit einem Einschnitt nach der 3. Hebung.

Perestroika [die, russ., »Umbau«], von dem sowjetischen Parteichef M. *Gorbatschow* seit 1985 verwendetes Schlagwort für seine Reformpolitik.

perfekt, **1.** vollendet, vollkommen. **2.** gültig, abgemacht.

Perfekt [das], eine Zeitform des Verbs, die vollendete Vergangenheit, z. B. »ich habe gelesen«.

Pergament [das], die nicht gegerbte, jedoch enthaarte tierische Haut, die vor Erfindung des Papiers zum Schreiben verwendet wurde.

Wer war … Perikles

Perikles (* um 490 v. Chr., † 429 v. Chr.) war ein Staatsmann im alten Athen. In seine Wirkungszeit, die nach ihm *Perikleisches Zeitalter* genannt wird, fällt die wirtschaftliche und kulturelle Glanzzeit Athens.

Sein politischer Aufstieg begann wahrscheinlich um 460 v. Chr. als alleiniger Führer der Demokraten. Seit 443 v. Chr. wurde er fünfzehn Mal in Folge zu einem der zehn für die Kriegsführung verantwortlichen *Strategen* gewählt. Aufgrund seiner Begabung als Redner von der Mehrheit in der Volksversammlung gestützt, stieg er nahezu zum Alleinherrscher in Athen auf. Er war führend an der Unterwerfung des aufständischen Euböa (446/445 v. Chr.) und des von Athen abgefallenen Samos (441 bis 439 v. Chr.) beteiligt. Während seiner Regierungszeit erfolgte der Ausbau der Akropolis. Er führte Tagegelder für Ratsherrn und für Geschworene am Volksgericht ein. Perikles überzeugte die Athener von der Unausweichlichkeit des Kriegs gegen Sparta (*Peloponnesischer Krieg*, 431–404 v. Chr.). Im Winter 431/30 v. Chr. hielt er die offizielle Grabrede auf die Gefallenen des ersten Kriegsjahres. Die Enttäuschung über fehlende Erfolge und vor allem der Ausbruch der Pest führten 430 v. Chr. zur Amtsenthebung des Perikles, seiner Verurteilung zu einer Geldstrafe und zu Friedensverhandlungen mit den Spartanern. Nach deren Scheitern als Stratege wiedergewählt, starb Perikles 429 v. Chr. an der Seuche. Das Bild des Perikles schwankte bei den Zeitgenossen zwischen dem überragenden weit schauenden Politiker und dem verantwortungslosen Kriegstreiber.

Perikles gilt as Begründer der Demokratie.

Periode [die], **1.** ein Zeitraum, in dem sich ein Ereignis regelmäßig wiederholt, z. B. die Laufzeit eines Gestirns. **2.** die → Menstruation. **3.** Epoche, ein durch einheitliche Grundzüge des Geschehens geprägter Zeitraum, z. B. die Periode des Kalten Krieges.

Was ist das … Periodensystem

Das Periodensystem der Elemente ist die regelmäßige tabellarische Anordnung der chemischen Elemente nach aufsteigender Kernladungszahl (Ordnungszahl). Es enthält derzeit 116 chemische Elemente. Nur 91 dieser Elemente kommen natürlich vor, manche nur in Spuren, die restlichen wurden in Kernreaktoren und Teilchenbeschleunigern künstlich hergestellt.

Anordnung: Das Periodensystem der Elemente wurde 1868/1869 von D. I. *Mendelejew* und 1872 von L. *Meyer* aufgestellt. Sie nutzten erstmals die Ähnlichkeit chemischer Eigenschaften der verschiedenen Elemente als Ordnungsprinzip. Erst im frühen 20. Jh. erfolgte die Anordnung aufgrund der Kernladung. Letztere wird durch elektrisch positiv geladene Teilchen, die Protonen, hervorgerufen. Deren Ladung wird durch gleich viele elektrisch negativ geladene Teilchen, die Elektronen, in einer den Kern umgebenden Hülle neutralisiert. Letztere bestimmen aber den Ablauf chemischer Reaktionen, daher entsprechen sich die beiden Ordnungsprinzipien.

Das Periodensystem der Elemente besteht aus übereinanderstehenden Zeilen, in denen die Kernladungszahlen von links nach rechts und von oben nach unten ansteigen. Die Zeilen werden als *Perioden* bezeichnet. Die einzelnen Zeilen haben üblicherweise keinen eigenen Namen. Chemische Elemente, die gleichartige chemische Eigenschaften aufweisen, stehen im Periodensystem übereinander und werden als *Hauptgruppe* bezeichnet, z. B. die Alkalielemente (1. Hauptgruppe), Halogene (7. Hauptgruppe) oder Edelgase (8. Hauptgruppe). Wegen der physikalischen Wechselwirkungen zwischen

Nummerierung nach gültiger IUPAC-Konvention (1–18); Nummerierung nach CAS-System (I A – VIII A, III B – II B)

■ = Metalle ■ = Nichtmetalle ■ = Übergangsmetalle ■ = Halbmetalle

Periode	Hauptgruppen 1	2	Nebengruppen (Übergangsmetalle) 3	4	5	6	7	8	9	10	11	12	Hauptgruppen 13	14	15	16	17	18
	I A	II A	III B	IV B	V B	VI B	VII B	VIII B	VIII B	VIII B	I B	II B	III A	IV A	V A	VI A	VII A	VIII A
1	Wasserstoff H 1 1,008																	Helium He 2 4,003
2	Lithium Li 3 6,94	Beryllium Be 4 9,01											Bor B 5 10,81	Kohlenstoff C 6 12,01	Stickstoff N 7 14,007	Sauerstoff O 8 15,999	Fluor F 9 18,998	Neon Ne 10 20,18
3	Natrium Na 11 22,99	Magnesium Mg 12 24,31											Aluminium Al 13 26,98	Silicium Si 14 28,086	Phosphor P 15 30,974	Schwefel S 16 32,065	Chlor Cl 17 35,45	Argon Ar 18 39,95
4	Kalium K 19 39,10	Calcium Ca 20 40,08	Scandium Sc 21 44,96	Titan Ti 22 47,867	Vanadium V 23 50,94	Chrom Cr 24 51,996	Mangan Mn 25 54,94	Eisen Fe 26 55,845	Cobalt Co 27 58,93	Nickel Ni 28 58,693	Kupfer Cu 29 63,55	Zink Zn 30 65,37	Gallium Ga 31 69,72	Germanium Ge 32 72,64	Arsen As 33 74,92	Selen Se 34 78,96	Brom Br 35 79,90	Krypton Kr 36 83,80
5	Rubidium Rb 37 85,47	Strontium Sr 38 87,62	Yttrium Y 39 88,91	Zirkonium Zr 40 91,22	Niob Nb 41 92,91	Molybdän Mo 42 95,94	Technetium Tc 43 [98]	Rhutenium Ru 44 101,07	Rhodium Rh 45 102,91	Palladium Pd 46 106,40	Silber Ag 47 107,87	Cadmium Cd 48 112,40	Indium In 49 114,82	Zinn Sn 50 118,69	Antimon Sb 51 121,75	Tellur Te 52 127,60	Iod I 53 126,90	Xenon Xe 54 131,293
6	Cäsium Cs 55 132,91	Barium Ba 56 137,33	Lanthan La* 57 138,91	Hafnium Hf 72 178,49	Tantal Ta 73 180,95	Wolfram W 74 183,84	Rhenium Re 75 186,21	Osmium Os 76 190,2	Iridium Ir 77 192,2	Platin Pt 78 195,09	Gold Au 79 196,97	Quecksilber Hg 80 200,59	Thallium Tl 81 204,37	Blei Pb 82 207,19	Wismut Bi 83 208,98	Polonium Po 84 [209]	Astat At 85 [210]	Radon Rn 86 [222]
7	Francium Fr 87 [223]	Radium Ra 88 [226]	Actinium Ac** 89 [227]	Rutherfordium Rf 104 [261]	Dubnium Db 105 [262]	Seaborgium Sg 106 [266]	Bohrium Bh 107 [264]	Hassium Hs 108 [277]	Meitnerium Mt 109 [268]	Darmstadtium Ds 110 [271]	Roentgenium Rg 111 [272]	Element 112 (Uub) 112 [285]	Element 113 (Uut) 113 [284]	Element 114 (Uuq) 114 [289]	Element 115 (Uup) 115 [288]	116	117	Element 118 (Uuo) 118 [293]

… Transurane

feste Elemente
flüssige Elemente
gasförmige Elemente
natürliche radioaktive Elemente
künstliche Elemente

* Lanthanoide

Periode															
6	Lanthan La 57 138,91	Cer Ce 58 140,12	Praseodym Pr 59 140,91	Neodym Nd 60 144,24	Promethium Pm 61 [145]	Samarium Sm 62 150,36	Europium Eu 63 151,96	Gadolinium Gd 64 157,25	Terbium Tb 65 158,93	Dysprosium Dy 66 162,50	Holmium Ho 67 164,93	Erbium Er 68 167,26	Thulium Tm 69 168,94	Ytterbium Yb 70 173,04	Lutetium Lu 71 174,97

** Actinoide

Periode															
7	Actinium Ac 89 [227]	Thorium Th 90 [232,04]	Protactinium Pa 91 [231,04]	Uran U 92 [238,03]	Neptunium Np 93 [237]	Plutonium Pu 94 [244]	Americium Am 95 [243]	Curium Cm 96 [247]	Berkelium Bk 97 [247]	Californium Cf 98 [251]	Einsteinium Es 99 [252]	Fermium Fm 100 [257]	Mendelevium Md 101 [258]	Nobelium No 102 [259]	Lawrencium Lr 103 [262]

Transurane …

Gold Au 79 196,97 – Au: chem. Zeichen; 79: Protonenzahl (Ordnungszahl); 196,97: relative Atommasse

In Klammern [ ] die relative Atommasse des längstlebigen bekannten Isotops

Im Periodensystem der Elemente ist jedem Element ein Platz zugeordnet, der auch Aufschluss gibt über die Elektronenhüllenstruktur der Atome. Jeder Zeile (Periode) entspricht eine neue Hüllenschale.

den Elektronen eines Atoms weichen die meisten Metalle vom allgemeinen Schema ab und werden in den sogenannten *Nebengruppen* versammelt. Für sie gelten ebenfalls das Anwachsen der Ordnungszahl innerhalb der Periode und die chemische Ähnlichkeit der Metalle innerhalb der Nebengruppe. Es stehen beispielsweise alle Edelmetalle in einer Nebengruppe übereinander.

Periodizitäten: Neben dem chemischen Verhalten gibt es weitere Ähnlichkeiten innerhalb des Periodensystems der Elemente. So nimmt z. B. in den Perioden die Wertigkeit gegenüber Sauerstoff regelmäßig zu. Die Wertigkeit gegenüber Wasserstoff nimmt allerdings nur bis zur IV. Hauptgruppe zu, um danach wieder abzusinken. Innerhalb der Perioden nimmt der Atomdurchmesser von der 1. zur 7. Hauptgruppe ab, gleichzeitig wächst er innerhalb der Hauptgruppen von oben nach unten an. Die Elektronegativität (Maß für das Bestreben eines Atoms, in einem Molekül die Bindungselektronen an sich zu ziehen) wächst innerhalb der Periode von links nach rechts und fällt innerhalb der Hauptgruppen von oben nach unten (Ausnahme: Edelgase). Gleiches gilt einschließlich der Edelgase für die Energie, die aufgebracht werden muss, um ein Elektron aus der Hülle zu entfernen (Ionisierungsenergie). Grund dieser Regelmäßigkeit ist die mit wachsendem Atomradius sinkende Anziehungskraft zwischen Atomkern und Atomhülle.

Peripherie [die], die Umfangslinie, Randgebiet.

Periskop [das], ein Fernrohr, mit dem man über ein Hindernis hinweg oder daran vorbeisehen kann. Der Sehstrahl wird durch Prismen oder Spiegel umgeleitet. Mit dem Periskop kann man z. B. aus einem getauchten U-Boot die Wasseroberfläche beobachten.

Perle [die], weißlich schimmernde, meist erbsengroße Kügelchen aus Perlmutt. Eine Perle entsteht dadurch, dass in eine Muschel (vor allem *Perlmuscheln*) ein Fremdkörper eindringt (z. B. ein Sandkorn), der dann von einer Perlmuttschicht, die die Muschel ausscheidet, überzogen wird. Zuchtperlen entstehen durch die künstliche Einführung eines Fremdkörpers in den Mantel bestimmter Muscheln.

Perlmutt [das], die innere Schicht der Schalen der Perlmuscheln und verschiedener Seeschnecken. Die Perlmuttschalen werden wegen ihres eigentümlichen Glanzes für Einlegearbeiten, Knöpfe, Schmuckstücke u.Ä. verwendet.

Perm [das], ein Abschnitt des Erdaltertums; → Erdzeitalter (Tabelle).

permanent, fortdauernd, unaufhörlich.

Perpetuum mobile [das, lat., »dauernd beweglich«], eine Maschine, die ohne Energiezufuhr ständig Arbeit leisten soll. Nach physikalischen Gesetzen ist eine solche Maschine unmöglich, da Energie immer nur umgewandelt werden, aber nicht aus dem Nichts entstehen kann.

Perser [Pl.], ein alteingesessenes indoeuropäisches Volk im Iran, das im Altertum den Kern des Perserreiches bildete.

Persien, der frühere Name des Iran.

Persischer Golf, ein Nebenmeer des Indischen Ozeans zwischen Arabien und Iran.

Personalausweis [der], ein Ausweis mit Lichtbild und Angaben zur Person, den jeder Bürger über 16 Jahre in Deutschland bei sich tragen und auf Verlangen vorzeigen muss.

Personalcomputer [der], *persönlicher Computer, PC,* die Bezeichnung für Computer unterschiedlicher Art und Leistungsfähigkeit, die meist am Arbeitsplatz oder im privaten Bereich eingesetzt werden.

Personal Digital Assistant ['pəːsənel 'didʒitəl ə'sistənt, der, engl., »persönlicher digitaler Assistent«], Abkürzung *PDA,* ein kleines elektronisches Notiz-, Adress- und Terminbuch. Es kann mit der Anschlussmöglichkeit an einen Computer und an das Internet ausgerüstet sein und wird z.T. auch in Kombination mit einem *Handy* hergestellt.

Perspektive [die], **1.** Aussicht für die Zukunft, Ausblick, Durchblick, Standpunkt. **2.** die Darstellung räumlicher Gebilde auf einer ebenen Zeichenfläche mit räumlicher Wirkung.

Ländersteckbrief
Peru

Fläche:	1 285 216 km²
Einwohner:	28,4 Millionen = 22 je km²
Hauptstadt:	Lima
Religion:	römisch-katholische Kirche
Amtssprache:	Spanisch, Ketschua, Aymará
Währung:	1 Neuer Sol = 100 Céntimos

Peru, Staat in Südamerika.

Landesnatur: Die Anden nehmen fast zwei Drittel

von Peru ein. Sie gliedern sich im Süden in zwei z. T. vulkanische Ketten (Misti 5842 m, Nudo Coropuna 6613 m), die an der Grenze nach Bolivien ein trockenes Hochbecken, das *Altiplano* mit dem Titicacasee, einschließen, während im Norden drei Ketten ausgebildet sind. Nach Osten senkt sich das Land über die Hügellandschaft der *Montaña* zum Amazonastiefland *(Selva)*. – Das Gebirge *(Sierra)* trägt überwiegend Kältesteppen, das Küstenland *(Costa)* ist teilweise wüstenhaft. Die Montaña und Selva werden von tropischen Regenwäldern eingenommen.

Bevölkerung: Die vorwiegend katholische Bevölkerung besteht aus 47% Indianern (Ketschua, Aymará), zu 32% aus Mestizen und zu 12% aus Weißen. Rund die Hälfte der Bevölkerung lebt im Küstenbereich, rund 40% in den Hochbecken der Anden.

Wirtschaft: In den Flussoasen der Costa werden v. a. Baumwolle, Zuckerrohr und Reis angebaut. Die Viehzucht liefert für den Export Wolle, Häute und Felle. Den Hauptteil des Exports stellen der Bergbau, der über große Vorkommen von Erdöl, Kupfer, Zink, Blei, Eisen, Silber u. a. verfügt, und der Fischfang. Die Industrie bereitet die Erze auf und liefert Textilien, Nahrungsmittel, chemische Produkte u. a. – Haupthafen ist Callao. Internationale Flughäfen gibt es in Lima und bei Iquitos.

Peru: Der Titicacasee an der Grenze zu Bolivien ist mit 8288 km² der größte See Südamerikas.

Geschichte: Im 15. Jh. eroberten die Inka die Gebiete der anderen Stämme und Völker Perus und errichteten ein Reich, das 1531–1533 von F. *Pizarro* für Spanien erobert wurde. Das spanische *Vizekönigreich Peru* umfasste fast ganz Südamerika. 1739 wurden von Peru das Vizekönigreich *Río de la Plata* und das Vizekönigreich *Neugranada* abgetrennt. J. de *San Martín* gelang es 1820, Peru von der spanischen Herrschaft zu befreien. Peru erklärte seine Unabhängigkeit. Im *Salpeterkrieg* (1879–1883) gegen Chile musste Peru Gebiete abtreten. Die weitere Entwicklung war durch häufige innere Unruhen gekennzeichnet.

In den 1980er Jahren verschlechterte sich die wirtschaftliche Lage in Peru rapide. Das politische System wurde zunehmend durch die linksextreme Guerillabewegung »Sendero Luminoso« *(Leuchtender Pfad)* erschüttert. 1990 übernahm A. *Fujimori* das Amt des Staatspräsidenten. Er löste 1992 das Parlament auf und setzte die Verfassung außer Kraft. Im selben Jahr gelang die Festnahme des Sendero-Führers A. *Guzman*. 1993 trat eine neue Verfassung in Kraft. 1995 und 2000 wurde Fujimori wiedergewählt, dann aber vom Parlament wegen »moralischer Unfähigkeit« abgesetzt. 2006 wählte die Bevölkerung A. *García Pérez* zum Präsidenten.

Perversion [die, lat., »Verkehrung«], die krankhafte Abweichung vom »Normalen«, besonders die Störung der sexuellen Erlebnis- und Kontaktfähigkeit sowie des Sexualverhaltens.

Pessar [das, lat., »Mutterring«], ringförmige Einlage in die Scheide, Mittel der → Empfängnisverhütung.

Pessimismus [der], eine lebensverneinende Einstellung; Gegensatz: *Optimismus*.

Pest [die], eine gefährliche Infektionskrankheit, die von Pestbakterien ausgelöst und von Ratten über Rattenflöhe auf den Menschen übertragen wird. Von den zwei Erscheinungsformen (Beulen- und Lungenpest) rottete die Lungenpest im Mittelalter als »schwarzer Tod« die Bevölkerung ganzer Landstriche Europas aus.

Pestalozzi, Johann Heinrich, *1746, †1827; schweizerischer Pädagoge. Von *Rousseau* beeinflusst, gründete Pestalozzi in der Schweiz Modellschulen mit Lehrerbildungsanstalten sowie Waisenhäuser und Heime für arme Kinder. Nach ihm sind die *Pestalozzi-Kinderdörfer* benannt. Pestalozzi forderte die Entfaltung der Kräfte des Kopfs (intellektuelle Kräfte), des Herzens (sittlich-religiöse Kräfte) und der Hand (handwerkliche Kräfte) in Harmonie miteinander.

Pestizide [Pl.], chemische Substanzen, die als Pflanzenschutz- und Schädlingsbekämpfungsmittel eingesetzt werden. Je nach den Bereichen, gegen die sie wirken sollen, nennt man die wichtigsten *Bakterizide* (gegen Bakterien), *Fungizide* (gegen Pilze), *Herbizide* (gegen Unkräuter) oder *Insektizide* (gegen Insekten). Da Pestizide giftige Substanzen enthalten, versucht man, sie durch biologische und biotechnische Methoden zu ersetzen.

Wer war … Peter I.

Peter I. (* 1672, † 1725) war 1682–1725 Zar von Russland. Unter seiner Herrschaft stieg Russland zur europäischen Großmacht auf.

Peter begleitete 1697/1698 eine Gesandtschaft inkognito u. a. in die Niederlande und nach England. So verschaffte er sich durch eigene Anschauung einen Einblick in die westeuropäische Gesellschaft, außerdem durch die Arbeit als Zimmermann Kenntnisse im Schiffbau. Seine weitere Regierungszeit stand außenpolitisch im Zeichen des *Nordischen Kriegs* (1700–1721) gegen Schweden. Im Frieden von Nystad (1721) gewann Russland u. a. Estland und stieg zur Vormacht an der Ostsee auf. 1722/1723 eroberte Peter die südwestliche Küste des Kaspischen Meeres von Persien; damit bereitete er die spätere russischen Ausdehnung nach Mittelasien vor. Im Innern führte Peter zahlreiche Reformen durch, die Russland nach westeuropäischem Vorbild verändern sollten. So ließ er Würdenträgern und Dienstleuten als Zeichen seines Reformwillens die Bärte abschneiden. Verwaltungs- und Staatsapparat unterzog er einer umfassenden Neuorganisation. Auch die Kirche konnte sich den Reformen nicht entziehen. 1721 wurde das Amt des Patriarchen, des

Peter I. der Große, begründete die Großmachtstellung des Zarenreichs.

leitenden Bischofs, abgeschafft. Der Adel wurde einer strengen »Dienstrangtabelle« (1722) unterworfen, die sich an der Leistung der Adeligen ausrichten sollte. Sichtbarer Ausdruck des Wandels wurden die Verlegung der Hauptstadt von Moskau in das 1703 gegründet St. Petersburg und die Annahme des Titels *Imperator (Kaiser)* durch Peter 1721.

Petrus: Christus übergibt Petrus die Schlüssel des Himmelreichs, Fresko von Pietro Perugino; 1480–1482. Rom, Vatikanische Museen, Sixtinische Kapelle

Petersilie [die], ein aus dem Mittelmeerraum stammendes Küchenkraut. Petersilie war schon bei den alten Griechen und Römern eine beliebte Heil- und Küchenpflanze, hatte aber auch magische Bedeutung.

Petition [die], eine schriftliche Bitte, besonders an ein Staatsoberhaupt, eine Regierung oder Ähnliches.

Petra, eine antike Stadt im Ostjordanland. Vom 3. Jh. v. Chr. bis ins 1. Jh. n. Chr. war Petra die Hauptstadt des Nabatäerreichs und seit 106 n. Chr. Hauptstadt der römischen Provinz Arabia.

Petrarca, Francesco, *1304, †1374; italienischer Schriftsteller. Er war einer der bedeutendsten italienischen Dichter der Renaissance, der mit seinen Werken besonders die Lyrik des 15. und 16. Jh. beeinflusste. Er gilt wegen seiner kritischen Denkart als Begründer des *Humanismus.*

Petroleum [das], ein Produkt aus Erdöl, das als Heizöl und Kraftstoff für Flugzeuge *(Kerosin)* verwendet wird.

Petrus, der Beiname des Apostels *Simon;* Fischer am See Genezareth, einer der zwölf Jünger Jesu Christi. Petrus wirkte in Palästina, unternahm Missionsreisen und starb wahrscheinlich 64 n. Chr. in Rom unter Kaiser Nero den Märtyrertod.

Petting [das], der Austausch von Zärtlichkeiten, wobei der ganze Körper mit einbezogen wird. Beim Petting werden auch die Geschlechtsteile berührt, der Geschlechtsverkehr wird aber nicht vollzogen.

Pfadfinder, englisch *Boyscouts,* eine 1907 in England gegründete internationale Jugendorganisation (in Deutschland seit 1911). Die Pfadfinderbewegung fördert den verantwortungsvollen Umgang mit Mensch und Natur, politische und kulturelle Toleranz sowie soziales Engagement.

Pfahlbauten [Pl.], auf Pfählen errichtete Wohnbauten an Fluss- und Seeufern oder in Sumpfgebieten, die ihre Bewohner vor Hochwasser, vor feindlichen Überfällen und wilden Tieren schützen sollten. Pfahlbauten gab es in Mitteleuropa bereits vor 4000 Jahren. Überreste ehemaliger Siedlungen wurden vor allem in der Schweiz gefunden. Pfahlbausiedlungen sind heute noch in Teilen Afrikas, in Südamerika, Asien, auf Neuguinea und in Melanesien verbreitet.

Pfalz [die], eine burgähnliche Anlage, die zeitweise als Herberge und zur Hofhaltung fränkischer und deutscher Herrscher im Mittelalter diente.

Pfand [das], Wertstück, das zur Deckung einer Schuld als Sicherheit hinterlegt wird. Leiht man sich beispielsweise Geld, kann man als Sicherheit wertvollen Schmuck hinterlegen. Kann man das Geld später nicht zurückzahlen, wird der Schmuck verkauft und aus dem Erlös werden die Schulden bezahlt. In *Pfandleihen* wird gegen die Hinterlegung von Pfändern und gegen festgelegte Zinssätze kurzfristig Geld ausgeliehen.

Pfändung [die], die gerichtlich angeordnete Beschlagnahme von Vermögen oder Gegenständen, wenn jemand seine Schulden nicht bezahlen kann.

Pfauen [Pl.], zwei Vertreter aus der Familie der Fasanenartigen: **1.** der indische *Echte* oder *Blaue Pfau,* **2.** der *Ährenträgerpfau* aus Pakistan bis Westburma. Die Männchen der Pfauen besitzen ein glänzendes

Prachtgefieder mit stark verlängerten Schwanzfedern, die mit Augenzeichnungen versehen sind. Sie können diese während der Balz zu einem Rad aufrichten.

Pfeffer [der], ein Gewürzstrauch aus Südostasien. Der *Schwarze Pfeffer* ist eine Kletterpflanze mit Steinfrüchten, die kurz vor der Reife geerntet und getrocknet werden. Der *Weiße Pfeffer* wird aus geschälten Früchten hergestellt.

Pfefferminze [die], ein Strauch, aus dessen Blättern Tee und ätherische Öle hergestellt werden.

Pferde [Pl.], Familie von *Unpaarhufern*, zu der auch Esel, Halbesel und Zebras gehören. Die schlanken, langbeinigen Tiere benutzen beim Gehen nur die mit einem Huf umgebene Mittelzehe. Pferde leben in Herden in den Steppengebieten Afrikas und Asiens. Erst durch den Einfluss des Menschen, der um 3500 v. Chr. begann, wilde Pferde als Haustiere zu halten, entwickelte sich die Vielzahl der heutigen Hauspferde. Als Stammform des Hauspferdes sieht man das *Przewalskipferd* an, das früher in ganz Nordasien verbreitet war. Je nach Temperament und Körperbau unterteilt man Hauspferde heute in vier Gruppen: *Vollblut*, *Warmblut*, *Kaltblut* und *Ponys*. Auf diese Gruppen verteilen sich Hunderte verschiedener Pferderassen, deren Anzahl und Erscheinungsbild sich ständig verändern.

Das männliche Pferd heißt *Hengst*, das kastrierte männliche *Wallach*, das weibliche *Stute*, die Jungen *Fohlen* oder *Füllen*. Es gibt braune (Brauner, Falbe), weiße (Schimmel), schwarze (Rappe) und fuchsfarbige Pferde (Fuchs). Siehe auch ZEIT-Beitrag → »Pferde: Ein Königreich für ein Pferd!«, Seite 26–29.

Pfauen: Vor der Paarung findet die Balz statt, bei der das Männchen seine Schwanzfedern zu einem »Rad« aufrichtet.

Pferdesport [der], alle Sportarten, bei denen Pferde als Reit- oder Zugtiere verwendet werden. Zu diesen Sportarten gehören der Reitsport mit Dressur- und Springreiten, das Vielseitigkeitsreiten, die Pferderennen mit Galopp- und Trabrennen, das Gespannfahren und der Mannschaftssport Polo.

Pferdestärke [die], Kurzzeichen PS, bis 1977 die gültige Einheit für die physikalische Leistung, heute durch die Einheit Watt ersetzt: 1 PS = 735,498 Watt.

Pfifferling [der], ein Speisepilz mit trichterförmigem, gelapptem und welligem Hutrand. Seine Farbe ist gold- bis orangegelb. Er wächst von Juni bis Oktober in Nadel- und Laubwäldern.

Pfingsten [das], nach Weihnachten und Ostern das dritte große christliche Fest, das 50 Tage nach Ostern gefeiert wird. Es erinnert an den Tag, an dem nach der Apostelgeschichte die in Jerusalem versammelten Jünger den Heiligen Geist empfingen.

Pfirsich [der], ein Steinobstgewächs mit rosa Blüten und samtig behaarten, fleischigen Früchten. Der wahrscheinlich aus Iran stammende Pfirsichbaum wird auch in Mitteleuropa an sonnigen Standorten angebaut.

Bevor es Traktoren gab, halfen den Bauern Pferde beim Pflügen

Pferde

Ein Königreich für ein Pferd!

Von Tanja Busse

Pferde sind Mädchensache, das glauben jedenfalls, und nicht ganz zu Unrecht, viele Jungen: kleine Shetlandponys mit langen Mähnen, die den ganzen Nachmittag gestriegelt werden, und weiße Araberhengste, von denen die großen Reitermädchen träumen.

Früher, als es noch keine Autos gab, war das anders. Da gehörte ein gutes Pferd zur Ausstattung eines jeden Offiziers. Könige und Kaiser saßen auf prachtvollen Hengsten, wenn sie sich porträtieren ließen, und die Männer liebten ihre Pferde wie heute ihre Autos. Zu dieser Zeit mussten die Damen im Damensitz reiten: beide Beine auf der linken Seite. Die Kaiserin Sisi soll so sogar über Hindernisse gesprungen sein!

Jeder Kutscher und jeder Bauer hatte früher ein Lieblingspferd, von dem er tolle Geschichten erzählen konnte: der Bauernjunge etwa, der zum ersten Mal allein mit einem großen Kaltblutpferd zum Unkrauthacken auf den Rübenacker geschickt wird.

Aufregender als Autos

Wie soll er das riesige Pferd so lenken, dass es nicht auf die kleinen Rüben tritt, fragt er sich. Doch dann merkt er, dass das Pferd ganz genau weiß, wo es seine Hufe hinsetzen soll. Oder der Stallbursche, der mitten in der Nacht ein Mädchen mit Blinddarmentzündung in ein weit entfernteс Krankenhaus bringt und im Dunkeln den Rückweg nicht findet. Der wirft die Zügel einfach hin – und staunt: Das Pferd hat sich den Weg gemerkt!

Aber es gab auch andere Geschichten aus dieser Zeit. Ein alter Landarzt, der kurz nach dem Ersten Weltkrieg mit dem Pferdewagen von Patient zu Patient fuhr, schrieb über eines seiner Kutschpferde: »Jedesmal bei der Einfahrt in einem Dorf bockte Trotzki und war auf keine Art und Weise zu bewegen, weiterzufahren. Das war dann jedesmal ein großes Gaudium für die liebe Dorfjugend, und wir halfen uns endlich so, daß die ganze Bubengesellschaft schieben mußte.«

Ein Pferd als Held

Für die Kutscher in dieser Zeit war es unvorstellbar, dass sie und ihre Pferde eines Tages gar nicht mehr gebraucht würden. Doch dann, zwischen 1950 und 1965, wurden neun von zehn Pferden abgeschafft. Viele Jahrtausende lang hatte das Pferd dem Menschen gedient und Pflüge, Wagen und Kutschen gezogen, und nun dauerte es gerade 20 Jahre, bis Traktoren, Autos und Lastwagen seine Arbeit überflüssig gemacht hatten.

Es geschah mitten in dieser Zeit, dass ausgerechnet ein Pferd zum großen Helden wurde. Bei den Olympischen Spielen von 1956 waren die deutschen Springreiter auf Goldkurs. Doch einer von ihnen, Hans Günter Winkler, verletzte sich beim Springen. Er hatte einen Muskelriss an der Leiste, der tat so weh, dass Reiten unmöglich schien. Andererseits: Wenn er es nur irgendwie schaffen würde, über die Hindernisse zu kommen, könnten die deutschen Reiter trotzdem noch Gold gewinnen! Winkler stieg in den Sattel und wurde vor Schmerz beinahe ohnmächtig. Um den Ritt zu überstehen, bekam er eine Morphiumspritze, und davon war er so benebelt, dass er sich kaum wach halten konnte.

In diesem Zustand über einen Olympiaparcours zu reiten schien unmöglich. Aber dann passierte, was keiner geglaubt hatte: Winkler hielt sich im Sattel, und seine Stute Halla sprang über alle Hindernisse, ohne einen einzigen Fehler zu machen. Gold für die deutsche Mannschaft! Gold für Hans Günter Winkler und Gold für die Wunderstute Halla! Dieses Pferd, das im richtigen Moment genau verstanden hatte, worauf es ankam, und das alles gegeben hatte, dieses Wun-

Galopprennen auf einem zugefrorenen See in St. Moritz

dertier begeisterte sogar Auto- und Fußballfans. Selbst wenn die Traktoren den Pferden beim Ackern und Pflügen überlegen sein mochten, so hatte Halla es doch allen gezeigt, dass Pferde etwas tun, was die Maschinen nie können werden: den Menschen verstehen und ihm helfen.

In den folgenden Jahren kamen die Mädchen und entdeckten die Ponys und Pferde für sich, zum Dressurreiten und Springen, für Ausritte – und zum Kuscheln. Früher sprachen die Generäle von »Material«, wenn sie Pferde für die Kavallerie, für die Soldaten zu Pferde, begutachteten. Heute gelten Ponys als beste Freunde, die zuhören können und einem sanft die Nüstern auf die Schulter legen, wenn man ihnen von seinen Sorgen erzählt. Immer mehr Mädchen wollen nichts lieber als reiten.

Sie haben auch die Art zu reiten verändert: Früher mussten Pferde vor allem gehorchen, und wenn man junge Pferde an den Reiter gewöhnte, sprach man sogar von »einbrechen«. Ein so gewaltsames Wort nehmen die Reiterinnen heute nicht in den Mund. Sie sagen »einreiten«. Beruhigend sprechen sie mit dem jungen Pferd und liebkosen es, sodass es keine Angst hat, wenn eine Reiterin das erste Mal auf seinen Rücken steigt.

Viel stärker als Menschen

Warum finden so viele Mädchen Reiten derartig toll, dass sie von nichts anderem sprechen, nur noch Pferdebücher lesen und Pferdeposter an alle Wände hängen? Die meisten Pferdemädchen wissen das gar nicht so genau zu sagen. Weil Ponys so süß sind, sagen sie oft. Aber das sind Kaninchen auch. Es hat wohl damit zu tun, dass Pferde stark und schnell sind – und gleichzeitig freundlich und sanft.

Pferde sind viel stärker als Menschen. Wenn sie wollten, könnten sie sich losreißen und davonlaufen – doch sie tun es nicht. Sie vertrauen ihren Reitern. Ein Pferd zu bändigen – nicht mit der Peitsche, sondern allein mit der Stimme, ihm nur mit einem leichten Druck mit dem Unterschenkel zu zeigen, wo es hingehen soll –, das ist es etwas sehr Schönes. Wenn Rennpferde aus der Startbox springen, beschleunigen sie so schnell wie Motorräder, und wenn sie dann über die Grasbahn galoppieren, sind sie beinahe ebenso schnell.

Die Jockeys stehen dabei ruhig in den Steigbügeln und spüren unter sich die unglaubliche Kraft, mit der die Vollblüter vorwärtsstürmen. Manche dieser Pferde kann ein Jockey bremsen,

Der Springreiter Christian Ahlmann auf seinem Pferd Cöster bei den Olympischen Spielen 2004

Geschmeidig, kraftvoll, ungezähmt: Wildpferde in der Camargue (Frankreich)

ohne dass er dazu die Zügel brauchte. Hooohhopp! sagt er nur, leise und mit tiefer Stimme, und das Pferd verlangsamt seine Schritte. Manche Reiter – nicht auf der Rennbahn allerdings – reiten sogar ganz ohne Sattel und Zügel.

Mit den Pferden sprechen

Es gibt einen Film, der erzählt genau davon: wie Pferde und Menschen einander verstehen. *Der Pferdeflüsterer* heißt er. Er handelt von einem Mann, der so gut mit Pferden sprechen kann (flüstern!), dass selbst die wildesten und verstörtesten Tiere auf ihn hören. Jeder, der schon einmal geritten hat, spürt das: Pferde können verstehen, was die Reiter ihnen sagen. Natürlich nicht jedes einzelne Wort, aber sie spüren jede Stimmung. Kommst du hektisch in die Box gerannt, wird dein Pferd unruhig. Und hast du Angst, merkt es dein Pferd ganz genau. Deshalb sagen auch die Springreiter: Wirf dein Herz voraus über den Sprung! Sonst spürt dein Pferd, dass du dich nicht traust, und bleibt vor dem Hindernis stehen.

Natürlich reagieren nicht alle Pferde gleich, und auch das macht Reiten interessanter als Motorradfahren. Manche sind mutig, andere frech, manche sind bockig, und andere tun einfach alles, was man ihnen sagt. Doch die finden gute Reiter eher langweilig.

Vielen gefallen die schlanken Araber mit ihren großen Augen unter der langen Mähne am besten. Sie gelten als die edelsten Pferde der Welt, und wer je einen Araber geritten hat, dürfte gestaunt haben, wie sensibel diese Pferde auf die kleinsten Bewegungen des Reiters reagieren. Und wie gerne sie ihre Schönheit zeigen: Wenn sie traben oder galoppieren, heben sie ihren Schweif, und sie drücken sich so vom Boden ab, dass sie durch die Luft zu schweben scheinen. Kein Wunder, dass sich so viele Mädchen da verlieben.

Mehr wissen …
Die Basis allen Lebens: Pflanzen

Pflanzen unterscheiden sich von den anderen Lebewesen vor allem in ihrer Ernährungsweise. Mit Hilfe des Sonnenlichts wandeln sie Kohlendioxid aus der Luft und Wasser aus dem Boden in Zucker (Kohlenhydrate) um. Pflanzen sind in ihrer Ernährung also nicht wie Pilze und Tiere auf andere Lebewesen angewiesen. Die *Photosynthese*, die die Sonnenenergie ausnutzt, läuft meist in den Blättern ab. Ihre Zellen enthalten viele kleine, grüne Kügelchen, die *Chloroplasten*. Von diesen rührt auch die grüne Farbe der Pflanzen her. Die Chloroplasten sind mit vielen kompliziert gebauten Chlorophyll-Molekülen (Blattgrün) gefüllt, die die Energie des Lichtes einfangen und zum Aufbau der Zucker weiterleiten. Als Abfallprodukt wird dabei der für fast alle Organismen lebensnotwendige Sauerstoff frei. Mit der Produktion von Zucker und Sauerstoff bilden die Pflanzen die Basis allen übrigen Lebens, da alle anderen Lebewesen von diesen Stoffen abhängig sind. Für den Menschen sind sie nicht nur das wichtigste Nahrungsmittel, Holz oder Fasern sind auch häufig verwendete Werkstoffe.

Einteilung und Aufbau der Pflanzen:

Die einfachsten Pflanzen sind die *Algen*. Sie leben im Wasser und können einzellig, mehrzellig oder vielzellig sein. Die mehrzelligen bilden Ketten aus Zellen, flächige Gebilde wie Blätter oder Kugeln. Bei weit entwickelten Algen lassen sich wurzel-, stängel- und blattähnliche Teile unterscheiden. Bei den Moosen wird diese Gliederung noch deutlicher. Sie leben überwiegend an Land und wachsen meist polsterartig an feuchten Stellen. Bei *Farnen* und *Blütenpflanzen* sind die typischen Pflanzenorgane Wurzel, Spross und

Die größte Blüte der Welt bildet die Riesenrafflesie aus.

Blätter voll ausgebildet. Jedes Organ hat seine eigenen Funktionen. Die *Wurzel* dient der Verankerung der Pflanze im Boden und der Aufnahme von Wasser und Mineralien, die die Pflanzen trotz Photosynthese brauchen. Die Aufnahme geschieht mit feinen Wurzelhaaren, die sich kurz hinter den Wurzelspitzen befinden. Der *Spross* oder *Stängel* sorgt dafür, dass die Pflanze in die Höhe wächst. Am Spross befinden sich die *Blätter*. Ihre äußerste Zellschicht enthält viele Spaltöffnungen, durch die Wasserdampf und Sauerstoff austreten und Kohlendioxid eintreten können. Durch alle Pflanzenteile ziehen sich Gefäße, in denen Zucker, Mineralien und Wasser transportiert werden. Wasser und Mineralien wandern von der Wurzel zu den Blättern, während Zucker und andere organische Stoffe von den Blättern zu den Wurzeln gelangen. Dort werden sie bei vielen Pflanzen gespeichert. Die Blütenpflanzen haben oft auffällige Blüten, die der Fortpflanzung dienen.

Fortpflanzung:

Pflanzen vermehren sich auf zweierlei Arten. Bei der *ungeschlechtlichen Fortpflanzung* teilt sich z. B. eine einzellige Alge in zwei Tochterzellen. Bei den Blütenpflanzen geschieht dies mit Hilfe ganzer Pflanzenteile. Schneiden wir ein Blatt ab und stellen es ins Wasser, bilden sich oft Wurzeln am Blattstiel. Pflanzen wir dieses bewurzelte Blatt in Erde, ist bald eine vollständige Pflanze daraus gewachsen. Bei der zweiten Vermehrungsart, der *geschlechtlichen Fortpflanzung*, die wesentlich häufiger vorkommt, werden männliche und weibliche Geschlechtszellen gebildet, die bei der Befruchtung verschmelzen.

Die *Befruchtung* vollzieht sich in den Blüten. Sind sie getrenntgeschlechtlich, gibt es männliche und weibliche Blüten. Die zwittrigen enthalten sowohl männliche *(Staubblätter)* als auch weibliche *(Fruchtknoten)* Blütenteile. In den Staubblättern reift der Pollen heran und wird durch Wind, Wasser oder Tiere zu den *Narben* der Fruchtknoten transportiert. Dort setzen sich Pollenkörner fest und bilden einen feinen, langen Schlauch aus, der durch die Narbe zur weiblichen Eizelle im Fruchtknoten wächst. Durch den *Pollenschlauch* wandern männliche Samenzellen zur Eizelle und befruchten sie. Nach der Befruchtung wächst der *Samen* heran. Bei den *nacktsamigen* Blütenpflanzen (z. B. den Nadelbäumen) sitzt er offen auf den Fruchtblättern der Zapfen. Bei den *Bedecktsamern* (den Pflanzen, die wir als Blumen bezeichnen, aber auch Gräsern und Laubbäumen) ist der Samen von einer Fruchthülle umschlossen. Sie kann, wie bei vielen Obst- und Gemüsearten, sehr wohlschmeckend sein. Dies dient vor allem dazu, dass Tiere die Früchte essen und so die Samen verbreiten. Andere Samen haben Flügel, Luftsäckchen oder Fallschirmchen (wie der Löwenzahn), mit denen sie leicht vom Wind fortgetragen werden.

Pflanzenschutz [der], der Teil des Naturschutzes, der sich mit dem Schutz seltener oder gefährdeter *Wildpflanzen* befasst (z. B. Orchideen, Anemonen, Enziane). Unter Pflanzenschutz versteht man außerdem den Schutz der *Kulturpflanzen* vor Schädlingen.

Pflaume [die], ein Steinobst, das in Europa in verschiedenen Zuchtformen angebaut wird, z. B. die violettblaue *Zwetschge,* die gelbgrüne *Reineclaude,* die gelbe *Mirabelle.*

Pflug [der], ein Gerät zur Bodenlockerung, das älteste Ackerbaugerät. Der Pflug schneidet in der obersten Bodenschicht einen Erdbalken aus und wendet ihn. Dabei wird die Erde zugleich gelockert und gemischt. Das Hauptblech des Pflugs heißt *Schar.* Früher zogen Pferde und Rinder den Pflug, heute verwendet man fast ausschließlich Traktoren.

Pfund [das], **1.** Abkürzung Pfd., heute gesetzlich nicht mehr zugelassene Gewichtseinheit (1 Pfd. = ½ kg = 500 g). **2.** Währungseinheit in Großbritannien (1 £ = 100 New Pence) und vielen anderen Staaten.

pH, Abkürzung für **p**otentia **h**ydrogenii (»Wasserstoff-Stärke«); *pH-Wert,* die Maßzahl für die Stärke der sauren oder alkalischen Reaktion einer Lösung.

Phallus [der], das männliche Glied, besonders als Symbol der Fruchtbarkeit.

Phänomen [das], eine einmalige Erscheinung, ein außergewöhnliches Ereignis.

Phantom [das], Sinnestäuschung, Trugbild.

Pharao [der], ein altägyptischer Königstitel.

Pharisäer [Pl.], eine um 150 v. Chr. entstandene religiöse Gemeinschaft, deren Ziel es war, ihr Leben durch Gesetzesgehorsam Gott zu weihen. Heute nennt man einen selbstgerechten Menschen Pharisäer.

Pharmazie [die], die Wissenschaft von der sachgemäßen Zubereitung, Beschaffenheit und Anwendung der Arzneimittel. Die Herstellung von Arzneien ist heute hauptsächlich Sache der pharmazeutischen Industrie (Pharmaindustrie).

Philatelie [die], Briefmarkenkunde; das Sammeln von Briefmarken.

Philister [Pl.], ein Volk, das um 1200 v. Chr. in das Küstengebiet von Palästina einwanderte und nach kriegerischen Auseinandersetzungen dort sesshaft wurde. Heute bezeichnet man einen engstirnigen Menschen, einen Spießbürger, gern als Philister.

Ländersteckbrief Philippinen

Fläche:	300 000 km²
Einwohner:	84,5 Millionen = 282 je km²
Hauptstadt:	Manila
Religion:	römisch-katholische Kirche
Amtssprache:	Filipino
Währung:	1 Philippinischer Peso = 100 Centavos

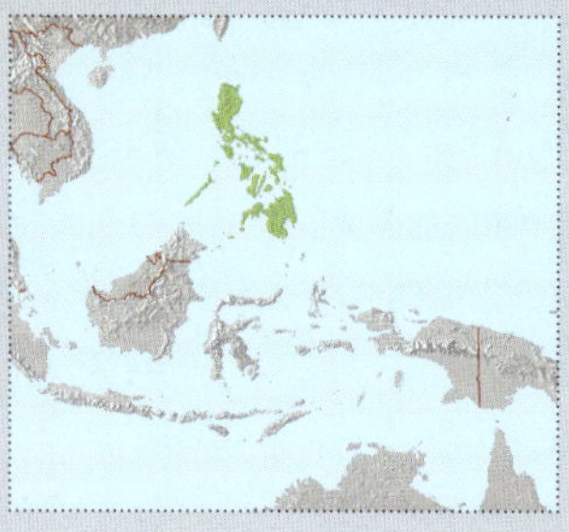

Philippinen, Staat in Südostasien.

Landesnatur: Die Philippinen bestehen aus über 7000 gebirgigen Inseln mit zahlreichen, z. T. noch tätigen Vulkanen (*Mount Mayon* auf Luzon, 2421 m). Das Monsunklima ist tropisch heiß, niederschlagsreich und bringt häufig Taifune. Das Land ist fast zur Hälfte waldbedeckt.

Bevölkerung: Die Bevölkerung ist zu 92% christlich. Den größten Anteil stellen die *Jungmalaien (Filipinos)* mit 40% der Bevölkerung; es folgen Indonesier und Polynesier mit 30%, Chinesen mit 10% sowie die Altmalaien (meist Bergvölker) und die Negritos (10%). Auf den Philippinen werden rund 80 Sprachen gesprochen. Wichtigste Sprache ist das *Tagalog*, dessen standardisierte Form, *Filipino* genannt, heute Staatssprache ist. Daneben hat besonders das Englische Bedeutung.

Wirtschaft: Der landwirtschaftliche Anbau umfasst u. a. Zuckerrohr, Kokospalmen, Hanf, Tabak, Reis, Mais, Südfrüchte und Gemüse. Bedeutend sind auch die Küstenfischerei und die Forstwirtschaft. Beträchtlich sind die Vorkommen von Gold, Eisen, Buntmetallen und Kohle. Die Industrie stellt über die Hälfte des Exportwertes und liefert v. a. Nahrungsmittel, daneben aber auch Textilien, Metallwaren, Möbel, elektronische Waren sowie Eisen und Stahl. – Wichtigste Überseehäfen sind Manila und Cebu, Hauptflughafen ist Manila.

Geschichte: Die Philippinen wurden 1521 von F. de *Magalhães* entdeckt und fielen Ende des 16. Jh. unter spanische Herrschaft. 1898 erklärten die Filipinos ihre Unabhängigkeit, das Inselreich wurde jedoch von den USA besetzt. 1924 erhielten die Philippinen erweiterte Autonomie als Dominion. Im Zweiten Weltkrieg ge-

Philippinen: Wohnhütten in der Nähe von Banaeu, das vor allem wegen seiner kunstvoll angelegten Reisterrassen berühmt ist.

lang es den Japanern 1941/1942–1945, die Inseln zu besetzen. Am 4. 7. 1946 wurden die Philippinen unabhängig und erhielten eine Verfassung nach US-amerikanischem Vorbild. Die engen Verbindungen mit den USA blieben bestehen.

1965 wurde F. *Marcos* Staatspräsident, der ein diktatorisches Regime errichtete. 1986 wurde er gestürzt und ging ins Exil. Das Präsidentenamt übernahm Corazón *Aquino*. 1987 wurde eine neue Verfassung verabschiedet und die Demokratisierung eingeleitet. 1992 bis 1998 war F. *Ramos* Präsident. Er bemühte sich um die Beilegung der zahlreichen inneren Konflikte. 1998 wurde J. *Estrada* Nachfolger von Ramos. Die Auseinandersetzungen mit islamistischen und kommunistischen Rebellen flammten wieder auf. Nach Massenprotesten und einem Amtsenthebungsverfahren musste Estrada 2001 das Präsidentenamt niederlegen. G. *Macapagal Arroyo* wurde neue Staatschefin. Sie arbeitete bei der Bekämpfung terroristischer Aktivitäten eng mit den USA zusammen und wurde bei Wahlen 2004 im Amt bestätigt.

Philologie [die], die Wissenschaft von der Sprache und Literatur, darüber hinaus auch von der gesamten Kultur eines Volkes, so wie sie sich in Sprache und Literatur niederschlägt.

Philosophie [die, griech., »Liebe zur Weisheit, zur Wissenschaft«], das Streben der menschlichen Vernunft nach Erkenntnis, insbesondere auch das Fragen nach dem Sinn des Lebens und der Stellung des Menschen in der Welt. Die Philosophie gliedert sich in zahlreiche Teilgebiete: die *Erkenntnistheorie* beschäftigt sich mit den Formen des Denkens und Erkennens; die *Ontologie* oder *Metaphysik* setzt sich mit dem Wesen aller Dinge, dem Sein, auseinander. Die Philosophie, die sich mit »richtigem« Handeln und den Begründungen dafür befasst, bezeichnet man als *Ethik*. Die *Ästhetik* ist die Philosophie vom Schönen und von der Kunst. Heute kommt der Philosophie die übergeordnete Funktion zu, Probleme unserer modernen Industriegesellschaft und unbewiesene Prinzipien der Einzelwissenschaften kritisch zu hinterfragen. Die Anfänge der abendländischen Philosophie liegen bei den alten Griechen. Berühmte griechische Philosophen waren *Heraklit, Sokrates, Platon* und *Aristoteles*. Die prägenden Philosophen des Mittelalters waren *Augustinus* und *Thomas von Aquin*, in der Neuzeit *Descartes, Leibniz, Kant, Hegel, Schopenhauer* und *Nietzsche*. Berühmte Philosophen des 20. Jh. sind *Jaspers, Heidegger, Sartre, Camus, Wittgenstein* und *Adorno*.

Phnom Penh: Mönche vor dem Königspalast

phlegmatisch [griech.], träge, schwerfällig. Einen Menschen, der sich über nichts aufregt, nennt man *Phlegmatiker*.

Phnom Penh, Hauptstadt von Kambodscha, am Tonlé-Sap-Fluss, 999 800 Einwohner.

Phon [das], *Fon*, Kurzzeichen phon, Maßeinheit der Lautstärke. Die Unterschiede der Lautstärke werden in *Dezibel (dB)* angegeben, wobei 1 phon = 1 dB ist.

Phonetik [die], *Fonetik*, Lautlehre, Wissenschaft von den Sprachlauten und vom Vorgang des Sprechens.

Phönix [der], ein sagenhafter Vogel, der sich im hohen Alter selbst verbrannte und aus der Asche verjüngt hervorging; das Sinnbild der Unsterblichkeit.

Phönizier [Pl.], *Phöniker,* ein semitisches Volk aus dem Norden Arabiens, das um 3000 v. Chr. die Küste Syriens besiedelte und im 2. Jahrtausend v. Chr. bedeutende Städte wie Byblos, Sidon und Tyrus gründete. Die Phönizier verbreiteten ägyptische und babylonische Kulturtechniken (z. B. Metallverarbeitung, Glasherstellung, Purpurfärberei) im Mittelmeergebiet und legten dort viele Handelsplätze und Stadtkolonien an (u. a. Karthago).

Phosphate, Salze und Ester der verschiedenen *Phosphorsäuren*; sie werden hauptsächlich als Düngemittel und als Zusatz in Wasch- und Reinigungsmitteln verwendet.

Phosphor [der], ein chemisches Element mit dem Zeichen P, das in der Natur nur in gebundenem Zustand in Form von Phosphaten vorkommt. Phosphor ist ein wesentlicher Bestandteil pflanzlicher und tierischer Organismen (z. B. in den Knochen und im Eiweiß).

Photoapparat [der] → Fotoapparat.

Photographie [die] → Fotografie.

Was ist …
Photosynthese

Photosynthese ist die Herstellung energiereicher organischer Verbindungen aus energiearmen anorganischen Molekülen, die v. a. die Pflanzen, aber auch Cyanobakterien und phototrophe Bakterien mit Hilfe der Sonnenenergie durchführen. Dabei wird Sauerstoff freigesetzt.

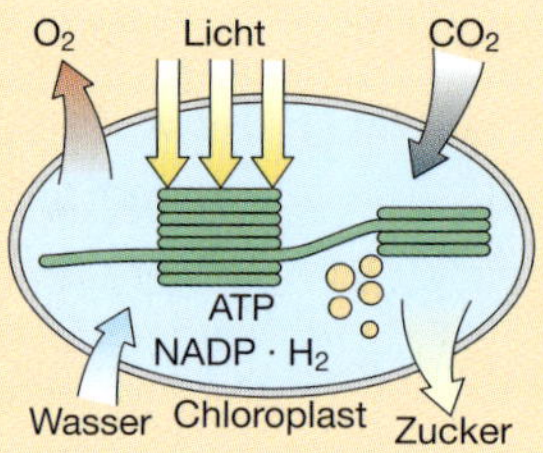

In abgegrenzten Bereichen der pflanzlichen Zellen, den Chloroplasten, hier schematisch dargestellt, findet die Photosynthese statt. Der Photosyntheseapparat befindet sich in den durch Chlorophyll grün gefärbten Membranelementen. Licht, Wasser (H_2O) und Kohlendioxid (CO_2) werden zur Durchführung der Photosynthese von den Chloroplasten benötigt, gebildet werden Zucker (Glucose) und Sauerstoff (O_2); gelb = Fettspeicher, blau = Matrix

Bedeutung: Der aus vielen Teilschritten bestehende Vorgang der Photosynthese ist die wichtigste Stoffwechselleistung der Pflanzen. Die gebildeten Kohlenhydrate nutzen sie für ihren eigenen Stoffwechsel, gleichzeitig erzeugen sie aber auch die gesamte Nahrung für alle übrigen Organismen, die sich entweder direkt von den Pflanzen ernähren (Pflanzenfresser) oder von pflanzenfressenden Beutetieren. Die Photosynthese ist außerdem notwendig, um den Sauerstoffgehalt der Erdatmosphäre aufrechtzuerhalten. Ohne diesen Luftsauerstoff wäre das Leben auf der Erde, wie wir es kennen, nicht möglich. In ihrer Frühzeit besaß die Erde noch eine sauerstofffreie Atmosphäre. Erst als Einzeller vor zwei bis drei Milliarden Jahren anfingen, Photosynthese zu treiben, begann die Umwandlung von Kohlendioxid in Sauerstoff, wodurch ganz allmählich die heutige Atmosphäre der Erde entstand. Die Photosynthese ist somit die Grundlage allen höheren Lebens auf der Erde.

Ablauf: Photosynthese findet in den Chloroplasten (Plastiden) der Pflanzenzellen statt. In ihnen befindet sich ein System sogenannter Thylakoidmembranen, die neben dem grünen Farbstoff Chlorophyll weitere Photosynthese-Farbstoffe enthalten. In oder an ihnen erfolgt die Umwandlung von Kohlendioxid (CO_2) und Wasser zu Glucose, einem Zucker, gemäß der Bilanzgleichung $6\,CO_2 + 12\,H_2O \rightarrow C_6H_{12}O_6 + 6\,O_2 + 6\,H_2O$. Dabei kann die Photosynthese in zwei Teilprozesse untergliedert werden: die Lichtreaktion und die Dunkelreaktion. Im Rahmen der *Lichtreaktion* wird Lichtenergie v. a. vom Chlorophyll absorbiert und mit dieser eingefangenen Energie Wasser in Sauerstoff und Wasserstoff gespalten. Dabei werden Elektronen frei und über

Elektronentransportketten weitergegeben und zum Aufbau von NADPH (Nicotinamid-Adenin-Dinucleotid-Phosphat) genutzt. Gleichzeitig wird bei diesem Elektronentransport Energie frei, die durch die Bildung von ATP (Adenosintriphosphat) chemisch gebunden wird. Diese Energie in Form von ATP wird in der *Dunkelreaktion* dazu verwendet, um aus energiearmem anorganischem Kohlenstoff energiereiche organische Glucose aufzubauen. Außerdem wird das in der Photosynthese gebildete ATP auch bei anderen Prozessen, die in der Pflanze ablaufen, als Energieüberträger benötigt, etwa um den aktiven Stofftransport in Pflanzen zu ermöglichen.

Photovoltaik [die], *Fotovoltaik,* Technik, bei der Licht mit Hilfe von *Solarzellen* in elektrische Energie umgewandelt wird. Diese Technik wird u.a. für die Energieversorgung von Satelliten und Raumsonden eingesetzt.

Photozelle [die], *Fotozelle,* → Solarenergie.

Phrase [die], Redewendung, abgegriffene, nichtssagende Formulierung, leere, abgegriffene Redensart.

Physik → Seite 37.

Physiognomie [die, griech.], äußere Erscheinung eines Lebewesens.

Physiologie [die, griech.], die Wissenschaft von den chemisch-physikalischen Vorgängen im lebenden Körper, von Arbeitsweise und Zusammenwirken der Zellen, Gewebe und Organe.

Pi, π, 16. Buchstabe des griechischen Alphabets; in der Mathematik die Kreiszahl *(Ludolf'sche Zahl),* die das Verhältnis des Kreisumfangs zum Durchmesser angibt: $\pi = 3{,}14159265358...$

Piaget [pia'ʒɛ], Jean, * 1896, † 1980; schweizerischer Psychologe. Seine Theorie der geistigen Entwicklung des Kindes gab der Entwicklungs- und Lernpsychologie entscheidende Anstöße.

Pianisten [Pl.], Klavierspieler von besonderem künstlerischem Rang.

?

Wer war …

Pablo Picasso

Pablo Picasso (eigentlicher Name Pablo *Ruiz y Picasso,* * 1881, † 1973) war ein spanischer Maler, Grafiker und Bildhauer. Picasso wurde schon zu Lebzeiten als größter Künstler der Moderne gefeiert, der dem *Kubismus* und der *abstrakten Kunst* den Weg bereitete. Seine Werke, die sich durch Fantasie, Vitalität und einen großen Reichtum an stilistischen Mitteln auszeichnen, wurden von vielen nachfolgenden Künstlern zum Vorbild genommen.

Pablo Picasso in seinem Atelier in Vallauris, Frankreich

Seine Ausbildung erhielt Picasso in Barcelona und Madrid, 1904 siedelte er nach Paris über. In seinen ersten eigenständigen Werken bevorzugte er jeweils eine bestimmte Farbe, nach der diese Periode dann bezeichnet wurde: In der sogenannten *Blauen Periode* (1901–1905) malte er hauptsächlich melancholische Harlekin- und Gauklerbilder, in der dann folgenden *Rosa Periode* meist Zirkusbilder. Ab 1907 ließ sich Picasso stark von der außereuropäischen Kunst und der

Malweise P. *Cézannes* beeinflussen. Er gehörte damit zu den Mitbegründern des *Kubismus*, einem neuen Malstil, bei dem nicht mehr nach der Natur gezeichnet, sondern die Objekte in geometrische Figuren aufgelöst wurden. Auch die folgenden Jahre waren von Experimentierfreude geprägt. So griff Picasso abwechselnd auf die verschiedensten künstlerischen Stilarten, wie z. B. den Klassizismus, Surrealismus oder Expressionismus zurück und schuf nicht nur Bilder, sondern beispielsweise zwischen 1917 und 1924 auch Bühnenbilder und -kostüme. Zu den Hauptwerken vor dem Zweiten Weltkrieg gehört eine Folge von Radierungen über den Stierkampf (»Minotauromachie« 1935) und das monumentale Wandbild »Guernica« (1937), in welchem er die Schrecken des Spanischen Bürgerkrieges darstellt. Neben seinen zahlreichen Porträts, Zeichnungen und Radierungen schuf Picasso seit 1947 auch fantasievolle Keramiken und Skulpturen.

Piercing [piəsiŋ, das, engl.], das Durchbohren von Körperteilen (z. B. Ohrläppchen, Lippen) mit metallischen Schmuckstücken.

Pietismus [der, lat., »Frömmigkeit«], eine Erneuerungsbewegung im Protestantismus seit dem Ende des 17. Jh., die den Gedanken der *Aufklärung* ein gefühlsbetonteres christliches Leben entgegensetzte.

Pigment [das], ein natürlicher Farbstoff in Form von mikroskopisch kleinen Körnern im Gewebe von Pflanzen, Tieren und Menschen. Sie bilden die Farbe des Körpers und dienen z. B. der Schutz- oder Tarnfärbung. Beim Menschen sind sie für die Augen-, Haar- und Hautfarbe verantwortlich.

Piktogramme [Pl.], weltweit verständliche Bildsymbole.

Piktogramme: Herren-, Damen-, Behinderten-WC, Flughafen, Fluchtweg, Fundbüro, Münztankstelle, Gepäckschließfächer, Information, Taxistand, Krankenhaus, Fußball, Skispringen, Bob (von oben links nach unten rechts)

Pilger [Pl.], Wallfahrer zu heiligen Orten.

Pilze [Pl.], Organismen ohne Blattgrün (Chlorophyll), die sich von organischen Substanzen ernähren. Sie bestehen aus vielzelligen Pilzfäden, die alle zusammen *Myzel* genannt werden. Pilze vermehren sich ungeschlechtlich durch Sporen oder geschlechtlich durch die Verschmelzung von Geschlechtszellen. Viele zum Teil mikroskopisch kleine Pilze sind Krankheitserreger, andere – wie der Schimmel – verderben Nahrungsmittel. Sie zerstören Holz und tragen zum Abbau organischer Reste im Boden bei (Vermoderung). Hefepilze bewirken einen Gärungsvorgang, andere produzieren Stoffe, die Krankheiten heilen können (Antibiotika). Zu den höheren Pilzen zählen unsere bekannten Speisepilze (z. B. Champignon, Pfifferling, Steinpilz) und viele Arten, die ungenießbar oder sogar giftig sind (z. B. Fliegenpilz, Knollenblätterpilz).

PIN, Abkürzung für englisch **P**ersonal **I**dentification **N**umber, »persönliche Identifikationsnummer«, eine vier- oder mehrstellige Geheimzahl, die z. B. bei einem → Mobiltelefon dem Nutzer den Zugang zum Mobilfunknetz ermöglicht.

Pinguine [Pl.], ursprünglich in der Antarktis beheimatete Vögel, die nicht fliegen können. Sie sind vorzügliche Schwimmer und Taucher, wobei die Flügelstummel als Flossen und die mit Schwimmhäuten versehenen Füße zum Steuern dienen. Pinguine haben einen watschelnden Gang. Die rückgebildeten Federn

Fortsetzung → Seite 38

Mehr wissen …
Den Naturgesetzen auf der Spur: Physik

Elektrizität, Laser, Atombombe, Raumfahrt, Relativitätstheorie, das alles sind Begriffe, die mit Physik zu tun haben. Im täglichen Leben beginnt die Physik aber schon dann, wenn wir etwas auseinandernehmen – sei es ein Spielzeugauto, eine Uhr oder ein echtes Auto, um zu wissen, was unter der äußeren Hülle verborgen ist und wie das Ganze funktioniert.

Was ist Physik?

Die Physik ist eine Naturwissenschaft, die sich mit dem Aufbau und der Funktionsweise der uns umgebenden Dinge beschäftigt. Sie soll praktische Fragen möglichst einfach beantworten, z. B. unter welchem Winkel man einen Ball werfen muss, damit er möglichst weit fliegt; oder Auskunft geben, wie man die Energie der Sonne mit möglichst geringen Verlusten in elektrischen Strom verwandeln kann; oder wie man mit Raketen oder Raumfähren die Erde verlassen kann. Aber in der Geschichte der Physik war immer auch das Interesse dabei, zu wissen, woraus die Welt im Innersten besteht. Was passiert, wenn man das Spielzeugauto, das Handy oder allgemeiner einen Stein immer weiter zerteilt? Kann dieser Teilungsprozess beliebig oft wiederholt werden, oder stößt man dabei irgendwann auf eine unteilbare Einheit? Zu dieser Frage über die materielle Grundstruktur der Welt machen sich die Menschen schon seit Jahrtausenden Gedanken. So ist die Idee eines Atoms, einer unteilbaren Einheit, aus der alle Materie aufgebaut ist, eine der ältesten physikalischen Annahmen.

Experimente und Gesetze:

Die Physik umfasst sowohl die Beschreibung von Naturerscheinungen als auch die Formulierung von Gesetzmäßigkeiten. Durch systematische Beobachtung eines bestimmten Vorgangs soll eine Gesetzmäßigkeit ermittelt werden, mit der dieser Vorgang erklärt (und dadurch vorausgesagt) werden kann. Zur Untersuchung wird der Vorgang mit eindeutigen, wiederholbaren Bedingungen durchgeführt. Die Ergebnisse eines solchen *Experiments* sollen dann durch ein möglichst einfaches *Modell* erklärt und durch ein allgemein gültiges *Gesetz* (häufig durch eine mathematische Formel) beschrieben werden. So kann man in einem Experiment z. B. die Abhängigkeit der Wurfweite eines Balls vom Abwurfwinkel ermitteln. Ein Modell für diesen Vorgang liefert das allgemeine *Gravitationsgesetz*, das eine Anziehungskraft zwischen allen Massen (hier: Erde und Ball) annimmt.

Zur Beschreibung der Welt hat die Physik eine Sammlung von elementaren Begriffen als Handwerkszeug entwickelt. Beispiele sind: Energie, Kraft, Masse, Geschwindigkeit, Beschleunigung, Temperatur. Diese im täglichen Leben häufig verwendeten Ausdrücke haben in der Physik eine genau definierte Bedeutung.

Gebiete der Physik:

Die Physik ist die Grundlage aller technischen Entwicklungen (z. B. Auto, Flugzeug, Fernsehgerät oder Telefon). Ein im Alltag schon immer bedeutsamer physikalischer Forschungsbereich ist die *Mechanik*, die u. a. die Phänomene der Bewegung beschreibt und damit Grundlage für alle Maschinen und Fahrzeuge ist. Die *Elektrizitätslehre* hat durch die Beschreibung der Phänomene des elektrischen Stroms unser Leben in den letzten hundert Jahren wohl mit am entscheidendsten verändert. Die *Wärmelehre* erklärt alle Phänomene, die mit Temperatur und Wärme zusammenhängen. Die *Akustik* ist die Lehre vom Schall, der Erzeugung und Ausbreitung von Tönen aller Art, und die *Optik* befasst sich mit der Natur des Lichts und der Farben. Die *Laserphysik* hat seit etwa 1960 eine sehr schnelle Entwicklung erlebt, so dass die anfangs sehr aufwändigen Laser heute schon in preiswerten Konsumartikeln wie z. B. DVD-Playern zu finden sind. Die *Festkörperphysik* erklärt den Aufbau von Metallen und Kristallen. Die *Kernphysik* ist die Grundlage für die Nutzung der Kernkraft, aber auch für den Bau von Atombomben.

Daneben wird aber in der Physik auch »Grundlagenforschung« ohne direkte Anwendung betrieben. Zu diesen Forschungsgebieten gehören u. a. die Teilchenphysik und die Astrophysik.

In der *Teilchenphysik* suchen Forscher nach den kleinsten Teilchen, aus denen die Welt aufgebaut ist. Zu deren Erforschung werden gigantische *Teilchenbeschleuniger* genutzt, z. B. gibt es in Genf beim Institut CERN ringförmige Beschleuniger von über 8 km Durchmesser in einem Tunnelsystem unter der Erde. Als kleinste Teilchen gelten heute u. a. Elektronen und sogenannte Quarks, aus denen über eine Zwischenstufe von Protonen und Neutronen gut 100 verschiedene Atome aufgebaut sind; die Atome haben eine Größe von etwa dem zehnmillionsten Teil eines Millimeters. Die *Astrophysik* beschäftigt sich mit Fragen zum inneren Aufbau der Sterne und zur Entstehung und Entwicklung des Weltalls (→ Astronomie). So kann mit Hilfe physikalischer Methoden das Weltalter derzeit auf rund 13,7 Mrd. Jahre und das Alter der Erde auf rund 4,5 Mrd. Jahre geschätzt werden. Viele dieser grundlegenden Fragen sind aber noch keineswegs vollständig geklärt und werden von zukünftigen Physikern vielleicht auch anders beantwortet werden.

liegen dem Körper wie Schuppen an. Die Tiere haben Fettpolster unter der Haut, die als Wärmeschutz und Nahrungsspeicher dienen. Die 1–2 Eier werden in flachen Erdmulden oder auf dem Boden abgelegt und meist vom Weibchen allein ausgebrütet. Pinguine leben in großen Kolonien. Bekannt sind vor allem der *Kaiserpinguin,* der über 1 m hoch werden kann, und der *Königspinguin.*

Pinguine: Durch die weiße Unterseite ihres Gefieders sind die Vögel gut getarnt, da sie sich nach unten von der hellen, spiegelnden Wasseroberfläche kaum abheben.

Pinie [die], eine südeuropäische Kiefer mit schirmförmiger Krone, die das Landschaftsbild der Mittelmeerländer prägt. Ihre ölhaltigen Nüsse werden zur Herstellung von Süßigkeiten verwendet.

Pionier [der], ein Wegbereiter, Vorkämpfer (für eine Idee oder Erfindung). Pionier ist auch die Bezeichnung für einen Soldaten der technischen Truppe, zu dessen Aufgaben der Brückenbau oder Sprengarbeiten gehören.

Pipeline ['paiplain, die, engl.], eine Rohrleitung aus Stahl oder Beton zur Beförderung von Rohöl oder Erdgas über weite Strecken zum Verschiffungs- oder Verwendungsort.

Piranhas [-njas, Pl.], *Pirayas* oder *Sägesalmler,* bis 35 cm große, hochrückige und seitlich stark abgeflachte Fische des tropischen Südamerika (Amazonasbecken). Piranhas haben rasiermesserscharfe Zähne und ernähren sich von Fischen und anderen Wirbeltieren. Ihre berüchtigte Gefährlichkeit für den Menschen ist umstritten.

Pirat [der], ein Seeräuber. Siehe auch ZEIT-Beitrag → »Piraten: Vom wilden Seeräuberleben«, Seite 40–43.

Pirol [der], etwa amselgroßer, scheuer Singvogel. Das Männchen ist prächtig gelbschwarz gefärbt *(Goldamsel),* das Weibchen hat eine graugrüne Färbung. Der Pirol ist ein Zugvogel, er erscheint in Deutschland erst im Mai und zieht schon im August in die afrikanischen Überwinterungsgebiete.

Pisa, eine Stadt in Mittelitalien am Arno, 90 000 Einwohner. Der berühmte »Schiefe Turm« ist 54,5 m hoch. Er stellte sich schon während seines Baus im 12.–14. Jh. schräg und hängt jetzt 4,1 m über.

PISA-Studie → »Genauer betrachtet«, Seite 44.

Pistole [die], eine selbsttätig arbeitende Faustfeuerwaffe, die zum Teil selbst spannt, die leere Hülse auswirft und auch nachlädt. Die Pistole wird mit einem Magazin (7–11 Patronen) geladen, dessen Schüsse sofort nacheinander abgegeben werden können.

Pizarro, Francisco, *um 1478, †1541; spanischer Eroberer, der 1531–1533 das Reich der Inka in Peru eroberte und 1535 Lima gründete.

Piranhas: Die messerscharfen Zähne sind als sägeartige Schneide angeordnet.

Pisa: Das Wahrzeichen der Stadt, der »Schiefe Turm«, wurde nach aufwändigen Baumaßnahmen im Jahr 2001 wieder für Touristen geöffnet.

Plädoyer [plɛːdwa'je, das], der Schlussvortrag eines Verteidigers oder Staatsanwalts in einem Strafprozess.

Plagiat [das], die bewusste Verletzung des Urheberrechts, indem ein fremdes geistiges Werk als eigenes ausgegeben wird.

Planck, Max, *1858, †1947; deutscher Physiker. Planck legte neben A. *Einstein* die Fundamente des modernen physikalischen Weltbildes durch die von ihm entwickelte *Quantentheorie* sowie umfassende Forschungsarbeiten zur Wärmelehre und Strahlungsphysik. 1918 erhielt er den Nobelpreis für Physik. Nach Planck wurde die *Max-Planck-Gesellschaft* benannt.

Planetarium [das], eine Vorrichtung zur Veranschaulichung der Bewegungen von Himmelskörpern. Ein optisches Gerät überträgt das bewegte Bild des Himmels auf die Innenseite einer Kuppel. Das erste Planetarium entstand 1923 in Jena.

Planeten [Pl., griech., »die Umherschweifenden«], *Wandelsterne,* die zum → Sonnensystem gehörenden, sich um die Sonne bewegenden größeren Himmelskörper.

Die große Zeit der Piraterie begann mit der Entdeckung Amerikas

Piraten

Vom wilden Seeräuberleben

Von Ulrich Baron

Ich war kaum größer als ein Entermesser, als ich einst, leise schaudernd, in einem Hamburger Museum stand: Über mir hingen zwei Totenschädel – gelblich der eine; der andere so dunkel, als hätte er lange im Schlick gelegen. Das seien die Köpfe des Seeräubers Klaus Störtebeker und eines seiner Genossen, hatte man mir gesagt. Vor vielen Hundert Jahren habe man sie ihnen abgeschlagen. Niemand konnte mir verraten, welcher der beiden Schädel zu wem gehörte. Damals begann ich zu ahnen, dass Geschichte mehr war als alte Uniformen und Säbel in Museumsvitrinen. Geschichte war etwas, worin Menschen wie ich gelebt – und ihr Leben verloren hatten.

Störtebeker tat mir leid. Und ich mir selber auch ein wenig, weil ich es noch nicht einmal zum Piraten gebracht hatte. Doch draußen war es November, kalt und dunkel. Es schneite. Wie schrecklich, dachte ich, bei solchem Wetter Seeräuber sein zu müssen. Man könnte von Glück sagen, wenn man eine verrauchte Hafenkneipe gefunden haben würde, wo man sich am Grog hätte wärmen können, während der Kneipenpapagei »Es schnaheit!« krächzte.

Doch für die alten Seeräuber an Nord- und Ostsee gab es keinen Rum, keinen Zucker und keine Limetten für den Grog. Sie kannten keinen Tabak und Papageien schon gar nicht. Die Ostseeräuber nannte man Viktualienbrüder, weil sie Lebensmittel, sogenannte Viktualien, ins belagerte Stockholm gebracht hatten. Bevor sie Piraten wurden, waren sie also Schmuggler gewesen und davor einfach Seeleute. Seeräuber ist zwar kein Lehrberuf, aber fast jeder Pirat hat seine Karriere als ehrlicher Seemann begonnen, hat gelernt, Segel zu setzen, die Ankerwinde zu bedienen und das Deck zu schrubben.

Das Goldene Zeitalter der Seeräuber begann, nachdem die Spanier Amerika entdeckt und ihre Schiffe mit den Schätzen aus der Neuen Welt beladen hatten. An diesen Schätzen wollten nämlich auch andere teilhaben: Engländer, Niederländer und Franzosen rüsteten Schiffe aus, die Jagd auf spanische Frachtsegler machten. Manche der damaligen Seeräuber hatten sogar eine staatliche Erlaubnis, ausländische Schiffe zu kapern, und nannten sich Freibeuter. Kaperbriefe oder auch »Stehlbriefe« hießen solche Lizenzen.

1577 brach Francis Drake zu einer der erfolgreichsten und berühmtesten Kaperfahrten auf. Sie dauerte drei Jahre und führte um die Südspitze Amerikas herum. Auf dem Weg nach Norden plünderte er Schiffe und Hafenstädte aus. Im März 1579 ging ihm ein spanisches Schiff in die Fänge, das so reich beladen war, dass man sich mit den wertvollsten Stücken begnügen musste. Trotzdem soll es sechs Tage gedauert haben, bis man Gold und Silberbarren, Edelsteine und Gewürze umgeladen hatte. Als Drake im September 1580 nach England zurückkehrte, wurde seine Beute auf 500 000 Pfund geschätzt. Das wären heute über 100 Millionen Euro.

Aber es gab einen Haken. Denn jetzt forderten die Leute ihren Anteil, die die Kaperfahrt finanziert hatten. Und der fiel weit höher aus als der Lohn für die Kaperfahrer. Reiche Kaufleute und die englische Königin teilten ihn sich. Während Drake immerhin 10 000 Pfund erhielt, musste seine Mannschaft sich mit mageren 8000 Pfund begnügen. Ohnehin wurden die besseren Teile der Beute oft schon vorzeitig beiseitegeschafft.

Tafelsilber und ein alter Hut

Und nicht jede Beute bestand aus Kostbarkeiten. Nachdem der Freibeuterkapitän William Dampier einmal mit einem Tafelsilber in seiner Kabine verschwunden war, führten seine Leute sorgsam Buch. Am 15. April 1709 fiel ihnen ein Sklavenschiff in die Hände. Die Inventarliste verzeichnet Goldketten, aber auch sieben Bund Knoblauch und einen sehr alten Hut.

Vielen schwante, dass ihnen eher so ein alter Hut als eine Goldkette zufallen würde, wenn es ans Teilen ging. Sie hatten ihr Leben riskiert, waren verstümmelt oder krank geworden, und dann kassierten andere den Löwenanteil! Da war es doch besser, als Pirat ganz auf eigene Rechnung

Totenkopfflaggen wie diese sollten den Gegner einschüchtern und die Gegenwehr schwächen

zu arbeiten. Kämpfen musste man sowieso, doch der Lohn war sehr viel höher. Man gab sich eigene Gesetze, und dazu zählte, dass Risiko und Beute gerecht geteilt wurden.

Doch je größer die Beute war, desto größer fiel meist das Risiko aus: Ein mit Dutzenden von Kanonen bewaffnetes Schatzschiff konnte einen Kaperfahrer samt Besatzung in Fetzen schießen. In der Karibik griffen Piraten deshalb mit flachbordigen Booten von hinten an. Dort standen am wenigsten Kanonen, und nach unten schießen konnten die schon gar nicht. Falls sich das Blatt dennoch wendete, konnte man rasch in seichte Gewässer entkommen. Eine ähnliche Überrumpelungstaktik benutzen auch die Piraten, die es heute immer noch gibt. Am Horn von Afrika und in der Straße von Malakka überfallen sie mit Schnellbooten schwach bemannte Frachtschiffe. 469 Überfälle wurden allein im Jahr 1999 gezählt – ein ernstes Problem für die Handelsschifffahrt in diesen Gegenden.

In der Karibik ging es seinerzeit viel gemächlicher zu. Dort gab es besondere Öfen, *barbecue* genannt, auf denen Fleisch gegart wurde. Die Indianer nannten diese Verfahren *bucan,* und weil die Piraten sich vor der Ausfahrt reichlich damit versorgten, nannte man sie dort Bukaniere. Wer heute ein Grillfest, ein Barbecue, feiert, steht also in bester Piratentradition.

Mit brennenden Lunten im Haar

»Ein glückliches und kurzes Leben«, lautete die Parole dieser Seeräuber, die Totenkopfflagge wurde ihr Symbol. Es gab sie in vielen Versionen. Mal mit gekreuzten Knochen, mal mit Säbeln. Solche Flaggen sollten einschüchtern, die Gegenwehr lähmen. Beim berüchtigten Kapitän Schwarzbart war es gar ein ganzer Knochenmann, der mit einem Speer auf ein Herz zielte. Schwarzbart, der eigentlich Edward Teach hieß, war ein Meister der Einschüchterung. Er war ein Freibeuter, der sich selbstständig gemacht hatte. 1718 hatte er 300 Männer unter sich. War sein gewaltiger Vollbart schon beeindruckend, so dürfte sein Anblick atemberaubend gewesen sein, wenn er bis an die Zähne bewaffnet und mit brennenden Lunten im Haar aus dem Pulverdampf auftauchte. Kaum weniger schrecklich erschien sein Kumpan Stede Bonnet, der Sohn eines Plantagenbesitzers auf Barbados. Man hielt ihn für wahnsinnig, weil er 1717 seine Familie, sein Unternehmen und sein Amt als Friedensrichter verlassen hatte, um Seeräuber zu werden.

Nachbau eines alten Piratenschiffes

Der Schauspieler Johnny Depp in der Seeräuberkomödie »Fluch der Karibik«

Ganz außergewöhnlich war ein solcher Berufswechsel allerdings nicht. In der Karibik und auf dem Festland bis nach New York hinauf fanden sich viele Gouverneure, die mit Piratenbeute gute Geschäfte machten. Auf den Karibikinseln und auf Madagaskar gab es ganze Piratennester. Dort konnte man seine Beute genießen, seine Blessuren kurieren und seine Schiffe ausbessern. Und vor China operierte 1810 eine riesige Piratenflotte von 160 Kampfdschunken, die von einer Piratin befehligt wurde, der unbarmherzigen Witwe Ching.

Piraten wurden selten alt

Berühmt wurden auch die Piratinnen Anne Bonny und Mary Read. Anne war die uneheliche Tochter eines Advokaten, der nach Amerika ausgewandert war. Sie muss ein wildes Mädchen gewesen sein. Erst brannte sie mit ihrem Mann durch, um sich den Piraten der Bahamas anzuschließen. Dann verließ sie ihn und folgte, als Mann verkleidet, dem verrufenen Calico Jack an Bord seines Schiffes. Dort traf sie die ebenfalls verkleidete Mary Read. 1720 wurden beide auf Jamaika zum Tode verurteilt. Mary starb im Kerker, Anne soll spurlos daraus verschwunden sein. Hat jemand sie befreit? Hat ihr Vater die Wächter bestochen?

Sicher ist nur, dass man als Pirat wie als Piratin selten alt wurde. Die meisten waren zwischen zwanzig und dreißig Jahre und kamen bald gewaltsam ums Leben. Die Ausnahme war ein Mann von 84 Jahren, der unter dem Kommando des Freibeuters Dampiers in Panama fiel.

Wer sich dem kurzen, glücklichen Piratenleben verschrieben hatte, dachte deshalb auch nicht daran, Schätze zu vergraben. Wer also Piratenschätze finden will, der sollte nicht auf Schatzinseln, sondern im Meer suchen. Dort, wo Piraten mitsamt ihrer Beute versunken sind, als ihnen ihr Glück am nächsten schien und ihr Leben zu Ende ging.

Planetoiden [Pl., griech., »Planetenähnliche«], *Kleinplaneten, Asteroiden,* kleine Himmelskörper des → Sonnensystems, von denen bislang etwa 340 000 bekannt sind.

planieren, eine ebene Fläche herstellen.

Plankton [das], im Wasser schwebende und durch die Bewegung des Wassers transportierte, oft mikroskopisch kleine niedere Lebewesen. Man unterscheidet pflanzliches Plankton *(Phytoplankton),* meist Bakterien und Algen sowie tierisches Plankton *(Zooplankton),* kleine Krebstierchen. Das Plankton spielt als Nahrung für Fische, Muscheln und andere Tiere eine bedeutende Rolle.

Plantage [plan'taːʒə, die], ein landwirtschaftlicher Großbetrieb, besonders in tropischen Gebieten.

Planwirtschaft [die], eine Volkswirtschaft, in der das gesamte wirtschaftliche Geschehen von einer zentralen staatlichen Stelle aus geleitet und gelenkt wird. Ein Gesamtplan legt Art und Umfang von Produktion, Investition, Güterverteilung usw. fest und schreibt oft auch Berufswahl und Arbeitsplätze vor. Planwirtschaft war charakteristisch für die Staaten des Ostblocks und einige Entwicklungsländer. Nach dem Zusammenbruch der kommunistischen Systeme in Osteuropa gibt es kaum noch Staaten in der Welt, die an einer uneingeschränkten Planwirtschaft festhalten; Gegensatz: *Marktwirtschaft.*

Plasma [das, griech., »Gebilde«], **1.** Kurzwort für Protoplasma. **2.** flüssige Bestandteile von Blut und Milch. **3.** ein sehr heißes Gas, das aus freien Elektronen und Ionen besteht. Die Materie in Sternen und auch Gaswolken zwischen den Sternen befindet sich im Plasmazustand. Das Plasma kann kontrolliert auf extrem hohe Temperaturen gebracht werden. Bei diesen Temperaturen können Fusionsreaktionen ablaufen, die zu einer starken Energiefreisetzung führen. Das Plasma stellt den vierten *Aggregatzustand* der Materie (neben flüssig, fest und gasförmig) dar.

Genauer betrachtet …
PISA-Studie

Mit der PISA-Studie strebt die OECD (Organization for Economic Cooperation and Development, Organisation für wirtschaftliche Zusammenarbeit und Entwicklung) den internationalen Vergleich der Fähigkeiten 15-jähriger Schülerinnen und Schüler in den Bereichen Sprachverständnis, Mathematik und Naturwissenschaften an. PISA ist die Abkürzung des englischen Programme for International Student Assessment (Programm zur internationalen Bewertung von Schülern). In der Studie werden hauptsächlich alltagsnahe Kenntnisse und Fähigkeiten der Schülerinnen und Schüler berücksichtigt. Die OECD versteht Bildung als das Wissen, die Fähigkeiten und Kompetenzen, die relevant sind für das soziale und wirtschaftliche Wohlergehen des Einzelnen und der Gesellschaft. PISA ist also nicht so etwas wie ein internationaler Schülerwettkampf, sondern die Studie soll Aufschluss über die Qualität der Bildungssysteme in den einzelnen Ländern und den Zusammenhang zwischen der Leistungsfähigkeit der Schüler und ihrem sozialen Hintergrund geben. Im Rahmen der Studie werden die Schülerinnen und Schüler in den beteiligten Ländern in drei Durchgängen jeweils nach den Schwerpunkten Sprache (im Jahr 2000), Mathematik (2003) und Naturwissenschaften (2006) getestet. In Deutschland werden im Rahmen der PISA-Studie auch die Leistungen der einzelnen Bundesländer verglichen.

Plastik, **1.** die Bildhauerkunst, das künstlerische Formen bildsamer Materialien (z. B. Ton, Stein, Holz, Metall). Man unterscheidet Vollplastiken wie Skulpturen oder Halbplastiken (Reliefs). **2.** eine zusammenfassende Bezeichnung für verschiedene Kunststoffe.

Platane [die], ein bis zu 40 m hoher Baum, der durch große, gelappte Blätter, kugelförmige Früchte und eine helle, fleckige Rinde auffällt. Die Platane ist ein beliebter Park- und Straßenbaum.

Platin [das], ein chemisches Element mit dem Zeichen Pt. Platin ist ein grauweißes Edelmetall, das in Südafrika, Russland und Kolumbien vorkommt. Es wird u. a. in der Schmuckindustrie, der Zahntechnik, als Katalysator bei Oxidationsvorgängen verwendet.

Wer war ... Platon

Platon (auch *Plato*, * 427 v. Chr., † 347 v. Chr.) war ein griechischer Philosoph und Schüler des *Sokrates*. Platon prägte mit seinen philosophischen und politischen Schriften maßgeblich die gesamte Philosophie des Abendlandes. Im Zentrum seines Denkens stehen die Kernfragen: Was ist das Wesentliche aller Dinge? Was ist das wahre Sein? Platons Werke, die zum größten Teil bis heute erhalten sind, sind in Form von Dialogen abgefasst. Besonders seine *Ideenlehre* wurde richtungsweisend. In ihr entwickelte er die Theorie von den Formen (oder auch »Ideen«) mit dem Gegensatz zwischen der vergänglichen Welt der Einzeldinge und der unwandelbaren Welt der Begriffe. Die Grundgedanken dieser Ideenlehre legte er erzählend im sogenannten *Höhlengleichnis* dar. Für Platon bestand die ethische Aufgabe des Menschen darin, die höchste Idee, nämlich das Gute, zu verwirklichen. Aus dieser Vorstellung heraus entwickelte er in seinen politischen Schriften eine Staatsphilosophie, in der er das Bild eines bestmöglichen Staates entwarf, an dessen Spitze der Beste, mit Einsicht Regierende (»Philosophenkönig«) stehen solle. Platons Versuch, seine Utopie im griechischen Syrakus (Sizilien) in die politische Praxis umzusetzen (367–365 und 361 v. Chr.), scheiterte.

Platons fast vollständig erhaltene Werke haben die Form von Gesprächen.

Platon stammte aus einer Athener Adelsfamilie. In seiner Jugend lernte er auf Reisen den griechischen Kulturkreis rund um das Mittelmeer kennen. Nach dem Tod Sokrates' floh er aus Athen, kehrte jedoch zurück und gründete dort 387 v. Chr. eine eigene Philosophenschule. Diese nach ihm benannte, bis 529 n. Chr. bestehende *Akademie*, gilt als Vorbild späterer Universitäten.

Plattfische [Pl.], kurze, scheibenförmige Fische mit asymmetrischem Körperbau. Beide Augen liegen auf der dunkleren, nach oben gewandten Körperseite. Zu den Plattfischen gehören *Flunder, Scholle, Heilbutt, Steinbutt* oder *Seezunge*.

Play-back ['plɛibæk, das, engl.], *Playback,* Fernseh-, Film- und Hörfunkaufnahmen, bei denen die vorher aufgezeichnete Sprache oder Musik während der Sendung über Lautsprecher eingespielt wird. Die Sänger oder Schauspieler singen beziehungsweise sprechen also bei ihrem Auftritt nicht, sondern bewegen nur den Mund.

Plazenta [die] → Mutterkuchen.

Plazentatiere [Pl.] → Säugetiere.

Plebejer [Pl.], im alten Rom ursprünglich das Volk, das gegenüber den angesehenen *Patriziern* nur wenige Rechte hatte. Nach zweihundertjährigem Kampf erlangten die Plebejer Ende des 3. Jh. v. Chr. volle staatliche Gleichberechtigung. Die Beschlüsse ihrer Versammlung *(Plebiszit)* bekamen Gesetzeskraft. Später galt die Bezeichnung Plebejer nur noch für die Besitzlosen.

Plenum [das], allgemein eine Vollversammlung aller Mitglieder oder Teilnehmer.

Plenzdorf, Ulrich, *1934, †2007; deutscher Schriftsteller und Filmdramaturg. Er wurde als Autor des Theaterstücks und später auch Romans »Die neuen Leiden des jungen W.« bekannt sowie durch den Film »Die Legende von Paul und Paula«. Seine Prosa-, Film- und Theaterarbeiten zeichnen sich durch feinfühlige und realistische Beschreibungen aus.

PLO: Der PLO-Vorsitzende Jasir Arafat (rechts) schüttelt dem israelischen Ministerpräsidenten Izhak Rabin nach der Unterzeichnung des Gaza-Jericho-Friedensabkommens am 13. 9. 1993 in Washington die Hand; in der Mitte der US-amerikanische Präsident Bill Clinton.

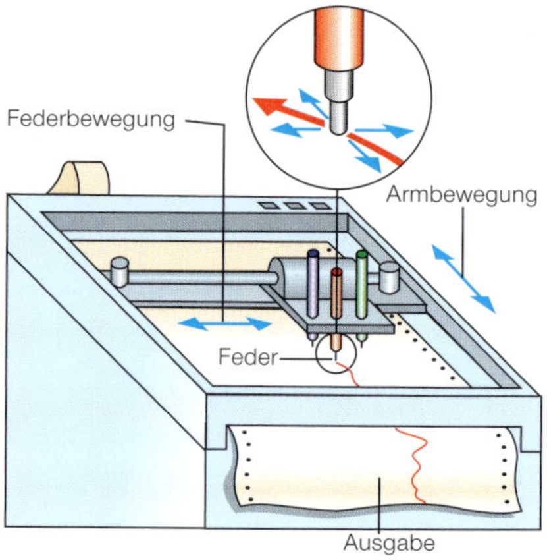

Plotter: Schematische Darstellung des Funktionsprinzips

PLO [die], Abkürzung für englisch **P**alestine **L**iberation **O**rganization (»Organisation zur Befreiung Palästinas«), eine 1964 gegründete Organisation, die die Errichtung eines unabhängigen arabischen Staates auf dem Boden des ehemaligen Palästina anstrebt und die sich als Interessenvertretung der Palästinenser versteht. Die PLO besteht aus vielen Gruppen, die wichtigste ist die *Al Futah.* 1988 proklamierte die PLO einen in seinen Grenzen nicht festgelegten Staat Palästina, gleichzeitig erkannte sie indirekt das Existenzrecht Israels an. 1993 schloss die PLO einen Friedensvertrag mit Israel. 1998 strichen die palästinensischen Führungsgremien die gegen Israel gerichteten Artikel aus dem PLO-Programm. Durch eine neue Eskalation der Gewalt im Nahostkonflikt geriet der PLO-Vorsitzende Arafat seit 2001 zunehmend unter politischen Druck. Nach Arafats Tod 2004 wurde M. *Abbas* neuer PLO-Vorsitzender.

Plombe [die], **1.** Zahnfüllung aus formbarem, sich schnell verfestigendem Material. **2.** Metallstück mit Siegelabdruck, das durch Drähte so an Gegenständen (z. B. Schlössern) angebracht wird, dass das gesicherte Stück nur geöffnet oder gebraucht werden kann, wenn man die Plombe zerstört.

Plotter [der, engl.], computergesteuertes Zeichengerät für den Ausdruck von Grafiken, Landkarten und anderen technischen Darstellungen auf Papier, Karton und Folie.

Plural [der], *Mehrzahl,* eine grammatische Form, die – im Gegensatz zum *Singular* – ausdrückt, dass von mehreren Personen, Sachen oder Begriffen die Rede ist (z. B. *Häuser* von *Haus*).

Pluralismus [der], das gleichberechtigte Nebeneinander von Lebensanschauungen, Ideologien und religiösen Einstellungen einer Gesellschaft. Der Pluralismus wird im staatlichen Zusammenleben in Gestalt der *pluralistischen Gesellschaft* verwirklicht.

Plusquamperfekt [das], *Vorvergangenheit,* in der Grammatik eine Zeitform des Verbs, die ausdrückt, dass eine Handlung bereits in der Vergangenheit abgeschlossen war, z. B. »nachdem es geregnet hatte, erschien ...«.

Pluto, **1.** der griechische Gott des Reichtums, später Gott der Unterwelt, mit *Hades (Orkus)* gleichgesetzt. **2.** ein Zwergplanet unseres → Sonnensystems.

Plutonium [das], ein künstlich hergestelltes radioaktives Element mit dem Zeichen Pu. Es dient als Brennstoff für Kernreaktoren.

Po [der], größter Strom Italiens, 652 km lang. Er entspringt nahe der französischen Grenze, durchfließt Turin und mündet mit einem riesigen Delta in das Adriatische Meer.

Polarlicht wird in verschiedensten Formen beobachtet, z. B. als flacher »Bogen« in Horizontnähe, als unscharf begrenzte »Wolken« oder wie hier bei Kiruna in Nordschweden als unregelmäßiges »Band«.

Pocken [Pl.], eine gefährliche Infektionskrankheit, die durch das Pockenvirus übertragen wird. Unter hohem Fieber bilden sich auf Haut und Schleimhäuten Eiterpusteln, die in Geschwüre übergehen und beim Abheilen Narben hinterlassen. Gegen Pocken ist eine Schutzimpfung möglich. Die Krankheit wurde 1980 von der → WHO offiziell für ausgerottet erklärt. Neuerdings wachsen Befürchtungen, dass Terroristen in den Besitz von Pockenviren gelangen und sie als biologische Waffe einsetzen könnten.

Podcasting [Kunstwort aus iPod (ein MP3-Player) und engl. broad-casting, Rundfunk], *Podcast*, Verfahren zur Verbreitung von Audio- und Videodateien über das Internet, bei dem der Download auf den PC und die Übertragung auf z. B. einen MP3-Player mit Hilfe spezieller Programme automatisierbar ist. Der Konsument kann *Podcasts* abonnieren, speichern und zu jeder Zeit abspielen.

Podgorica [-tsa], Landeshauptstadt von Montenegro, 139 000 Einwohner.

Poe [pɔu], Edgar Allan, * 1809, † 1849; US-amerikanischer Schriftsteller und Literaturkritiker. Er wurde berühmt durch seine Erzählungen und Kriminalgeschichten.

Poesie [die], die Dichtkunst. Dichter werden auch als *Poeten* bezeichnet.

Poetik, Wissenschaft vom Wesen und von den Formen der Dichtung.

Pogrom [der oder das, russ., »Verwüstung«], mit gewalttätigen Ausschreitungen verbundene Hetze, besonders gegen Juden.

Polarforschung [die], siehe ZEIT-Beitrag → »Polarforschung: Die geheimnisvolle Welt der Pole«, Seite 48–51.

Polarlicht [das], *Nordlicht,* Lichterscheinungen in gewöhnlich 100–120 km Höhe am nächtlichen

Fortsetzung → Seite 52

Die Antarktis am Südpol ist der größte Süßwasserspeicher der Erde

Polarforschung

Die geheimnisvolle Welt der Pole

Von Hans Schuh-Tschan

Polarforschung gehört zu den spannendsten Zweigen der Wissenschaft. In den riesigen, meist eisbedeckten Gebieten rund um den Nord- und Südpol gibt es noch viel Interessantes zu entdecken: Bodenschätze und Rohstoffe, Fossilien und Meteoriten, unter dem Eis versteckte Gebirge und Seen, aber auch neue Tier- und Pflanzenarten.

In den polaren Meeren tummelt sich eine verblüffende Vielfalt an Lebewesen, deren Mitglieder noch längst nicht alle bekannt sind. Stellenweise herrscht dort ein Artenreichtum, wie man ihn nur etwa vom tropischen Regenwald kennt. Allein auf dem antarktischen Meeresboden tummeln sich schätzungsweise 17 000 Arten. Zum Vergleich: Die Nordsee bringt es auf bescheidene 1000 Arten. Die polaren Gewässer sind vielerorts sehr nährstoffreich. Vom üppigen Algenangebot ernähren sich gewaltige Mengen von Kleinkrebsen und Fischen. Diese wiederum dienen als Futter für Millionen Robben, Pinguine und Wale.

Begehrter Speck

Der ärgste Feind dieser Tiere war früher der Mensch, er tötete sie massenweise. Mit ihren dicken Speckschichten, die sie als wärmende Isolierhülle und Energiespeicher fürs Überleben in der Kälte benötigen, dienten Robben, Pinguine und Wale vor allem als Rohstofflieferanten. Jäger kochten aus Wal-, Robben- und Pinguinspeck tonnenweise Öl. Diese fette Flüssigkeit, auch Tran genannt, war als Schmierstoff oder Lampenöl heiß begehrt. Bevor es Elektrizität und Petroleum gab, leuchteten in reichen Städten wie Hamburg nachts tausende Öllampen, auch »Tranfunzeln« genannt. Niemand nahm Anstoß an der oft rücksichtslosen Trantierjagd. So hetzte man etwa arglose Pinguine hölzerne Rampen hoch – von denen sie in große Kochkessel stürzten. Das Feuer darunter betrieb man mit ihren Artgenossen. Sie galten zwar als schlecht brennbar, waren aber billiger als Kohle oder Holz.

Die Jagd auf tierisches Öl wurde unattraktiver, je besser man lernte, billiges Öl aus der Erde zu pumpen. So verdrängten Petroleumlampen – Petroleum wird aus Erdöl gewonnen – die Tranfunzeln. Außerdem wurden die Trantiere seltener infolge der Jagd. Die Walfangindustrie etwa hatte sich ihre eigene Grundlage zerstört. Wale wurden deshalb unter Schutz gestellt, später auch die Robben und sogar die ganze Antarktis, der große Erdteil am Südpol. Dass der Rohstoffreichtum dieser Gegend vielleicht eines Tages wichtig für die Menschen werden könnte, sah man damals noch nicht: Erdöl gab es ja reichlich, die Weltmeere waren voller Fische, Bodenschätze waren billig. Das Gewinnen von Rohstoffen oder Öl unter dem Eis oder aus der polaren Tiefsee galt als hoffnungslos unwirtschaftlich.

Inzwischen beginnt sich der Wind zu drehen. Die Erdölreserven schrumpfen, die Weltmeere sind in großen Teilen leer gefischt. Die nachgewachsenen Bestände der Trantiere gelten den Menschen zunehmend als Nahrungskonkurrenten, weil sie viel Fisch fressen. Mehrere Nationen jagen wieder Wale und Robben. Russland und Norwegen erschließen Öl- und Gasreserven in der Arktis und wecken mit Milliardengewinnen den Neid anderer. Für die moderne Tiefseetechnik ist das Bergen von Bodenschätzen in tausend Meter Tiefe kein unlösbares Problem mehr.

Eine Fahne am Meeresgrund

Zudem erwärmt sich das Klima, besonders am Nordpol. Die Eisdecke dort schrumpft, manche Klimaforscher sehen sie bereits in wenigen Jahrzehnten zur Sommerzeit weitgehend verschwinden. Russland hat seinen Hoheitsanspruch auf den Nordpol schon symbolisch angemeldet und dort, in 4261 Meter Wassertiefe, seine Flagge in den Meeresboden gepflanzt. Die meisten Menschen verfolgen das mit Sorge. Sie betrachten die Pole und ihre Naturschätze als Erbe der Mensch-

Ein eiskalter Arbeitsplatz: Forschungsstation in der Antarktis

heit, das man nicht ausbeuten soll, bevor man es kennt und versteht. Sonst, so warnen sie, drohen womöglich Umweltzerstörungen wie einst beim Walfang. Wegen solch gemeinsamer Überzeugungen betreiben Wissenschaftler aus aller Herren Länder eines der größten Forschungsvorhaben aller Zeiten, das »Internationale Polare Jahr«. Bis 2008 erkunden über 50 000 Wissenschaftler die extremen Welten am Nord- und Südpol, um endlich mehr über den Zustand und die künftige Entwicklung dieser noch weitgehend unbekannten Erdteile zu erfahren.

Ein Schwarm von Satelliten, Flugzeugen und Motorschlitten, von Forschungsschiffen und Unterwasserrobotern soll dabei klären helfen, was sich über, im und unter dem Eis abspielt. Beispielsweise sind die Gletscher an den Polen auch bestimmend für unser Schicksal. Die Klimaerwärmung wirkt hier besonders stark, vor allem in der Antarktis lagern gigantische Süßwassermengen. Ihr Abschmelzen ließe den Meeresspiegel um Dutzende Meter steigen, Millionen Menschen verlören ihre Heimat. So weit ist es zum Glück zwar noch lange nicht. Die Prognosen der Klimaforscher ergeben einen maximalen Meeresspiegelanstieg bis zum Jahr 2100 von 60 Zentimetern. Aber die Unsicherheit beim Einschätzen der Schmelze ist noch sehr groß. Kein Wunder, denn wer den polaren Gletscherschwund bestimmen will, der muss komplizierte Rechnungen erstellen: Wie viel Schnee kommt oben drauf, wie viel Eis schmilzt unten weg? Und das in Riesengebieten wie Grönland, der größten Insel der Welt, und auf einem ganzen Kontinent, der Antarktis!

Krill – winzige Krebse, von denen sich Wale und andere Meerestiere ernähren

Im Eis lesen wie in einem Buch

Um den polaren Gebieten ihre Geheimnisse zu entlocken, bohren die Forscher runde, armdicke Löcher bis auf den Grund der uralten Eisablagerungen. Schrittweise ziehen sie lange Eisstangen aus den Gletschern und notieren sich, aus welcher Tiefe das Eis stammt. Je tiefer gebohrt wurde, desto älter ist es. Es enthält eingefrorene Gase, Staub und viele andere Rückstände aus der Vergangenheit. Mit superempfindlichen Geräten untersuchen die Forscher all diese Spuren. Dank ihrer Detektivarbeit können sie im Eis lesen wie in einem Geschichtsbuch, zum Beispiel Vulkanausbrüche aufspüren (viel Aschestaub!) oder das Klima vergangener Zeiten rekonstruieren. Dabei lernen sie Erstaunliches. Etwa dass Nord- und Südpol eine »Klimaschaukel« bilden: Erwärmt sich der Norden, kühlt sich der Süden ab. Und umgekehrt.

Kaum bekannt sind auch die mächtigen Schmelzwasserströme unter den Gletschern. An deren Boden existieren mancherorts auch gewaltige Seen. Etliche wurden erst jüngst in der Antarktis entdeckt. Gibt es dort primitives, seit Urzeiten abgeschirmtes Leben? Ein solcher Riesensee, der Lake Vostok, wird zurzeit daraufhin untersucht. Viel zu forschen gibt es auch noch

Im Internationalen Polaren Jahr erforschen 50 000 Wissenschaftler die Gebiete rund um Nord- und Südpol

bei einer der erfolgreichsten Tierarten der Welt, dem Krill. Dieser Kleinkrebs spielt im Leben der Meere eine zentrale Rolle. Fische und Tintenfische, Seevögel und Pinguine, Robben und Wale haben ihn zum Fressen gern. Das norwegische Wort Krill bedeutet »Walnahrung«.

Krill – Die Nahrung der Zukunft?

Unfassbare Mengen wimmeln davon in den Ozeanen. Allein der antarktische Krill, der bekannteste von 85 Arten, bringt es auf eine geschätzte Biomasse von bis zu 800 Millionen Tonnen! Zum Vergleich: Der jährliche Fangertrag der Weltfischerei beträgt etwa 100 Millionen Tonnen. Warum also nicht mit dieser »Walnahrung« auch die eiweißhungrige Menschheit verköstigen? Wertvolles Eiweiß, aus Wildfang im Eiswasser frisch auf den Tisch, das klingt verlockend. Doch bisher sind alle Pläne gescheitert, diese scheinbar unerschöpfliche Eiweißquelle zu nutzen. Einerseits enthält der Krebspanzer giftiges Fluor, andererseits nutzen die Tiere in ihrem Verdauungstrakt sehr aggressive Enzyme. Der gefangene Krill muss deshalb rasch geschält und vom gesamten Magen-Darm-Trakt gesäubert werden. Sonst verdaut er sich selbst zu einem ungenießbaren Brei.

Bevor man den Krill essbar macht, sollte man ihn außerdem besser kennen, etwa sein Fress- und Wanderverhalten. Die Kleinkrebse weiden gern die Algen an den Unterseiten von Eisschollen ab, gedeihen aber auch in offenem Wasser. Wo sind ihre Laichplätze? Wie wandern ihre Larven? Wie überwintern sie? Solange die Grundlagen der Krill-Biologie ungeklärt sind, verbietet sich die intensive Nutzung dieser verlockenden Nahrungsquelle. Zu oft schon mussten die Menschen feststellen, dass es schwerwiegende Folgen haben kann, unbedacht in die Natur einzugreifen.

Himmel. Das Polarlicht entsteht durch von der Sonne ausgehende Ströme elektrisch geladener Teilchen, die besonders an den Polen im Magnetfeld der Erde abgelenkt werden. Beim Eindringen in die Erdatmosphäre werden die Atome und Moleküle zum Leuchten angeregt.

Polarnacht [die], im Bereich zwischen den Polen der Erde und den Polarkreisen die Zeit, während der die Sonne länger als 24 Stunden unter dem Horizont bleibt. Der *Polartag* ist dagegen die Zeit, während der die Sonne länger als 24 Stunden nicht unter den Horizont sinkt *(Mitternachtssonne).* Polarnacht und Polartag dauern an den Polen etwa ein halbes Jahr, ihre Dauer nimmt zu den Polarkreisen hin ab. Beide Erscheinungen sind auf die Schrägstellung der Erdachse zurückzuführen.

Polarstern [der], *Nordstern,* hellster Stern im Sternbild des *Kleinen Bären.*

Pole [Pl.], **1.** allgemein Gegensätze. **2.** die Endpunkte der Erdachse (Nordpol, Südpol). **3.** die Enden eines Magneten. **4.** die Anschlussklemmen eines elektrischen Geräts, zwischen denen im Betriebszustand ein Spannungsunterschied besteht.

Polen: Das Schloss in Warschau war 1596–1764 Residenz der polnischen Könige.

Ländersteckbrief
Polen

Fläche:	312 685 km²
Einwohner:	38,5 Millionen = 123 je km²
Hauptstadt:	Warschau
Religion:	römisch-katholische Kirche
Amtssprache:	Połnisch
Währung:	1 Zloty = 100 Groszy

Polen, Staat in Mitteleuropa.

Landesnatur: Das Land ist zum größten Teil Tiefland mit ostwestlich gerichteten, in der Eiszeit angelegten Tälern und aufgesetzten Platten (*Baltischer Landrücken*, 331 m). Südlich des Mittelpolnischen Tieflands erhebt sich das Land zu einer schmalen Mittelgebirgsregion. Im Süden hat Polen Anteil an den Karpaten (*Rysyspitze*, 2499 m) und an den Sudeten (*Schneekoppe*, 1603 m). Das Klima ist gemäßigt kontinental mit strengeren Wintern und geringeren Niederschlägen als in Westeuropa.

Bevölkerung: 99% der Bewohner sind Polen, die stärksten Minderheiten sind Deutsche, Ukrainer und Weißrussen. 90% gehören der römisch-katholischen Kirche an.

Wirtschaft: Bis zum Zweiten Weltkrieg war Polen ein Agrarland; heute sind noch rund 19% in der Landwirtschaft beschäftigt. Hauptanbauprodukte sind Getreide, Kartoffeln und Zuckerrüben. Die Viehzucht tritt hinter den Ackerbau zurück. Die wichtigsten Industriezweige sind die Eisen- und Stahl- sowie die Textil-, Nahrungsmittel-, Maschinen-, chemische und elektrotechnische Industrie. Polen verfügt über umfangreiche Bodenschätze. Stein- und Braunkohle, Kupfer und Schwefel werden in beträchtlichen Mengen gewonnen. Andere Bodenschätze sind Eisenerz, Blei, Zink, Kalisalze, Erdöl und Erdgas. Haupthandelspartner sind die EU-Länder, insbesondere Deutschland. – Die polnische Staatsbahn ist der wichtigste Verkehrsträger des Landes. Hauptseehäfen sind Stettin, Gdynia und Danzig; die wichtigsten Flughäfen sind in Warschau und Łódź.

Geschichte: Seit dem 6. und 7. Jh. wanderten in Polen slawische Stämme ein. Herzog *Mieszko I.* (960–992) aus dem Haus der *Piasten* nahm 966 das Christentum an. *Bolesław I. Chrobry* (992–1025) ließ sich als erster Herrscher zum König krönen. Nach 1138 zerfiel Polen in eine Reihe von Teilfürstentümern. Im 13. Jh. verstärkte sich die Einwanderung deutscher Siedler. Der *Deutsche Orden* riegelte 1308/1309 den polnischen Zugang zur Ostsee ab. Im Osten musste Polen sich gegen die Einfälle der Mongolen (Schlacht bei Liegnitz 1241) wehren. Erst *Władysław I. Łokietek* (1306–1333) gelang es, die Teilfürstentümer wieder zu einem Königreich zusammenzufügen.

Durch die Heirat der Thronerbin Hedwig (Jadwiga) mit Großfürst *Jagiełło* 1386 kam die Personalunion Polens mit Litauen zustande. Diese Großmacht konnte den Deutschen Orden im Jahr 1410 in der *Schlacht bei Tannenberg* besiegen. In den *Thorner Friedensschlüssen* (1411 und 1466) fielen Polen-Litauen das Kulmer Land, Pommerellen, Westpreußen und das Ermland zu. *Władysław III.* (1434–1444) gewann die ungarische Krone (1440). 1526 gingen Ungarn und Böhmen an Habsburg verloren. Herzog Albrecht von Brandenburg unterstellte 1525 das Ordensland Preußen der polnischen Lehnshoheit. 1561 wurde auch Kurland zum polnischen Lehen. Der Reichstag *(Sejm)* der Magnaten engte die Macht des Königtums zunehmend ein und sicherte sich nach dem Aussterben der Jagiellonen das Recht der Königswahl (1572). Der polnische Thron wurde nun mit ausländischen Fürsten besetzt.

Der Regierung *Władisławs IV.* aus dem Haus Wasa (1632–1648) wurde mit dem Kosakenaufstand unter B. *Chmielnizki* 1648 ein Ende gesetzt. Der Kosakenaufstand riss Polen in einen Krieg mit Russland hinein (Abtretung der Ukraine links des Dnjepr). Im *Nordischen Krieg* musste Polen ungeheure Verwüstungen und Bevölkerungsverluste hinnehmen. In den drei *Polnischen Teilungen* (1772, 1793, 1795) teilten Preußen, Russland und Österreich den polnischen Staat unter sich auf. Aus den von Preußen und Österreich besetzten polnischen Gebieten bildete Napoleon 1807 nach dem Frieden von Tilsit das *Großherzogtum Warschau. Der*

Polen: Der Gebirgszug Hohe Tatra an der slowakisch-polnischen Grenze ist der höchste Teil der Karpaten.

Wiener Kongress schuf 1815 *Kongresspolen* (Königreich Polen), das in Personalunion mit Russland verbunden wurde. 1830/1831 erhob sich das polnische Volk unter Führung des Adels. Der Aufstand scheiterte jedoch genauso wie ein weiterer Aufstand 1863/1864.

Die Nationalbewegung unter Marschall J. *Piłsudski* erreichte 1918 die Wiederherstellung Polens als Republik. Piłsudski wurde zum Staatspräsidenten ernannt (bis 1922). Das deutsch-polnische Verhältnis war von Anfang an belastet durch die im Versailler Vertrag fixierte neue Westgrenze Polens und durch das Problem der deutschen Minderheit. An der Ostgrenze trübten die nach dem polnisch-russischen Krieg 1919/1920 entstandenen Verhältnisse die Beziehungen zur Sowjetunion. Diese Probleme und innenpolitische Schwierigkeiten veranlassten Piłsudski 1926, durch einen Staatsstreich erneut die Regierung zu übernehmen (bis 1935). 1932 schloss Polen mit der Sowjetunion, 1934 mit Deutschland einen Nichtangriffspakt.

1938 begann Hitlers Expansionspolitik gegenüber Polen. Er schloss am 23. 8. 1939 mit der Sowjetunion einen Nichtangriffspakt, und am 1. 9. marschierte er in Polen ein. Damit begann der Zweite Weltkrieg. Die Sowjetunion besetzte die polnischen Ostgebiete, die 1941 ebenfalls unter deutsche Besatzung kamen. In den nationalsozialistischen Vernichtungslagern wurden Millionen von Juden ermordet. Gegen den Holocaust erhob sich 1943 erfolglos die jüdische Bevölkerung des Warschauer Ghettos. 1944 schlugen deutsche Truppen den Warschauer Aufstand des polnischen Widerstandes nieder. Die *Potsdamer Konferenz* entschädigte Polen für den Gebietsverlust (Ostpolen) an die UdSSR mit ehemaligen deutschen Gebieten östlich der Oder-Neiße-Linie. Die deutsche Bevölkerung wurde vertrieben.

Nach dem Zweiten Weltkrieg wurde Polen zur kommunistischen *Volksrepublik*. 1956 kam es zu Arbeiterunruhen *(Posener Aufstand)*. W. *Gomułka* übernahm das Amt des Parteichefs. Er schloss 1970 mit der Bundesrepublik Deutschland den Warschauer Vertrag, musste aber im gleichen Jahr wegen anhaltender wirtschaftlicher Schwierigkeiten zurücktreten. 1980 kam es zu ausgedehnten Streiks. Der unabhängige Gewerkschaftsverband »Solidarność« unter Führung von L. *Wałęsa* bildete sich. 1981 verhängte General W. *Jaruzelski* das Kriegsrecht (bis 1983) und verbot die Solidarność.

Gespräche zwischen Regierung und Opposition *(Runder Tisch)* führten 1989 zum politischen Umbruch. Die Volksrepublik wandelte sich zur demokratischen *Republik Polen*. 1990 wurde Wałęsa zum Präsidenten gewählt. Der Übergang zur Marktwirtschaft war mit großen Problemen verbunden. Die Präsidentschaftswahlen 1995 und 2000 gewann A. *Kwaśniewski* (Bund der demokratischen Linken, SLD). 1997 trat eine neue Verfassung in Kraft. 1999 wurde Polen Mitglied der NATO. 2004 erfolgte der Beitritt Polens zur EU. Bei den Präsidentschafts- und Parlamentswahlen 2005 gab es einen Rechtsruck. Stärkste Kraft im Parlament wurde die Partei Recht und Gerechtigkeit (PiS). Ihr Spitzenkandidat L. *Kaczyński* gewann auch die Präsidentschaftswahlen. J. *Kaczyński* (PiS), der Zwillingsbruder des Präsidenten, wurde 2006 Ministerpräsident.

Politik [die], ursprünglich die Lehre von der Verfassung eines altgriechischen Stadtstaates *(Polis)*. Heute bezeichnet man damit die Regelung des menschlichen Zusammenlebens, d. h. alle Maßnahmen zur Führung von Gemeinschaften, besonders jedes Handeln, das auf den Staat bezogen ist. Man unterscheidet nach Tätigkeitsbereichen Außenpolitik, Innenpolitik, Kulturpolitik, Wirtschaftspolitik, Finanzpolitik usw. Am deutlichsten werden für jeden die politischen Maßnahmen der Kommunalpolitik (die Politik der Städte und Gemeinden), die ihn oft persönlich betreffen, z. B. beim Bau von Straßen und Krankenhäusern, bei der Müllabfuhr oder bei der Einrichtung von Spielplätzen.

Polo: Polopferde sind ausdauernde und wendige Halbblut- oder Vollblutponys.

Polizei [die], eine Einrichtung des Staates, die die öffentliche Ordnung und Sicherheit aufrechterhalten und die Menschen in dem Staat vor Gefahren schützen soll. Seit der Errichtung der Bundesrepublik ist die Polizei in Deutschland den jeweiligen Bundesländern unterstellt. Auf Bundesebene gibt es das Bundeskriminalamt, das besonders für die Bekämpfung von Terrorismus und ähnlicher Delikte zuständig ist. Die Polizei ist unterteilt in die Verwaltungspolizei (Passwesen, Ausländerwesen, Gewerbeaufsichtsämter usw.) und die Vollzugspolizei (Schutzpolizei, Kriminalpolizei, Bereitschaftspolizei). Daneben gibt es noch spezielle Polizeieinheiten wie die Bundespolizei, die Bahnpolizei, Wasserpolizei und Schifffahrtspolizei sowie den Zolldienst.

Pollen [Pl.], Blütenstaub.

Pollution [die], vom Körper selbst ausgelöster Samenerguss beim Mann, tritt meist im Schlaf auf.

Polo [das, tibetisch, engl.], aus Persien und Indien stammendes, hockeyähnliches Reiterspiel. Polo wird von 2 Mannschaften zu je 4 Reitern gespielt, die mit einem Schläger den Ball in das gegnerische Tor treiben. Jedes Spiel besteht aus 4–6 Abschnitten von je 7,5 Minuten Dauer.

Polo, Marco, * 1254, † 1324; venezianischer Kaufmann und Weltreisender. Er reiste 1271 über den Pamir nach China und lebte dort über 20 Jahre. Polo gewann das besondere Vertrauen des Mongolenherrschers Kublai und brachte es zu dem hohen Amt eines Statthalters in einer großen chinesischen Provinz. Seine Reiseberichte vermittelten zum ersten Mal im Mittelalter eine genaue Kenntnis über den Fernen Osten.

Polonium [das], ein chemisches Element mit dem Zeichen Po. Es wurde 1898 von Pierre und Marie *Curie* entdeckt und ist ein kurzlebiges radioaktives Zerfallsprodukt des Urans.

Polygamie [die], *Vielehe,* die Verbindung oder Ehe eines Mannes mit mehreren Frauen oder einer Frau mit mehreren Männern, in den meisten Staaten gesetzlich verboten. Früher war besonders die Ehe eines Mannes mit mehreren Frauen in arabischen, asiatischen und afrikanischen Ländern üblich. Heute ist die Polygamie stark zurückgegangen; Gegensatz: *Monogamie.*

Polynesien, eine Inselgruppe im Pazifischen Ozean, zusammen 320 000 km^2 mit rund 6 Mio. Einwohnern. Die meisten größeren Inseln sind vulkanischen Ursprungs und bestehen aus Korallenbauten. Sie liegen im tropischen Bereich östlich von Australien und Neuguinea. Zu ihnen gehören u. a. *Samoa, Hawaii, Tahiti* und die *Osterinsel.*

Polynesien: traditionelle strohgedeckte Hütten auf der Fidschiinsel Viti Levu

Pompeji: *Hier wurde auch das »Haus der Vettier« freigelegt, ein sogenanntes Peristylhaus, das neben dem kleinen offenen Hof in der Mitte (Atrium) einen Gartenhof mit Säulenumgang (Peristyl) besitzt.*

Polypen [Pl.], **1.** eine gutartige Wucherung der Schleimhäute im Nasenrachenraum. **2.** festsitzende Hohltiere, z. B. der Süßwasserpolyp.

Polyphonie [die, griech.], *Polyfonie,* in der Musik der mehrstimmige Satz mit selbstständiger melodischer Führung der einzelnen Stimmen; Gegensatz: *Homophonie.*

Polytheismus [der], *Vielgötterei,* der Glaube an mehrere Götter.

Pommern, ehemalige preußische Provinz mit der Hauptstadt *Stettin.* Pommern ist eine seen- und waldreiche Landschaft an der Ostsee. Sie wird durch die Oder in das westliche *Vorpommern* und das östliche *Hinterpommern* geteilt. 1945 wurde Hinterpommern unter polnische Verwaltung gestellt. Vorpommern ist heute ein Teil des deutschen Bundeslandes *Mecklenburg-Vorpommern.*

Pony: Das Shetlandpony kommt in großer Farbvielfalt vor, es kann wie auf dem Bild gescheckt oder einfarbig sein.

Pommes frites [pɔm'frit, Pl.], rohe Kartoffelstreifen, die in heißem Fett schwimmend gebacken werden.

Pompeji, eine italienische Stadt im Südosten Neapels, am Fuß des Vesuvs. Das antike Pompeji wurde 79 n. Chr. bei einem Vesuvausbruch mit den Nachbarstädten Herculaneum und Stabiae verschüttet. Seit 1748 finden Ausgrabungen statt, die bereits Bauten, Straßenanlagen und Hausausstattungen freigelegt haben und einen anschaulichen Eindruck vom Leben in einer römischen Provinzstadt vermitteln.

Pony [das], eine kleine Pferderasse mit höchstens 147,5 cm Widerristhöhe; hierzu gehören u. a. das *Shetlandpony* und das *Islandpony.*

Poolbillard ['puːlbiljart, das, engl., franz.], eine Form des Billardspiels, bei dem 15 Kunststoffkugeln in die 6 auf dem Billardtisch eingelassenen Löcher (4

Löcher in den Tischecken, je 1 an den Längsseiten) einzuspielen sind. Auch → Billard.

Pop-Art [die], eine Kunstrichtung, die Ende der 1950er Jahre in England entstanden ist. Sie bezieht Gegenstände aus dem Alltag (Reklamebilder, Schaufensterpuppen, Suppendosen u.Ä.) ein und entfremdet sie z.B. durch Vergrößerung, besondere Farbgebung oder Wiederholung. Pop-Art hatte ihren Höhepunkt in den USA mit berühmten Vertretern wie z.B. R. *Rauschenberg,* R. *Lichtenstein* und A. *Warhol.*

Popeye, Comicfigur von Elzie *Crisler Segar;* der Matrose Popeye, dem durch den Verzehr von Spinat besondere Kräfte verliehen werden, verkörpert den starken, anständigen Mann, den Beschützer der Frauen. Popeye bekämpft Bösewichte und erlebt Abenteuer in allen Teilen der Welt.

Popmusik [die], Unterhaltungsmusik, die sich seit 1955 aus dem Rock 'n' Roll entwickelt hat und oft unter Einsatz technischer Hilfsmittel (Elektrogitarren, Verstärker, Hall- und Echogeräte) Elemente des Blues, Beat und Jazz verwendet. Auch → Rockmusik.

populär, beliebt, volkstümlich, bekannt.

Poren [Pl.], kleine Öffnungen auf der Oberfläche durchlässiger Stoffe, die Gase und Flüssigkeiten durchlassen. In die Poren der Haut münden die Schweiß- oder Talgdrüsen.

Pornografie [die], *Pornographie,* Darstellung sexueller Vorgänge in Bild und Text in aufdringlicher Art und Weise. Dabei werden sonstige zwischenmenschliche Beziehungen ausgeklammert. In Deutschland darf durch die Verbreitung von Pornografie die Entwicklung von Kindern und Jugendlichen nicht gefährdet werden. Pornografie, die den sexuellen Missbrauch von Kindern oder mit Gewalttätigkeiten verbundene Sexualität zeigt, ist verboten.

Porsche, Ferdinand, * 1875, † 1951; deutscher Autokonstrukteur. Neben vielen Rennwagen konstruierte er auch den Volkswagen.

Port-au-Prince ['pɔrto'prɛ̃s], Hauptstadt von Haiti, 991 000 Einwohner.

Porto-Novo, Hauptstadt und Hafen von Benin, 224 000 Einwohner.

Porträt [das], Darstellung eines Menschen in der Malerei oder Fotografie.

Ländersteckbrief
Portugal

Fläche:	91 906 km²
Einwohner:	10,5 Millionen = 115 je km²
Hauptstadt:	Lissabon
Religion:	römisch-katholische Kirche
Amtssprache:	Portugiesisch
Währung:	1 Euro = 100 Cent

Portugal, Staat in Südwesteuropa.

Landesnatur: Der Norden ist ein stark zertaltes Gebirgsland (*Serra da Estrela*, 1991 m), das nach Süden in die Mittelgebirge Estremaduras übergeht. Südwestlich des weiten Tieflands um die Flüsse Tejo und Sado erstreckt sich das Hügelland von Alentejo und die Algarve. Das ozeanische Klima ist nördlich des Tejo kühler und feuchter als im Süden.

Bevölkerung: Die Bewohner sind fast ausschließlich Portugiesen; nur rund 2% Ausländer. 93% der Bevölkerung sind römisch-katholisch.

Portugal: Der Torre de Belém bei Lissabon wurde zum Schutz der Tejo-Einfahrt zu Beginn des 16. Jh. errichtet.

Wirtschaft: Die Landwirtschaft beschäftigt noch rund 13% der Erwerbstätigen. Hauptanbauprodukt ist Getreide, im Norden auch Kartoffeln, im Süden Wein, Oliven, Obst und Reis. Portugal ist der größte Korklieferant der Erde (rund 50% der Welterzeugung); außerdem werden Hölzer und Harze ausgeführt. Die Fischerei hat erhebliche Bedeutung. An Bodenschätzen werden v. a. Wolfram, Zinn, Uran und Eisen abgebaut. Wichtigste Industriezweige sind Maschinenbau, Textil- und Nahrungsmittelindustrie.

Der Tourismus spielt v. a. in der Algarve eine bedeutende Rolle. – Das Verkehrsnetz ist in weiten Landesteilen recht weitmaschig. Lissabon und Porto sind die wichtigsten Häfen und Flughäfen des Landes.

Geschichte: Portugal als Gebiet der *Lusitaner* wurde 27 v. Chr. römische Provinz, 585 westgotisch, 711 arabisch. Im 9. Jh. begann die Rückeroberung *(Reconquista)*. 1139 begründete König *Alfons I.* die Selbstständigkeit Portugals. 1147 eroberte er im Kampf gegen die Araber Lissabon. 1267 wurde die bis heute gültige Grenze mit Spanien festgelegt. Der »Windsorvertrag« von 1386 leitete die noch heute bestehende Anlehnung an England ein.

1415 begann die Eroberung nordafrikanischen Gebiets, später folgte die Ausbreitung an der Küste Westafrikas *(Heinrich der Seefahrer)*. Ende des 15. Jh. erreichten die Portugiesen das Kap der Guten Hoffnung (B. *Diaz*) und ließen sich nach Entdeckung des Seewegs nach Indien (Vasco da *Gama*) dort in Handelskolonien nieder. Zum asiatischen und afrikanischen Kolonialbesitz kam das 1499 (P. A. *Cabral*) entdeckte Brasilien. Nach dem Aussterben der Königsdynastie besetzten 1580 die Spanier Portugal. Die Lösung der Vereinigung mit Spanien (1640) erfolgte durch *Johann IV.* († 1656). Die Wirtschaft wurde durch den Methuenvertrag 1703 noch stärker von England abhängig.

1807 musste der portugiesische Hof vor *Napoleon I.* nach Brasilien fliehen. Mit englischer Hilfe (A. *Wellington*) wurden die Franzosen allerdings (1808/1809, 1811 endgültig) vertrieben. 1822 wurde Brasilien unabhängig. Portugal wurde 1910 *Republik*. Die parlamentarische Demokratie konnte sich aber nicht durchsetzen (mehrere Putsche). A. de Oliveira *Salazar* (seit 1932 Ministerpräsident) errichtete einen autoritären Einparteienstaat *(Estado Novo)*. 1949 trat Portugal der NATO, 1955 den UN bei. Salazars Nachfolger M. *Caetano* (1968–1974) setzte die Unterdrückungspolitik seines Vorgängers fort.

1974 wurde die Diktatur von der »Bewegung der Streitkräfte« (MFA) gestürzt *(Nelkenrevolution)*. Das Kolonialreich konnte aufgelöst werden. 1976 trat eine demokratische Verfassung in Kraft. 1986 wurde Portugal Mitglied der Europäischen Gemeinschaft. 1999 erfolgte die Übergabe Macaos an China. Vorgezogene Parlamentswahlen 2005 gewann die Sozialistische Partei. Ministerpräsident wurde J. *Sócrates*. Staatspräsident ist seit 2006 A. *Cavaco Silva*.

Porzellan [das], ein dichtes, durchscheinendes edles Keramikerzeugnis aus Porzellanerde, Feldspat und Quarz. Aus der Porzellanmasse werden durch Drehen, Gießen oder Pressen Gegenstände geformt, die durch anschließendes Brennen in Spezialöfen bei Temperaturen bis 1500 °C fertiggestellt werden. Beim ersten Brand wird die Porzellanmasse gefestigt, vor dem zweiten Brand können Malereien aufgetragen werden, bei einem dritten Brand werden Glasuren aufgebrannt. Porzellan wurde in China vermutlich schon im 7. Jh. hergestellt. Das erste weiße Hartporzellan in Europa stellten J. F. *Böttger* und E. W. von *Tschirnhaus* 1708 in Dresden her, 1710 entstand in Meißen die erste Porzellanmanufaktur in Europa.

Posaune [die], ein tief und voll klingendes Blechblasinstrument mit Kesselmundstück, dessen Rohrlänge sich am unteren Kniestück durch Ausziehen und Einschieben verändern lässt. Dadurch können alle Zwischentöne erzeugt werden. Die Posaune ist ein wichtiges Instrument in der Jazzmusik.

Poseidon, in der griechischen Sagenwelt der Gott des Meeres. Er trägt den Dreizack, mit dem er die Wellen aufrührt und besänftigt.

positiv, bejahend, zustimmend, günstig, erfolgreich; in der Mathematik größer als Null; Gegensatz: *negativ.*

Positiv [das], eine fotografische Kopie oder Vergrößerung auf Papier, die den wirklichen Hell-Dunkel- und Farbverhältnissen entspricht; Gegensatz: *Negativ.*

Poseidon: Halbrelief der griechischen Götter Poseidon, Apollo und Artemis (von links nach rechts) in der Akropolis von Athen

Potsdam: Das Schloss Sanssouci wurde 1745–1747 nach den Wünschen Friedrichs des Großen errichtet.

Post® [die], ein Unternehmen zur Beförderung von Nachrichten (z. B. Briefsendungen, Fernschreiben, Telegrammen) und Kleingütern (z. B. Paketen) sowie zur Durchführung von Geldverkehr. Die Postgeschäfte in Deutschland besorgen seit 1994 die Deutsche Post AG, die Deutsche Postbank AG und die Deutsche Telekom sowie private Anbieter.

Poster ['pɔustə, der oder das, engl.], ein dekoratives, künstlerisches Plakat.

Potenz [die], **1.** Möglichkeit, Vermögen, Kraft. **2.** Fähigkeit des Mannes zum Geschlechtsverkehr, auch Zeugungsfähigkeit; Gegensatz: *Impotenz.* **3.** in der Mathematik mehrfaches Produkt derselben Zahl, z. B. die vierte Potenz von 3 gleich $3 \cdot 3 \cdot 3 \cdot 3 = 3^4$ (gelesen: drei hoch vier). Dabei heißt die Zahl 3 *Grundzahl* oder *Basis,* die Zahl 4 *Hochzahl* oder *Exponent.*

Potsdam, die Hauptstadt des Landes Brandenburg, südwestlich von Berlin, auf einer Insel in der Havel, 145 000 Einwohner. Die Stadt war bis 1918 zweite königliche Residenz. In Potsdam ließ sich *Friedrich der Große* das Rokokoschloss Sanssouci bauen (1745 bis 1747), das 1990 zum Weltkulturerbe erklärt wurde.

Präambel [die], die Einleitung (Vorspruch) eines Vertrages, einer Urkunde, eines Gesetzes.

Prärie: Eine Bisonherde grast in der Weite des Yellow Stone Nationalparks in den USA.

Prädikat [das], **1.** Bewertung, Zensur einer Leistung. **2.** *Satzaussage,* der Satzteil, der den Zustand oder die Tätigkeit des Subjekts angibt, z. B. »wir *lesen*«.

Präfix, Vorsilbe, dem Stamm eines Wortes vorangehendes Wortbildungselement (z. B. ent-, ver-, er-, ge-).

Prag, Hauptstadt der Tschechischen Republik, an der Moldau, 1,2 Mio. Einwohner. Prag ist eine Stadt der Gotik und des Barocks (das »Goldene Prag«) mit zahlreichen Sehenswürdigkeiten: Hradschin (14. bis 18. Jh.), Karlsbrücke (14. Jh.), Altstädter Rathaus mit berühmter astronomischer Uhr (14. Jh.) u. a.

pragmatisch, praktisch, sachkundig, auf das Handeln bezogen.

prägnant, kurz, treffend.

Prämie [die], **1.** Belohnung, Zusatzvergütung. **2.** Betrag, den Versicherte regelmäßig an die Versicherung zahlen müssen.

Pranger [der], *Schandpfahl,* ein Holzpfahl, mitunter auch eine Steinsäule, meist auf den Marktplätzen alter Städte, an dem im Mittelalter Verbrecher angebunden wurden, um vor der Öffentlichkeit bloßgestellt zu werden.

Präposition [die], *Verhältniswort,* eine Wortart, die angibt, in welchem räumlichen, zeitlichen oder logischen Verhältnis etwas zum Rest des Satzes steht (z. B. vor, unter).

Prärie [die], das ausgedehnte, nahezu baumlose Grasland in Nordamerika, zwischen dem Mississippi und den Rocky Mountains. Die niederschlagsarme Prärie verdorrt im Sommer streckenweise, im Herbst fallen reiche Niederschläge.

Präsens [das, lat.], *Gegenwart,* eine Zeitform des Verbs zur Bezeichnung einer gegenwärtigen Handlung oder eines Zustandes, z. B. »ich *gehe*«.

Präservativ [das], ein → Kondom.

Präsidenten [Pl.], gewählte Vorsitzende von Versammlungen, Vereinen, Verbänden. In der Politik ist ein Ministerpräsident der Chef der Regierung, ein Bundes-, Staats- oder Reichspräsident das Oberhaupt eines Staates.

Präteritum [das, lat.], die Vergangenheitsform des Verbs, im engeren Sinne das *Imperfekt.*

Prätorianer, die Leibgarde der römischen Kaiser.

präventiv, vorbeugend, schützend, abwehrend.

Praxis [die], **1.** praktische Erfahrung. **2.** die Räume, in denen Ärzte oder Rechtsanwälte arbeiten.

Praxisgebühr, Zuzahlung zu Arzt-, Zahnarzt- und Psychotherapeutenbesuchen in Höhe von 10 Euro pro Quartal, die der gesetzlich Krankenversicherte seit 2004 direkt in der Arztpraxis zu entrichten hat. Die Praxisgebühr wird beim ersten Arztkontakt fällig, sie entfällt bei Patienten unter 18 Jahren, bei Vorsorgeuntersuchungen und Prophylaxebehandlungen sowie bei Arztbesuchen mit Überweisung im selben Quartal. Für den Zahnarztbesuch ist eine eigene Praxisgebühr fällig. Ziel der Einführung ist die finanzielle Entlastung der Krankenkassen.

präzis, genau, klar, treffend.

Prekariat [lat. prekär, »unsicher, widerruflich, durch Bitten erlangt«], *Prekarisierung, Prekarität,* analog zum Begriff → Proletariat gewählte Bezeichnung für die Summe der Menschen in nicht standardisierten

Beschäftigungsformen, deren Arbeitsleben im historisch-ökonomischen Vergleich zum *Normalarbeitsverhältnis* durch geringe sozialrechtliche Absicherung gekennzeichnet ist, z. B. durch befristete Arbeitsverträge, Projektarbeiten, Kurzaufträge, oder die in Beschäftigungsformen wie Leiharbeit, Honorararbeit, unfreiwilliger Teilzeit, Praktikum verbleiben. Der Begriff Prekariat wird zum Teil (P. *Bourdieu*) auch auf den Teil der Gesellschaft bezogen, der von zunehmender Arbeitslosigkeit und deren ökonomischen, sozialen und psychischen Folgen betroffen ist, mit der Folge von Unsicherheit und Angst als verallgemeinerbares Problem.

Genauer betrachtet … Presse

Artikel: ein abgedruckter Text in einer Zeitung oder Zeitschrift

Auflage: die Gesamtzahl der gleichzeitig gedruckten Exemplare eines Druckwerks

Feuilleton: der kulturelle Teil einer Zeitung

Impressum: die Angaben über Verleger, Drucker usw. einer Veröffentlichung

Interview: eine Befragung durch Journalisten

Journalisten: Personen, die für Zeitungen, Zeitschriften oder Nachrichtenagenturen Texte schreiben

Kolumne: ein regelmäßig erscheinender Meinungsbeitrag von Journalisten

Kommentar: die persönliche Stellungnahme von Journalisten zu einem aktuellen Thema

Korrespondenten: Journalisten einer Zeitung im Ausland

Layout: die Gestaltung von Seiten mit der Anordnung der Artikel, Bilder und Überschriften

Recherche: Ermittlung, Nachforschung

Reportage: die Berichterstattung zu einem aktuellen Ereignis

Premiere [prəmˈjɛːrə, die], die Erstaufführung eines dramatischen oder musikalischen Werkes als Neueinstudierung. Die *Uraufführung* ist im Unterschied dazu die erste Aufführung eines Werkes überhaupt.

Presley [ˈprɛsli], Elvis, * 1935, † 1977; US-amerikanischer Rocksänger und Gitarrist. Bekannt wurde er in den 1950er Jahren mit einer Musikmischung aus Country, Blues und Rock 'n' Roll. Presley wurde zum weltweiten Teenageridol.

Presse [die], in regelmäßigen Abständen erscheinende, gedruckte Schriften wie Zeitungen oder Zeitschriften. Als Presse wird auch die Gesamtheit der Journalisten von Fernsehen, Rundfunk und Zeitung bezeichnet. Auch → »Genauer betrachtet«.

Pressefreiheit [die], die Freiheit für jeden, Presseerzeugnisse herzustellen und zu verbreiten. Soweit die Presse dabei die persönliche Ehre des Einzelnen nicht antastet und die Vorschriften des Jugendschutzes einhält, darf sie ihre Meinung frei äußern. Die Pressefreiheit ist ein demokratisches Grundrecht. In totalitären Staaten wird sie häufig durch staatliche *Zensur* eingeschränkt.

Prestige [prɛˈstiːʒ, das], Ansehen, Geltung.

Pretoria, Regierungssitz der Republik Südafrika, 1,9 Mio. Einwohner.

Preußen, ein ehemaliges Land des Deutschen Reiches. Der Name Preußen bezeichnete ursprünglich nur ein Gebiet zwischen Weichsel und Memel. Dort entstand aus dem Staat des Deutschen Ordens ein Herzogtum, das 1618 durch Erbfolge an die Kurfürsten von Brandenburg aus dem Geschlecht der Hohenzollern fiel. Kurfürst Friedrich III. krönte sich 1701 als *Friedrich I.* zum »König in Preußen«; damit ging der Name Preußen auf den Gesamtstaat der Hohenzollern über. Unter seinen Nachfolgern (*Friedrich Wilhelm I.* und *Friedrich II.*) wurde Preußen neben Österreich zur zweiten deutschen Großmacht. In den Kriegen *Napoleons I.* erlitt Preußen schwere Verluste, von denen sich das Land aber nach dem Wiener Kongress wieder erholte. Im 19. Jh. nahmen die Auseinandersetzungen zwischen Preußen und Österreich um die Vorherrschaft in Deutschland immer mehr zu. Unter König *Wilhelm I.* und seinem Kanzler *Bismarck* führten sie 1866 zum kriegerischen Konflikt, aus dem Preußen als Sieger hervorging. Mit der Gründung des Deutschen Reiches am 18. 1. 1871 wurde der König von Preußen zugleich deutscher Kaiser. Preußen fiel als größtem Gliedstaat des neuen Reiches die führende Rolle zu, die es auch 1918, nach dem Ende der Monarchie, trotz der Gebietsabtretungen infolge des Versailler Vertrages behielt. Nach dem Zweiten Weltkrieg wurde der preußische Staat 1947 von den Siegermächten aufgelöst.

Preußler, Otfried, * 1923; deutscher Kinderbuchautor. Er schrieb u. a. die bekannten Kinder- und Jugendbücher »Die kleine Hexe«, »Der Räuber Hotzenplotz«, »Krabat«.

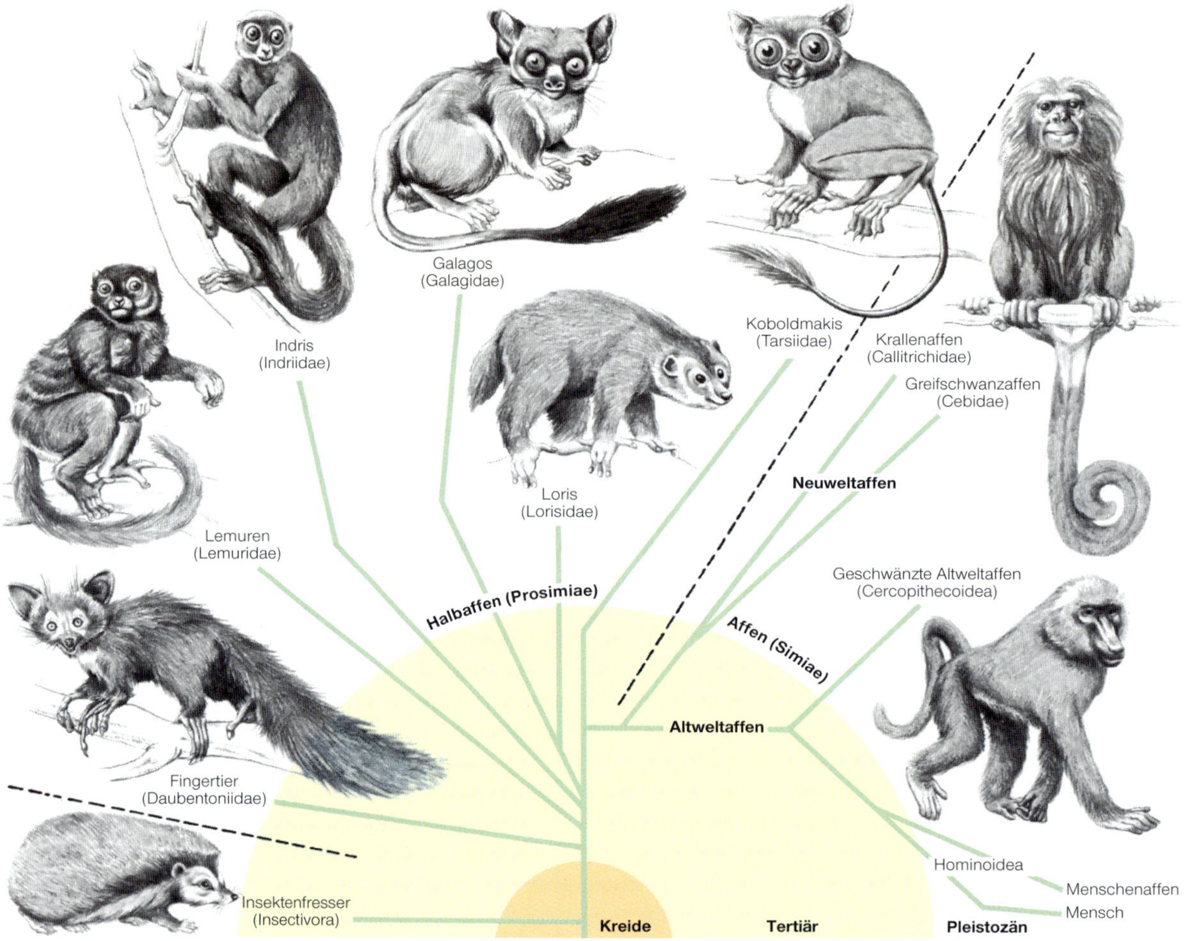

Primaten: Der Stammbaum zeigt die Verwandtschaftsbeziehungen der heute noch lebenden Primaten. Die Abspaltung von den Insektenfressern erfolgte in der Oberkreide (vor etwa 100 Mio. Jahren). Im Tertiär (vor etwa 65 Mio. Jahren) haben sich die großen Halbaffengruppen aufgespalten. Auch die Trennung von Alt- und Neuweltaffen geschah im Tertiär.

Genauer betrachtet ...
Primaten

Die Entdeckung einer neuen Primatenart durch den deutschen Zoologen Bernhard *Meier* 1986 war eine wissenschaftliche Sensation, denn seit 1930 war keine neue Primatenart mehr gefunden worden, und die Fachwelt rechnete auf diesem Gebiet nicht mehr mit weiteren Überraschungen. Die neue Halbaffenart, die auf Madagaskar lebt, erhielt den Namen *Goldener Bambuslemur.* Sie gehört zur Gattung der Halbmakis. Den wissenschaftlichen Nachweis, dass es sich um eine bisher unbekannte Halbmaki-Art handelt, lieferte eine Chromosomenanalyse.

Preview [pri:vju:, engl.], *Vorschau,* die Vorführung vor allem von Filmen vor der Uraufführung. Dabei wird die Wirkung eines Films in der Rohfassung auf die Zuschauer getestet, um eventuell noch Änderungen für die endgültige Version vorzunehmen.

Priester [Pl.], in fast allen Religionen Vermittler zwischen Gott und Mensch, in deren Händen der Kultdienst (Opfer, Gebet) und die Weitergabe der Lehre liegen. In der katholischen Kirche ist der Priester Spender der Sakramente sowie Seelsorger und Verkünder des Wortes Gottes.

Primarstufe [die], Grundschule (1.–4. Klasse).

Primaten [Pl.], *Herrentiere,* eine hoch entwickelte Ordnung der Säugetiere, zu der man Halbaffen, Affen und Menschen rechnet. Sie haben je 5 Finger beziehungsweise Zehen sowie ein meist gut entwickeltes Gehirn. Auch → »Genauer betrachtet«.

Primzahlen, alle natürlichen Zahlen, die größer sind als 1 und nur durch 1 und sich selbst teilbar sind: 2, 3, 5, 7, 11, 13, 17, 19, ...

Prinz, Birgit, * 1977; deutsche Fußballspielerin. Mit ihren Vereinen FSV Frankfurt (1992–1998) und 1. FFC Frankfurt (1998–2002 und seit 2003) ist sie vielfache Meisterin und Pokalsiegerin; mit der deutschen Frauenfußballnationalmannschaft Europameisterin 1995, 1997, 2001 und 2005 sowie Weltmeisterin 2003 und 2007. Fußballerin des Jahres 2001–2007, Weltfußballerin des Jahres 2003–2005.

Prinzip [das], grundlegende Voraussetzung, Grundsatz, Regel.

Priorität [die], Vorzug, Vorrangstellung.

Prisma [das], in der Geometrie ein Körper aus zwei gleichen parallelen Grundflächen und mehreren Sei-

Prisma: Beim Durchgang des Lichts durch ein Prisma entsteht ein Spektrum, d. h. weißes Licht wird in Spektralfarben aufgespalten. Das Absorptionsspektrum zeigt die Bestandteile des Lichts, das von einem glühenden Körper (oben), von heißem Gas (Mitte) oder von einer mit kühlem Gas verdeckten Lichtquelle (unten) ausgeht.

tenflächen. In der Optik ist ein Prisma ein keilförmiger Körper aus einem durchsichtigen Material (z. B. Glas, Quarz). Leitet man einen Lichtstrahl durch ein Prisma, wird er in die Spektralfarben zerlegt.

Produkt [das, lat., »das Hervorgebrachte«], **1.** Erzeugnis, Ware, Ertrag (z. B. landwirtschaftliches Produkt). **2.** in der Mathematik das Ergebnis einer Multiplikation von Zahlen; z. B. ist 63 das Produkt der Zahlen 7 und 9.

Produktion, die Erstellung von Gütern und Dienstleistungen durch Produktionseinheiten des privaten und öffentlichen Bereichs. Man unterscheidet zwischen der Produktion des primären Sektors (Produkte der Land- und Forstwirtschaft sowie des Bergbaus), des sekundären Sektors (gewerbliche Produktion, Stoffbe- und Stoffverarbeitung) und des tertiären Sektors (privat und öffentlich dargebotene Dienstleistungen).

Professoren [Pl.], Hochschullehrer. In manchen Ländern (z. B. Österreich) nennt man auch Lehrer an höheren Schulen Professoren.

Profil [das], **1.** Seitenansicht (z. B. ein Gesicht im Profil). **2.** ausgeprägter Charakter (z. B. ein Künstler mit Profil). **3.** Kerbung (z. B. bei Autoreifen und Schuhsohlen).

Profit [der], Nutzen, Vorteil, Verdienst, Gewinn.

Prognose [die, griech.], Vorhersage, Ankündigung einer Entwicklung (z. B. Wetterprognose).

Programm [das], **1.** Arbeitsplan, eine Auflistung von Grundsätzen (z. B. von Parteien), Reihenfolge von Veranstaltungen, Spielplan, Sendefolge. **2.** eine Vorschrift, die nach den Regeln einer → Programmiersprache abgefasst ist und die alle notwendigen Hinweise zur Lösung einer bestimmten Aufgabe mit Hilfe eines Computers enthält.

Programmiersprache [die], künstliche Sprache für das Programmieren von Computern. Einfache Programmiersprachen sind nur für einen bestimmten Gerätetyp verwendbar, höhere Programmiersprachen können für alle Geräte verwendet werden. Die meisten Programmiersprachen sind auf einen bestimmten Problembereich spezialisiert, z. B. auf den kaufmännischen oder den naturwissenschaftlichen Bereich.

progressiv, stufenweise fortschreitend, sich stetig entwickelnd, auch fortschrittlich.

Projekt [das], ein Entwurf, Plan, Vorhaben.

Projektion [die], **1.** die vergrößerte Wiedergabe von Bildern mit einem Projektor. **2.** die Abbildung von Körpern, Kurven und Flächen auf eine Ebene.

Genauer betrachtet …

Pronomen

Name		Beispiele
Personalpronomen	persönliche Fürwörter	ich, du, er, sie, es, wir, ihr, sie
Possessivpronomen	besitzanzeigende Fürwörter	mein, dein, sein, ihr, unser, euer, ihr
Reflexivpronomen	rückbezügliche Fürwörter	mich, dich, sich, uns, euch, sich
Demonstrativpronomen	hinweisende Fürwörter	dieser, jener, solcher, derjenige …
Relativpronomen	bezügliche Fürwörter	der, welcher …
Interrogativpronomen	fragende Fürwörter	Wer?, Was?, Welcher? …
Indefinitpronomen	unbestimmte Fürwörter	jemand, niemand, jedermann, etwas, keiner …

Projektor [der], ein optisches Gerät zur Abbildung durchsichtiger Bilder (Dias, Schmalfilm, Kinofilm) auf größere Flächen.

Proklamation [die], eine öffentliche Bekanntmachung, amtliche Verkündigung.

Prokofjew, Sergej Sergejewitsch, * 1891, † 1953; russischer Komponist. In seinen Werken verband Prokofjew Elemente der Volksmusik mit moderner Musik. Bekannt wurde sein musikalisches Märchen für Kinder »Peter und der Wolf«.

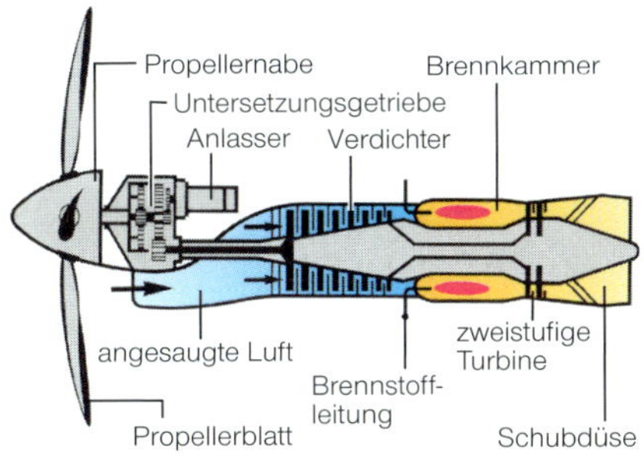

Propeller: Luftfahrzeuge können eine Propellerturbine als Triebwerk besitzen. Der Propeller wird durch eine Gasturbinenanlage (bestehend aus Verdichter, Brennkammer, Turbine und Getriebe) angetrieben.

Pronomen [das], *Fürwort,* eine Wortart, die Substantive vertritt. Auch → »Genauer betrachtet«.

Propaganda [die], Beeinflussung der öffentlichen Meinung durch Wort, Schrift, Bild, Musik. Im Unterschied zu Reklame oder Werbung, die meist wirtschaftliche Zwecke verfolgen, geht es bei der Propaganda vor allem um ideologisch-politische Absichten.

Prokura [die], eine umfassende Vollmacht für die Angelegenheiten einer Firma, die Geschäftsinhaber oder ihre gesetzlichen Vertreter erteilen. Die Inhaber einer Prokura heißen *Prokuristen.*

Proletariat [das], im alten Rom die Besitzlosen; nach der Lehre des Marxismus die Klasse der besitzlosen, ausgebeuteten Lohnarbeiter *(Proletarier).*

Prolog [der, griech., »Vorrede«], die einem Drama vorausgeschickten Einleitungsworte an die Zuschauer.

Prometheus, ein Held der griechischen Sagenwelt, der Sohn eines Titanen. Er schuf aus Lehm und Wasser die ersten Menschen und brachte ihnen das Feuer, das er Zeus entwendete. Von Zeus wurde er an einen Felsen gefesselt, wo ihm täglich ein Adler die Leber zerfleischte, die in der Nacht wieder nachwuchs. Er wurde von Herkules befreit.

Promille [das], Abkürzung p.m., ein Tausendstel, Zeichen: ‰.

prominent, berühmt, hervorragend, einflussreich, von Rang und Würde.

Promotion [die], das Prüfungsverfahren zur Erlangung des Doktortitels an einer Hochschule mit einer schriftlichen Arbeit *(Dissertation)* und einer mündlichen Prüfung.

Propeller [der], eine sich drehende Flügelschraube mit zwei oder mehr Flügeln zur Fortbewegung im Wasser oder in der Luft.

Prophet [der], ein Sprecher Gottes, dem göttliche Offenbarung zuteil wurde und der Gottes Willen den Menschen bekannt macht. Im Alten Testament unterscheidet man vier »große« Propheten (Jesaja, Jeremia, Hesekiel und Daniel) und zwölf »kleine« Propheten. Im Islam gilt Mohammed als Prophet.

Proportion [die], allgemein Ebenmaß, Gleichmaß, Größenverhältnis, in der Mathematik eine Verhältnisgleichung der Form a:b=c:d, bei der das Produkt der inneren Glieder gleich dem Produkt der äußeren Glieder ist (a·d=b·c).

Prosa [die], eine Sprache, die nicht durch den Reim oder den Rhythmus gebunden ist, die Alltagssprache oder die Sprache der Wissenschaft. In der Dichtung wird sie besonders dann verwendet, wenn ein sachlicher, wirklichkeitsnaher Stil erreicht werden soll, z. B. im Roman.

Prospekt [der], **1.** Anpreisung, bebilderte Werbeschrift (z. B. Reiseprospekt). **2.** Hintergrund einer Theaterbühne.

Prostata [die], die Vorsteherdrüse des Mannes. Sie umschließt die Harnröhre vor der Harnblasenmündung und führt bei krankhafter Vergrößerung im Alter zu erschwerter Harnentleerung. Auch → Geschlechtsorgane.

Prostitution [die], das Anbieten des eigenen Körpers von Frauen und Männern zur sexuellen Befriedigung Fremder, die dafür bezahlen.

Proteine [Pl.] → Eiweiße.

Protektion [die], Förderung, Begünstigung, Unterstützung durch einen einflussreichen Menschen.

Protest [der], Einspruch, Widerspruch.

Protestantismus [der], die Bezeichnung für alle Glaubensgemeinschaften (Kirchen), die aus der Reformation im 16. Jh. hervorgegangen sind: lutherische Kirchen, reformierte Kirchen, anglikanische Kirche, Baptisten, Methodisten und freie Kirchen.

Prothese [die], ein Ersatzteil für fehlende Körperteile, z. B. Beinprothese.

Protokoll [das], die Mitschrift einer Besprechung oder Verhandlung (sinngemäß oder wortgetreu).

Proton [das], ein positiv geladenes Elementarteilchen im Atomkern.

Protoplasma [das], die lebende Masse der → Zelle (2.), die von der Zellmembran und bei Pflanzen auch von der Zellwand umgeben ist.

Provence: Der im Sommer blühende Lavendel liegt wie ein Teppich in der Landschaft.

Proust [pru:st], Marcel, *1871, †1922; französischer Schriftsteller. Seine neue literarische Technik der Aneinandereihung von Gedanken wurde wegweisend für den Roman des 20. Jh. In seinem Hauptwerk »Auf der Suche nach der verlorenen Zeit« schildert er die bürgerliche und aristokratische Gesellschaft.

Provence [prɔ'vãs], eine Landschaft in Südfrankreich, zwischen Mittelmeer, unterer Rhône und Meeralpen. Die Hauptstadt ist Marseille.

Provider [pro'vaidə, der, von engl. to provide, »zur Verfügung stellen, vermitteln«], *Service-Provider,* eine Firma oder Organisation, die dem Kunden gegen Gebühr die Verbindung zum *Internet* anbietet. Provider sind z. B. *America Online (AOL)* und *T-Online.*

Provinz [die], ein Landesteil, Verwaltungsbezirk.

Prozent [das], Abkürzung v. H. (von Hundert), Zeichen %, Hundertstel (3% = $^3/_{100}$). Durch den Prozentbegriff wird eine gegebene Zahl von Größen auf 100 Größen bezogen: 3% von 5 Euro = $^3/_{100} \cdot 5$ = 0,15 Euro. Die *Prozentrechnung* ist Teil der Bruchrechnung.

Prozess [der], **1.** Ablauf, Vorgang, Verfahren. **2.** die Austragung eines Streits zweier Parteien vor Gericht.

Prozession [die], ein feierlicher Umzug um ein Heiligtum oder zu einem Heiligtum. In der katholischen Kirche gibt es z. B. die Fronleichnamsprozession.

Prozessor, zentrale Funktionseinheit eines Computers, in der die vom Programm gesteuerten Rechenprozesse ablaufen.

PS, Kurzzeichen für → Pferdestärke.

Psalmen [Pl.], im Alten Testament Gebete oder religiöse Lieder der jüdischen Gemeinde, die im *Psalter (Buch der Psalmen)* zusammengefasst sind.

Pseudokrupp, eine Entzündung des Kehlkopfs und der Luftröhre bei Kindern, die mit Hustenanfällen, Heiserkeit und Atemnot verbunden ist. Ärztliche Behandlung ist nötig. Pseudokrupp wird durch verschiedene Infektionen, allergische Reaktionen und Luftverschmutzung hervorgerufen.

Pseudonym [das], Deckname, ein selbst gewählter Zweitname z. B. bei Künstlern.

Psyche [die], die Seele.

Psychiatrie [die], ein Fachgebiet der Medizin, das sich mit seelischen Krankheiten und Störungen beschäftigt.

Psychoanalyse [die], eine Form der Psychotherapie, die um 1900 von S. *Freud* entwickelt wurde. Sie will durch Befragung des Patienten sowie durch Erzählenlassen von Träumen und Erlebnissen ins Unbewusste verdrängte Inhalte wieder ins Bewusstsein zurückholen. Die Verdrängungen sind nach Überzeugung der Psychoanalyse Ursache vieler seelischer Krankheiten. Durch die Aufarbeitung der Träume und Erlebnisse sollen die Krankheiten geheilt werden.

Psychologie [die], die Wissenschaft von den Beweggründen und Gesetzmäßigkeiten des menschlichen Verhaltens. Die *allgemeine Psychologie* untersucht Funktionen wie Verstehen, Denken, Fantasie, Handeln, Lernen. Die *Entwicklungspsychologie* erforscht die Entwicklungsgänge vom Kindes- bis zum Greisenalter. Die *angewandte Psychologie* spielt als Arbeits-, Betriebs- und Werbepsychologie in der Wirtschaft eine große Rolle.

Psychopharmaka [Pl.], Arzneimittel, die seelische Vorgänge beeinflussen. Sie wirken z. B. beruhigend oder anregend. Im weiteren Sinne sind auch gewisse Genussmittel (Alkohol, Nikotin) als Psychopharmaka anzusehen.

psychosomatische Erkrankungen [Pl.], körperliche Erkrankungen, die psychische Ursachen haben, beispielsweise ein Magengeschwür, das durch Stress entstanden ist.

Psychotherapie [die], verschiedene Methoden, die sich mit psychischen Störungen befassen und den Betroffenen helfen wollen, mit ihren Problemen fertig zu werden, z. B. Gesprächstherapie, Psychoanalyse, Hypnose, autogenes Training oder Familientherapie.

Ptolemäus: Karte der Alten Welt nach Ptolemäus in einem mittelalterlichen Manuskript. Greenwich, Marinemuseum

Pt, chemisches Zeichen für das Element → Platin.

Ptolemäus, Claudius, * um 100, † um 170 n. Chr.; griechischer Geograph, Mathematiker und Astronom des Altertums. Ptolemäus schuf Karten der damals bekannten Erde mit Längen- und Breitengraden und sah die Erde als Mittelpunkt des Weltalls. Das ptolemäische Weltsystem wurde erst durch *Kopernikus* und *Kepler* widerlegt.

Pubertät [die] → Sexualität.

Public Viewing ['pʌblik vjuːiŋ], Vorführen eines (sportlichen) Großereignisses auf einer Großbildleinwand auf öffentlichen Plätzen.

Publizistik [die, von lat. publikare, »veröffentlichen«], öffentlicher Austausch von Informationen und Meinungen in den Massenmedien wie z. B. Presse, Film, Rundfunk und Fernsehen. Journalisten, Redakteure, Kommentatoren u.Ä. bezeichnet man als *Publizisten.*

Puccini [put'tʃiːni], Giacomo, * 1858, † 1924; italienischer Opernkomponist. Seine bekanntesten Opern sind: »La Bohème«, »Tosca«, »Madame Butterfly«.

Pueblo-Indianer [Pl.], eine Sammelbezeichnung für sesshafte Indianerstämme *(Hopi, Keres, Tano, Zuñi)* in Colorado, Arizona und New Mexico. Sie bewohnen burgartig aneinander- und stufenförmig aufeinandergebaute Häuser *(Pueblos)* aus Lehmziegeln und sind zum großen Teil Bodenbauern. Die Hochblüte ihrer Kultur lag im 10.–14. Jh., das traditionelle Kunsthandwerk hat sich erhalten und wird heute verstärkt belebt.

Puerto Rico, die kleinste Insel der Großen Antillen, 3,6 Mio. Einwohner, Hauptstadt ist *San Juan.* Gemeinsam mit den zugehörigen Inseln Mona, Vieques und Culebra wird Puerto Rico zu den USA gezählt, ist aber noch kein Bundesstaat.

Pulitzer, Joseph, * 1847, † 1911; US-amerikanischer Journalist und Verleger ungarischer Herkunft. Er ermöglichte durch eine Stiftung den *Pulitzer-Preis*, der seit 1917 jährlich für besondere literarische und publizistische Verdienste vergeben wird.

Puls [der], regelmäßige Bewegung der Schlagadern, die auf der Pumptätigkeit des Herzens beruht. Der Puls schlägt etwa 60- bis 80-mal in der Minute. Man kann ihn am besten am Handgelenk, an den Schläfen oder am Hals ertasten.

Puma [der], *Silberlöwe,* eine rotbraun bis silbergraue Katze mit einer Körperlänge von bis zu 180 cm. Der Puma ist von Kanada bis Südargentinien verbreitet.

Pumpe [die], ein technisches Gerät zur Förderung von Flüssigkeiten oder Gasen. Bei den meisten Pumpen bewegt sich ein Kolben in einer Röhre (z. B. Fahrradpumpe). Bei einer anderen Art, der Kreiselpumpe, benutzt man anstelle eines Kolbens ein Schaufelrad.

Punische Kriege [Pl.], die drei Kriege zwischen den Römern und den Karthagern (Punier) um die Vorherrschaft im westlichen Mittelmeerraum: *1. Punischer Krieg,* 264–241 v. Chr.: Die Karthager verloren Sizilien und die umliegenden Inseln an Rom; *2. Punischer Krieg,* 218–201 v. Chr.: Feldzüge *Hannibals* nach Italien, zunächst siegreich (216 v. Chr. bei Cannae), 202 v. Chr. Sieg des *Cornelius Scipio Africanus* bei Zama (Nordafrika) über Hannibal; *3. Punischer Krieg,* 149–146 v. Chr.: Zerstörung Karthagos; Afrika wurde römische Provinz.

Pumas sind zwar Einzelgänger, aber friedlich gegenüber Artgenossen.

Punker [pʌŋkə, der, engl., »Schund, Dreck«], eine Bewegung unter Jugendlichen, die Ende der 1970er Jahre in Großbritannien aufgekommen ist. Mit auffallender Mode, gefärbten Haaren und exzentrischem Schmuck wollen sie gegen die bürgerliche Gesellschaft demonstrieren und auf ihre Situation mit hoher Arbeitslosigkeit und schlechten Zukunftsperspektiven aufmerksam machen.

Pupille [die], das kreisrunde Sehloch des Auges.

Puppe [die], Ruhestadium in der Entwicklung von Insekten. Aus der oft durch eine Puppenhülle *(Kokon)* geschützten Puppe schlüpft das fertige Insekt. Auch → Metamorphose.

Puritaner [Pl.], englische und schottische Protestanten, die Mitte des 16. Jh. für die »evangelische Reinheit« der Kirche im Sinne Calvins eintraten. Zu ihren Idealen gehörten Selbstzucht und Beherrschung des Trieblebens.

Puschkin, Alexander Sergejewitsch, * 1799, † 1837; russischer Dichter. Er war Begründer der modernen russischen Literatur und Dichtungssprache sowie Wegbereiter des *Realismus*.

Puszta [die], eine steppenartige Landschaft in Ungarn, die früher hauptsächlich für Weidewirtschaft genutzt wurde, heute aber weitgehend durch Bewässerung in Ackerland umgewandelt ist.

Putin, Wladimir, * 1952, russischer Politiker. Er war 1975–1991 für den KGB tätig (auch in der DDR) und 1998/99 Leiter des russischen Inlandsgeheimdienstes. 1999 wurde er Ministerpräsident Russlands, seit 2000 ist er Staatspräsident.

Putsch [der], ein gewaltsamer politischer Umsturz.

Pu Yi [pu iː], * 1906, † 1967; als *Xuantong* war er 1908–1912 letzter Kaiser von China. Er wurde durch die Revolution von 1911/1912 gestürzt. 1932 wurde er Präsident und 1934–1945 Kaiser des von Japan abhängigen Mandschukuo. Danach geriet er in sowjetische und chinesische Gefangenschaft.

Pygmäen [Pl.], kleinwüchsige, dunkelhäutige Menschen, die in den tropischen Regenwäldern Zentralafrikas leben. Sie sind meist unter 150 cm groß.

P'yŏngyang [pjəŋjaŋ], die Hauptstadt von Nordkorea, 2,4 Mio. Einwohner.

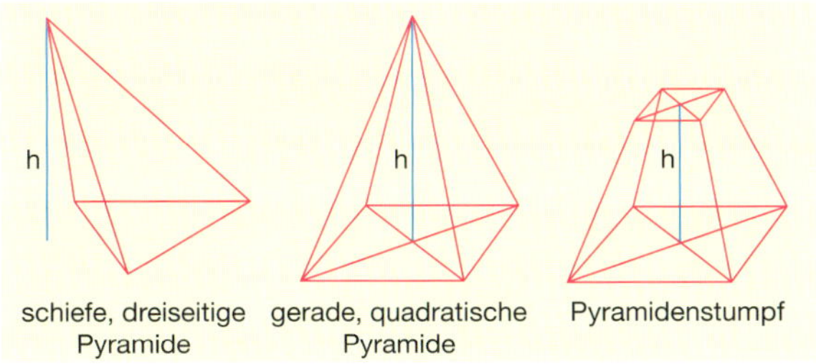

Pyramide (1): unterschiedliche Formen

Pyramide [die], **1.** ein geometrischer Körper mit einer vieleckigen Grundfläche (G) und dreieckigen Seitenflächen, die eine gemeinsame Spitze (S) haben. Das Lot vom Punkt S auf die Grundfläche ist die Höhe (h) der Pyramide. Der Rauminhalt (V) einer Pyramide beträgt ⅓ G · h. **2.** ein großes Königsgrabmal der ägyptischen Pharaonen mit quadratischem Grundriss und vier dreieckigen, an der Spitze zusammenlaufenden Seitenflächen. Die älteste Pyramide wurde um 2700 v. Chr. errichtet. Am bekanntesten ist die Pyramide des *Cheops* bei Gizeh, westlich von Kairo. Pyramidenbauten kannten auch die Azteken, die Inka und die Maya.

Pyramide (2): Am bekanntesten sind die zu den sieben Weltwundern zählenden Pyramiden von Gizeh.

Pyrenäen [die], Gebirge zwischen Spanien und Frankreich, 440 km lang, 130 km breit. Sie reichen vom Golf von Biskaya (Atlantik) bis zum Golf von Lion (Mittelmeer). Südlich der Pyrenäen liegt die *Pyrenäenhalbinsel* mit Spanien und Portugal. Die höchste Erhebung ist der *Pico de Aneto* mit 3404 Metern.

Pythagoras, * um 580 v. Chr., † um 496 v. Chr.; griechischer Mathematiker und Philosoph. Der nach Pythagoras benannte Lehrsatz lautet: Im rechtwinkligen Dreieck ist die Fläche des Quadrats über der Hypotenuse (c) gleich der Summe der Flächen der Quadrate über den beiden Katheten (a, b): $a^2+b^2=c^2$.

Q

Q, 17. Buchstabe des Alphabets (Konsonant); er wird meist mit folgendem »u« geschrieben.

Quader [der], ein von sechs Rechtecken begrenzter geometrischer Körper; jeweils zwei gegenüberliegende Rechtecke sind deckungsgleich. Er ist durch drei Maßangaben (Länge = a, Breite = b, Höhe = c) bestimmt. Der Rauminhalt (V) beträgt: V = a · b · c. Ein *Würfel* ist der Sonderfall eines Quaders mit sechs deckungsgleichen Quadraten als Begrenzungsflächen.

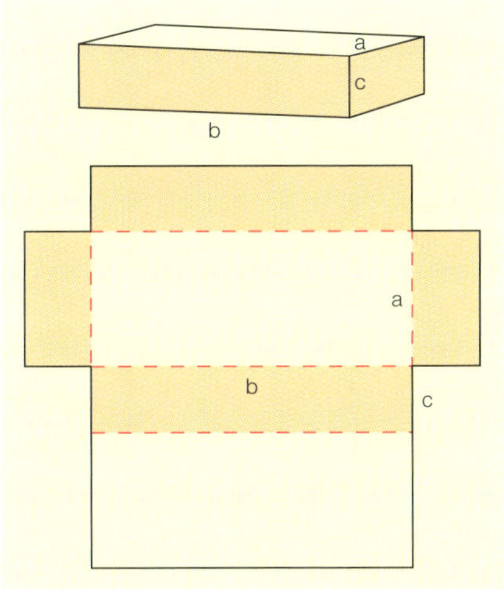

Quader: Der Rauminhalt entspricht dem Produkt seiner Kantenlängen: V=a·b·c.

Quadrat [das, lat.], Viereck mit 4 gleichen Seiten und 4 rechten Winkeln. Die Fläche eines Quadrates wird wie folgt berechnet: $F = a \cdot a = a^2$ (a = Länge einer Quadratseite).

quadratische Gleichung, Gleichung, die die Variable x in der 2. Potenz enthält; Normalform: $x^2 + ax + b = 0$.

Quadriga [die, lat.], im alten Rom ein von vier Pferden gezogener, zweirädriger Kampf- oder Triumphwagen.

Quäker [Pl., engl., »Zitterer«], die Mitglieder einer religiösen Bewegung, die im 17. Jh. in England von John *Fox* innerhalb des Puritanismus gegründet wurde. Sie leiten sich von der Reformation ab. Die Quäker verweigern jeglichen Kriegsdienst, dürfen nicht lügen, leisten keine Eide und kennen keine Sakramente. Sie waren besonders in Nordamerika verbreitet, wo sie großen Einfluss auf die Abschaffung der Sklaverei nahmen.

Qualifikation [die], Befähigung, fachliche Eignung; auch der Erwerb einer Teilnahmeberechtigung.

Qualität [die], Eigenschaft, Beschaffenheit, Güteklasse.

Quallen [Pl.], *Medusen,* Meerestiere, die in riesigen Schwärmen, von der Strömung getrieben, im Wasser schwimmen. Quallen gehören zu den *Hohltieren,* sie können bis zu 99% aus Wasser bestehen. Viele haben mit giftigen Nesselzellen besetzte Fangarme, deren Berührung auch für Menschen schmerzhaft und sogar tödlich sein kann.

Quantentheorie [die], eine von Max *Planck* um 1900 aufgestellte Theorie der Physik, die das Verhalten von Molekülen, Atomen, Atomkernen und Elementarteilchen beschreibt. Die Quantentheorie nimmt an, dass elektromagnetische Strahlung (z. B. Licht) nicht stetig, sondern sprunghaft, das heißt in einzelnen Energiepaketen, ausgesandt wird. Diese Energiepakete heißen *Quanten*, handelt es sich dabei um Licht, spricht man von *Photonen*.

Quarantäne [karan'tɛːnə, die], die Absonderung von Menschen mit gefährlichen Infektionskrankheiten in besonderen Isolierstationen im Krankenhaus. Auf diese Weise soll die Verbreitung von Seuchen verhindert werden.

Quallen: Die Kompassqualle hat 16 dunkle, v-förmige Streifen, die an eine Kompassrose erinnern.

Quark [der], ein bei der Säuerung von Milch entstehender eiweißreicher Käse (Frischkäse), der als Speisequark gegessen oder zu anderen Käsesorten weiterverarbeitet wird.

Quarks [kwɔːks, Pl., engl.], Elementarteilchen, Bausteine der Protonen und Neutronen in den Atomkernen. Der Nachweis der Quarks gelang durch Versuche in sogenannten Speicherringen (wie beispielsweise dem DESY in Hamburg; → Teilchenbeschleuniger).

Quartal [das], ein Vierteljahr.

Quartär [das], die jüngste Form der Erdneuzeit; → Erdzeitalter (Tabelle).

Quartett [das], **1.** ein Musikstück für vier Instrumente oder Singstimmen; auch Gruppe von vier Musizierenden. **2.** ein Kartenspiel, bei dem jeweils vier Karten durch Farbzeichen oder andere Symbole als zusammengehörig gekennzeichnet sind. Für die Spieler kommt es darauf an, so viel Vierergruppen wie möglich in die Hand zu bekommen.

Quecksilber reagiert auf die Temperatur, der es ausgesetzt ist. Je wärmer es ist, desto höher steigt das Quecksilber in dem Glasröhrchen des Thermometers nach oben.

Genauer betrachtet ...
Quelle

Die größte heiße Quelle der Erde sprudelt in Island, dem Land der Geysire. Ihre Temperatur und die Wassermengen, die sie produziert, sind unglaublich groß: Aus der Quelle von Deildartunga sprudelt pro Stunde fast eine Million Liter kochendes Wasser. Mit dieser Menge könnte eine ganze Stadt beheizt und mit warmem Wasser versorgt werden.

Quarz [der], ein sehr hartes, sprödes, in reiner Form farbloses und durchsichtiges, gesteinsbildendes Mineral, das aus Siliciumdioxid besteht und oft durch Beimengungen gefärbt ist. Besondere Arten des Quarzes sind u.a. Bergkristall, Jaspis, Achat, Onyx, Opal und Feuerstein. Durch Schmelzen von Quarz im elektrischen Ofen erhält man das hitzebeständige und korrosionsfeste Quarzglas.

Quastenflosser [Pl.] → Fische.

Quecksilber [das, althochdeutsch queck, »lebendig«], ein chemisches Element mit dem Zeichen Hg. Quecksilber ist ein silbrig glänzendes, bei Zimmertemperatur flüssiges Metall. Es bildet mit vielen Metallen Legierungen (Amalgame). Wichtig ist das *Silberamalgam,* das in frisch zubereitetem Zustand modellierbar ist und nach einiger Zeit erhärtet. Es wird besonders für Zahnfüllungen verwendet. Außerdem werden Barometer, Manometer und Thermometer mit Quecksilber gefüllt sowie Leuchtröhren mit Quecksilberdampf. Quecksilberdämpfe sind sehr giftig.

Quelle [die], an die Erdoberfläche tretendes Grundwasser, oft der Ursprung eines Wasserlaufs. Man unterscheidet verschiedene Arten von Quellen: *Thermalquellen* liefern warmes oder heißes Wasser;

Mineralquellen enthalten Spuren von den Mineralen, durch die sie hindurchgeflossen sind. Sie dienen meist als Heilquellen. *Geysire* sind heiße Springquellen, die in bestimmten Abständen hohe Wasserfontänen ausstoßen. Auch → »Genauer betrachtet«.

Querflöte [die], ein Musikinstrument aus Holz oder Metall. Die Querflöte hat einen warmen, weichen Klang und wird wegen des Anblaselochs in der Seitenwand der Röhre quer gehalten. Sie ist sowohl ein Solo- als auch ein Orchesterinstrument.

Querschnitt [der], **1.** ein Durchschnitt, Schnitt durch einen Körper rechtwinklig zu seiner Längsachse. **2.** im übertragenen Sinn eine Zusammenfassung, Übersicht.

Querflöte: Das Instrument besteht ganz aus Metall (meist Silber, seltener Gold).

Querschnittslähmung [die], Lähmungserscheinungen nach Verletzung oder Unterbrechung des Rückenmarks (beispielsweise durch Unfall, Geschwulst, Entzündung). Dabei fallen oft alle Nerven unterhalb der Unterbrechungsstelle aus, so dass die Beine nicht mehr bewegt werden können. Auch die Schließmuskeln von After und Blase sind meist von einer Querschnittslähmung betroffen.

Quersumme [die], die Summe der Ziffern einer Zahl. Quersumme von 3251 ist z. B. 3 + 2 + 5 + 1 = 11.

Quintessenz [die], der Hauptgedanke, das Wesentliche.

Quintett [das], ein Musikstück für fünf Instrumente oder Singstimmen; auch eine Gruppe von fünf Musizierenden.

Quito ['kito], die Hauptstadt von Ecuador und eine der höchstgelegenen Großstädte der Erde, in einem 2850 m hohen Becken der Anden gelegen, 1,4 Mio. Einwohner. Die Stadt wurde 1534 von den Spaniern gegründet und ist die älteste Hauptstadt Südamerikas.

Quitte [die], ein Kernobst mit gelben, birnen- oder apfelförmigen Früchten, die meist zu Konfitüre verarbeitet werden.

Quittung [die], Empfangsbescheinigung über den Erhalt von Geld oder Waren.

Qumran [kum-, arabisch], Ruine einer Siedlung am Nordwestufer des Toten Meeres, wohl 31 v. Chr. zerstört und 4 v. Chr. bis 68 n. Chr. wieder bewohnt. In den Höhlen der Umgebung fand man 800 Schriftrollen, die aus der Zeit um 150 v. Chr. bis 30 n. Chr. stammen. Sie enthalten Texte des Alten Testaments und auch bis dahin unbekannte Texte. Sie sind damit die ältesten unverfälschten Originalzeugnisse des Judentums. Viele der Texte zeigen außerdem große Entsprechungen zum frühen Christentum.

Quote [die], ein Teilbetrag, errechneter Anteil einer Gesamtsumme, z. B. die Arbeitslosenquote (= Anteil der Arbeitslosen an der Gesamtsumme der Erwerbstätigen).

Quotient [der], in der → Mathematik (Tabelle Grundrechenarten) das Ergebnis einer Divisionsaufgabe, das Verhältnis von *Divident* und *Divisor*.

Qumran: In Höhlen in der Umgebung der ehemaligen Siedlung wurden wertvolle religiöse Schriftrollen entdeckt.

R

R, 18. Buchstabe des Alphabets (Konsonant).

Ra, chemisches Zeichen für → Radium.

Rabatt [der], ein Preisnachlass für Waren und Dienstleistungen, z. B. bei Barzahlung oder der Abnahme größerer Mengen.

Rabbiner [der], jüdischer Gesetzesgelehrter. Er ist Religionslehrer, Prediger und Leiter einer jüdischen Gemeinde.

Rabenvögel [Pl.], Singvögel, die jedoch nur zu krächzenden Lauten befähigt sind und zu denen *Dohlen, Krähen, Elstern, Häher* und *Kolkraben* zählen. Bei ihnen handelt es sich um große, kräftige Vögel, die gesellig leben, meist aber einzeln brüten.

Rabenvögel haben meist ein hervorragendes Lernvermögen, deshalb können sie sehr gut dressiert werden.

Rachen [der], hinter der Nasenhöhle und Mundhöhle gelegener Raum, der in die Speiseröhre und über den Kehlkopf in die Luftröhre führt.

Rachitis [die], *englische Krankheit,* eine Stoffwechselkrankheit, die durch einen Vitamin-D-Mangel verursacht wird. Sie führt zu einer Erweichung und Verkrümmung der Knochen (z. B. O-Beine, Sitzbuckel). Besonders gefährdet sind Kleinkinder in der sonnenarmen Jahreszeit, denn Vitamin D wird nicht nur über die Nahrung aufgenommen, sondern zudem durch die Sonnenbestrahlung in der Haut gebildet.

Radar: Die riesigen Radarschirme nahe Narrabri in Australien haben einen Antennendurchmesser von 22 m.

Rachmaninow [-nɔf], Sergej Wassiljewitsch, * 1873, † 1943; russisch-amerikanischer Komponist, Pianist und Dirigent. Er war ein bedeutender Klaviervirtuose und Vertreter der russischen Spätromantik; er schrieb v. a. Klaviermusik und Lieder. Seit 1919 wirkte er in den USA.

Radar [der oder das], Kurzwort aus englisch **ra**dio **d**etection **a**nd **r**anging, ein erstmals 1925 von amerikanischen Forschern in den USA angewendetes Verfahren zur Messung und Darstellung von meist bewegten Objekten durch Kurzwellen, die zu Strahlen gebündelt von einer Richtantenne ausgesendet werden. Ein Bildschirm macht die vom Objekt reflektierten und von der Antenne wieder aufgefangenen Strahlen sichtbar. Sie erlauben Rückschlüsse auf Stellung, Größe und Geschwindigkeit des Objekts (z. B. Flugzeug, Schiff, Hindernis). Radar ist unabhängig von Witterung und Tageszeit und gewann seit dem Zweiten Weltkrieg entscheidende Bedeutung für die Sicherung des Seeverkehrs (z. B. Überwachung von Flusseinfahrten, Ortung von Eisbergen) und der Luftfahrt (z. B. Blindlandung, Flugsicherung, Entfernungsmessung). In einer Sonderausführung wird Radar auch zur Verkehrsüberwachung eingesetzt.

Radierung [die], eine grafische Technik, bei der die Zeichnung mit einer spitzen Stahlnadel *(Radiernadel)* in eine Metallplatte eingeritzt, durch Ätzung vertieft und im Tiefdruckverfahren abgezogen wird. Bei der *Kaltnadelradierung* entfällt das Ätzen. Ein umfangreiches Radierwerk wurde von *Rembrandt* geschaffen.

radikal, gründlich, ohne Kompromisse, rücksichtslos; in der Politik auch fanatisch, links- oder rechtsextrem.

Radio [das], der Hörfunk allgemein, auch das Hörfunkgerät; → Rundfunk.

Radioaktivität [die], die Eigenschaft einiger chemischer Elemente, zu zerfallen und dabei eine unsichtbare Strahlung freizugeben. Diese Strahlung kann bestehen aus: *Alphastrahlung* (positiv geladene Kerne des Edelgases Helium), *Betastrahlung* (aus Elektronen) und *Gammastrahlung* (die energiereichste elektromagnetische Strahlung). Geben die Elemente beim Zerfall Alpha- und Betastrahlung ab, so ändert sich die Anzahl ihrer Protonen im Atomkern und ein neues chemisches Element entsteht. Wird nur Gammastrahlung frei, ändert sich am Atomkern nichts. Eine Maßeinheit für die Bestimmung der radioaktiven Strahlung ist das *Becquerel* (Bq). Die Messung von 1 Bq bedeutet, dass pro Sekunde genau ein Atomkern zerfällt. In *Rem* (rem) beziehungsweise *Millirem* (mrem; ein tausendstel rem) wird die dabei entstehende Strahlenbelastung für die Lebewesen angegeben. So sind wir jedes Jahr einer natürlichen Strahlenbelastung von etwa 0,2 rem ausgesetzt. Die Radioaktivität ist ein völlig zufälliger Prozess: Niemand kann voraussagen, wann ein bestimmter Atomkern zerfällt. Sehr genau bekannt ist jedoch die Zeit, bis zu der die Hälfte aller Atomkerne zerfallen ist. Diese Zeit nennen die Physiker *Halbwertszeit.* Mit ihrer Hilfe lässt sich z. B. das Alter von Fossilien bestimmen: Durch die Messung der restlichen Menge einer strahlenden Substanz kann mittels ihrer Halbwertszeit auf das Alter eines Fundstückes geschlossen werden. In der Medizin wird radioaktive Strahlung verwendet, um z. B. Krebsgeschwülste zu zerstören. Starke Dosen radioaktiver Strahlung wirken

Genauer betrachtet …
Radsport

Die erste Tour de France wurde von Henri *Desrange* organisiert. Im Morgengrauen des 1. Juli 1903 hob Monsieur Abran vor dem Gasthof »Reveille Matin« in Villeneuve-Saint-Georges, einem Vorort von Paris, eine echt antike Piratenpistole und feuerte einen Startschuss ab. 60 Radfahrer traten in die Pedale zum bislang längsten und schwersten Straßenrennen, der Tour de France. Die Strecke von 2428 km Länge war in sechs Etappen unterteilt, von denen nur eine weniger als 350 km maß. Zahlreiche Vorkehrungen mussten für die Organisation dieses Superrennens getroffen werden. Entlang der gesamten Strecke waren Posten aufgestellt, die Desrange durch Telegramme über den Rennverlauf unterrichteten. Automobile begleiteten den Fahrerpulk und achteten darauf, dass die vorgeschriebenen Routen strikt eingehalten wurden.

Radsport: Bei Rennen bilden sich oft Gruppen von Fahrern.

jedoch ausgesprochen schädigend, oft tödlich auf den Menschen.

Radium [das], ein chemisches Element mit dem Zeichen Ra, ein weiß glänzendes Erdalkalimetall. Radium ist ein radioaktives Zerfallsprodukt des Urans, das in äußerst geringen Mengen in der Pechblende vorkommt. Es zerfällt mit einer Halbwertszeit von 1590 Jahren und macht dabei alle Stoffe seiner Umgebung radioaktiv. Radium wird zur Krebsbehandlung verwendet. Es wurde 1898 von Pierre und Marie *Curie* entdeckt.

Radius [der], in der Mathematik der Halbmesser bei Kreis und Kugel, der Abstand vom Mittelpunkt zu einem Kreis- oder Kugelpunkt.

Radon [das], ein chemisches Element mit dem Zeichen Rn, ein radioaktives Edelgas.

Radsport [der], zusammenfassende Bezeichnung für alle Sportarten, die auf Fahrrädern betrieben werden: Radrennen, Kunstradfahren, Mountain-Biking, Radball, Radpolo. Radrennen werden unterteilt in Straßenrennen und Bahnrennen, jeweils getrennt für Amateure und Berufsfahrer. Zu den großen Straßenrennen gehören die Etappenrundfahrten wie z. B. die *Tour de France.* Daneben gibt es Einzelstraßenrennen, Rundstreckenrennen, Bergrennen und Querfeldeinrennen. Bahnrennen sind Schnelligkeitswettbewerbe auf Radrennbahnen, unterteilt in Flieger-, Steher- und Sechstagerennen. Auch → »Genauer betrachtet«.

Raffael: 1508–1511 schuf der Maler das Fresko »Die Schule von Athen«. Rom, Vatikanische Museen.

Rafting: Die Bootsinsassen kämpfen mit ihren Paddeln gegen die Stromschnellen an.

Raffael, eigentlich Raffaello *Santi,* * 1483, † 1520; italienischer Maler und Architekt der Renaissance. Er lebte und wirkte besonders in Perugia, Florenz und Rom. Seine bekanntesten Werke sind Madonnenbilder, Fresken und Porträts. Von ihm stammen u. a. die »Sixtinische Madonna« und im Vatikan die Wand- und Deckengemälde »Disputa«, »Parnass« und »Schule von Athen«. Einige Jahre leitete er den Bau der Peterskirche in Rom.

Raffinerie [die, franz.], eine Fabrikanlage zur Reinigung und Veredelung bestimmter Erzeugnisse, vor allem von Erdölprodukten und Zucker.

Rafting ['raːftiŋ, das, engl. raft, »Floß«], *Wildwasserfahren,* Sportart, bei der man in einem Schlauchboot oder auf einem Floß die Stromschnellen eines Wildwasserflusses bewältigt; auch → Extremsportarten.

Raja [der], *Maharaja, Maharadscha,* ein indischer Großfürst.

Rakete [die], Flugkörper mit Strahlantrieb (Rückstoßtriebwerk), der nicht nur seinen Brennstoff, sondern auch den für die Verbrennung notwendigen Sauerstoff mitführt und deshalb auch im luftleeren Raum (Vakuum) arbeiten kann. Eine Rakete besteht aus Triebwerk und Zelle. In der *Zelle* befinden sich Treibstoffvorräte, Steuerungsgeräte und Nutzlast, wozu auch eine mögliche Besatzung zählt. Das *Triebwerk* erzeugt den *Vortrieb* oder *Schub* der Rakete. Er entsteht durch einen mit großer Geschwindigkeit ausgestoßenen Gasstrom. Der dabei auftretende Rückstoß treibt die Rakete in entgegengesetzter Richtung vorwärts. Eine Steuerung der Rakete nach dem Start kann man nur dadurch erreichen, dass man die Richtung der ausströmenden Gase verändert. Um mit einer Rakete in den Weltraum vorzustoßen, wurde das *Mehrstufenprinzip* entwickelt. Dabei trägt eine Rakete als Nutzlast eine zweite Rakete, deren Antrieb erst dann einsetzt, wenn der Antrieb der ersten Rakete ausgebrannt ist und abgeworfen wird.

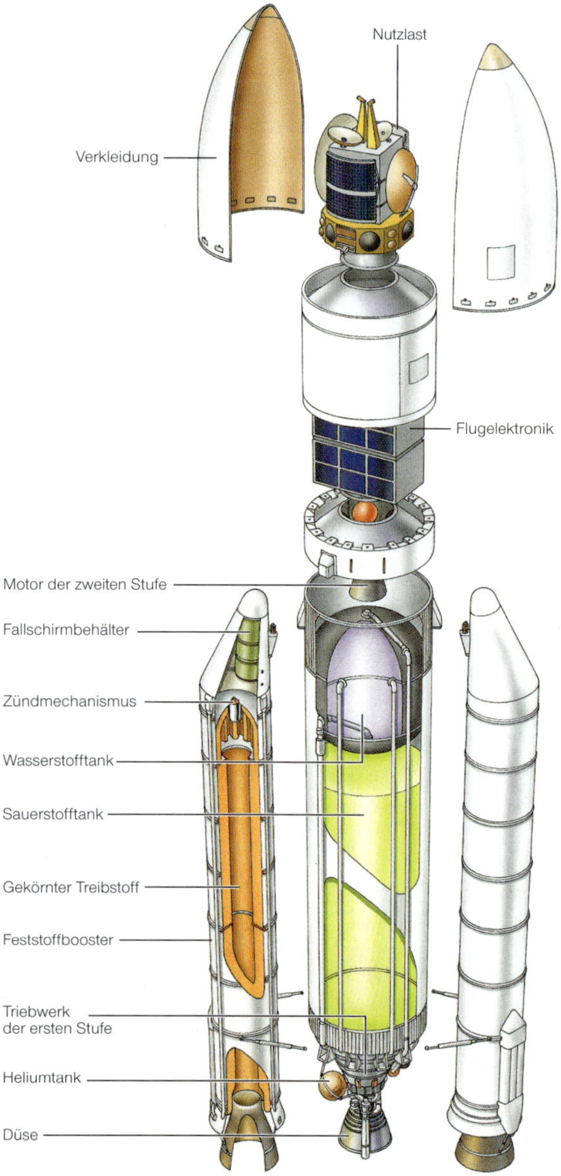

Rakete: Die Schemazeichnung zeigt die verschiedenen Bestandteile einer Rakete, hier der Europarakete Ariane 5.

Raleigh ['rɔːli], Sir Walter, *um 1552, † 1618; englischer Seefahrer. Er führte im Dienst der englischen Königin Elisabeth I. Eroberungs- und Entdeckungsfahrten nach Nord- und Südamerika durch und gründete die erste englische Kolonie in Nordamerika (Virginia). Raleigh kämpfte erfolgreich zur See gegen die Spanier und war 1588 an dem Sieg über die spanische Armada (Flotte) beteiligt. Unter Elisabeths Nachfolger fiel er in Ungnade und wurde auf Drängen Spaniens hingerichtet.

Rallye ['ræli, engl., franz.], ein Wettbewerb, der aus einer Fahrt zum Zielort mit verschiedenen Prüfungen (Schnelligkeitswettbewerb, Orientierungsfahrt u. Ä.) besteht. Rallyes werden besonders im Motorsport gefahren. Die älteste Rallye ist die *Rallye Monte Carlo,* die seit 1911 gefahren wird.

RAM, Abkürzung für englisch **r**andom **a**ccess **m**emory, Speicher in der Datenverarbeitung mit wahlfreiem Zugriff, dessen Inhalt nicht nur gelesen (→ ROM), sondern auch verändert werden kann.

Ramadan [der, arab.], der vom Koran vorgeschriebene 30-tägige Fastenmonat im 9. Monat des islamischen Mondjahres. Da das Mondjahr kürzer ist als das Sonnenjahr, durchwandert der Ramadan verschiedene Jahreszeiten. Von Sonnenaufgang bis Sonnenuntergang ist dann das Essen, Trinken und Rauchen für den Muslim verboten. Erst in der Nacht ist dieses wieder erlaubt.

Ramses, der Name von elf altägyptischen Königen (Pharaonen). Am bedeutendsten waren Ramses II. (13. Jh. v. Chr.) und Ramses III. (12. Jh. v. Chr.). Sie errichteten großartige Tempelanlagen bei Luxor und die beiden Felsentempel bei Abu Simbel.

Ranch [ræntʃ, die, engl.], ein größerer landwirtschaftlicher Betrieb in den amerikanischen Weststaaten, vor allem mit Viehzucht.

Ranch: In Texas, einem der wichtigsten Agrarstaaten der USA, gibt es viele Ranchen.

Rangordnung [die], das hierarchische System in sozialen Tiergesellschaften, in denen jedes Tier einen bestimmten Platz, einen »Rang« einnimmt. Eine Rangordnung setzt voraus, dass sich die einzelnen Gruppenmitglieder untereinander »persönlich« kennen. Daher kommt sie nur bei Wirbeltieren, z. B. bei Hühnern, Huftieren, Affen, Wölfen, vor. Die Rangordnung entwickelt sich aufgrund gelegentlicher Kämpfe. Bei fest eingepegelter Rangordnung finden keine *Beschädigungskämpfe* statt, sondern *ritualisierte Imponierkämpfe* zur Verbesserung bzw. Verteidigung von Rangplätzen. Beschädigungskämpfe finden gelegentlich zwischen relativ gleichrangigen Tieren statt. Neben der Stärke entscheiden auch die Größe der Waffen sowie Ausdauer und Intelligenz. Die Rangordnung stellt sicher, dass in einer Gruppe keine ständigen Streitigkeiten, z. B. um das Futter, vorkommen. Die Energie, die dadurch gespart wird, schafft den Tieren einen Überlebensvorteil. Wandern Tiere in einer Herde, dann übernimmt das ranghöchste Tier (das Leittier) die Führung. Bei den Hühnern spricht man nicht von einer Rang-, sondern von einer *Hackordnung*.

Rangun, wichtige Hafen- und frühere Hauptstadt von Myanmar, 4,5 Mio. Einwohner.

Rap [ræp, der, engl.], Form des rhythmischen Sprechgesangs in der Rockmusik.

Raps [der], eine Futter- und Ölpflanze mit kräftig gelben Blüten. Die Früchte sind Schoten mit braunschwarzen Samen, aus denen Rapsöl gewonnen wird.

Rasputin, Grigorij Jefimowitsch, * 1869, † 1916 (ermordet); russischer Mönch. Er war seit 1905 Günstling am Hof *Nikolaus' II.* und gewann als angeblicher Wunderheiler Einfluss auf die Zarenfamilie, der sich auch auf das Politische erstreckte.

Rasse [die], **1.** in der Biologie eine systematische Kategorie unterhalb der Art. Die Angehörigen verschiedener Rassen unterscheiden sich in ihrem Erbgut und meist auch äußerlich voneinander, sind aber untereinander noch fruchtbar. **2.** *Zuchtrassen,* auf bestimmte Ziele hin (z. B. Schönheit, Nutzwert) vom Menschen gezüchtete Haustiere. **3.** *Menschenrassen,* weitgehend willkürliche Aufteilungen der Menschheit nach äu-

Rangun: Das Wahrzeichen der Stadt ist die im 12. Jh. erbaute, vergoldete Shvedagon-Pagode.

ßerlichen Merkmalen, die heute von der Wissenschaft als wenig sinnvoll angesehen werden und daher fallen gelasssen wurden. Am weitesten verbreitet war die Unterscheidung in drei Hauptgruppen: 1. *Europide* mit Tendenz zu heller Haut-, Haar- und Augenfarbe (Europa, Nordafrika und Westasien), 2. *Negride* mit dunkler Hautfarbe, Kraushaar, breiterer Nase und dicken Lippen (Afrika südlich der Sahara) und 3. *Mongolide* mit flachem Gesicht, mit Mongolenfalte (einer das Auge mandelförmig aussehen lassenden Lidfalte) und glattem, schwarzem Haar (Ostasien und Indonesien).

Rassismus [der], die Benachteiligung oder Verfolgung von Menschen aufgrund ihrer Rasse. Dem Rassismus liegt eine *Rassenideologie* zugrunde, d.h. die Auffassung, dass es Menschenrassen von höherem und geringerem Wert gebe. Aus dieser Auffassung entstanden z. B. die nationalsozialistische Judenverfolgung, die südafrikanische Apartheidspolitik und die Benachteiligung der Schwarzen in den USA. Rassistische Elemente finden sich auch in der Fremdenfeindlichkeit, die in westlichen Industrieländern durch die Diskriminierung von Einwanderern, Asylbewerbern u. a. Minderheiten gekennzeichnet ist.

Rate [die], ein Teilbetrag. Wenn man eine Ware »auf Raten« kauft, bezahlt man nicht den vollständigen Preis auf einmal, sondern in (z. B. monatlichen) Teilbeträgen über einen längeren Zeitraum. Bei einem solchen Abzahlungsgeschäft muss der Käufer meist Zinsen an den Verkäufer zahlen.

Ratifikation [die], die urkundliche Bestätigung von völkerrechtlichen Verträgen. In den meisten Staaten bedarf es dazu der Billigung des Parlaments. Erst danach unterzeichnet das Staatsoberhaupt die Ratifikationsurkunde. Mit dem feierlichen Austausch dieser Urkunden zwischen den beteiligten Staaten tritt der Vertrag in Kraft.

rational, klar berechnet, auf Vernunft beruhend; Gegensatz: *irrational.*

Genauer betrachtet … Raubtiere

Familie	Arten (Auswahl)
Marderartige	Wiesel, Nerze, Iltisse, Marder, Vielfraß, Dachse, Skunks, Otter
Kleinbären	Katzenfrette, Makibären, Waschbären, Nasenbären
Großbären	Braunbär, Schwarzbär, Eisbär, Lippenbär, Malaienbär, Brillenbär
Katzenbären	Katzenbär oder Kleiner Panda
Bambusbären	Bambusbär oder Großer Panda
Schleichkatzen	Zibetkatzen, Ginsterkatzen, Linsangs, Palmenroller, Mungos, Erdmännchen
Hyänen	Tüpfelhyäne, Streifenhyäne, Braune Hyäne, Schabrackenhyäne, Erdwolf
Hunde	Wolf, Kojote, Schakale, Marderhund, Mähnenwolf, Echte Füchse, Waldfüchse, Kampfüchse
Katzen	Wildkatze, Serval, Luchse, Nebelparder, Leopard, Jaguar, Tiger, Löwe, Gepard
Ohrenrobben	Seebären, Seelöwen
Walrosse	Walross
Seehunde oder Hundsrobben	Mönchsrobben, See-Elefant, Klappmütze, Sattelrobbe, Kegelrobbe, Seehund

Rationalisierung [die], in Wirtschaft und Technik alle Maßnahmen, die dazu dienen, ein bestimmtes Ziel mit möglichst geringem Aufwand zu erreichen. Durch die zweckmäßige Gestaltung von Arbeitsabläufen, beispielsweise durch Arbeitsteilung oder Automation, wird meist eine höhere Produktivität erzielt.

Ratten [Pl.], weltweit verbreitete Nagetiere, die ursprünglich aus Asien stammen. Ratten sind äußerst anpassungsfähig und intelligent. Bei uns sind die etwa 20 cm große Hausratte und die etwas größere Wanderratte heimisch. Die *Hausratte* hält sich gern in Menschennähe (besonders auf Dachböden) auf, während die *Wanderratte* bevorzugt im Kanalisationssystem oder – in menschlichen Siedlungen – auch im Keller anzutreffen ist. Beide Arten leben sehr gesellig. Die Wanderratte wird in der medizinischen Forschung häufig als Versuchstier verwendet. Ratten sind Krankheitsüberträger (Salmonellen, Pest) und Vorratsschädlinge.

Rau, Johannes, *1931, †2006; deutscher Politiker (SPD). 1978 bis 1998 war Rau Ministerpräsident von Nordrhein-Westfalen. 1999–2004 war er Bundespräsident.

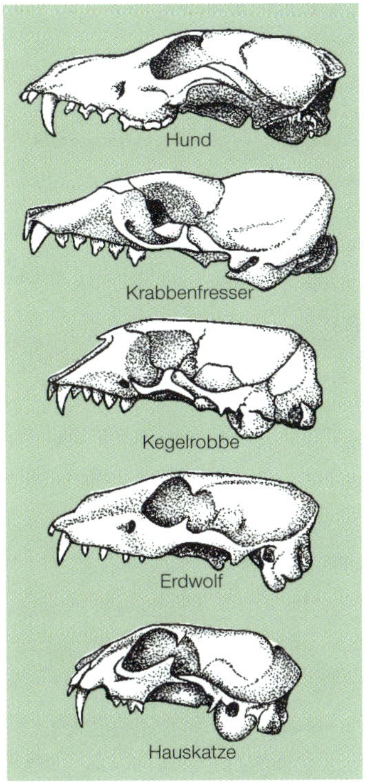

Raubtiere: Verschiedene Schädel. Deutlich zu erkennen sind die großen Eckzähne zum Festhalten der Beute.

Ratten tragen ihren Nachwuchs im Maul herum.

Raubtiere [Pl.], Gruppe von Säugetieren, zu der die *Landraubtiere* mit den Katzen- und Hundeartigen und die *Wasserraubtiere* mit den Robben gerechnet werden. Bis auf wenige Ausnahmen sind alle Raubtiere Fleischfresser und besitzen ein entsprechend ausgebildetes Gebiss: vorstehende, dolchartige Fangzähne und schneidende Backenzähne, mit denen sie ihre Beute halten und zerkleinern. Auch → »Genauer betrachtet«.

Raubvögel [Pl.] → Greifvögel.

rauchen, den Rauch verbrannter Pflanzenteile einatmen. Das Rauchen ist seit mehreren Tausend Jahren bekannt. In Europa inhalierte man ursprünglich den Rauch u. a. von Gräsern, um Krankheiten zu bekämpfen. Das Rauchen von → Tabak war einst eine kultische Handlung (Friedenspfeife) und wurde erst nach der Entdeckung Amerikas (1492) durch die Spanier im 16. Jh. in Europa eingeführt. Erst zu Beginn des 19. Jh. verbreitete sich das Zigarettenrauchen in Europa. Heute weiß man, dass Rauchen zur Sucht führt und gesundheitsschädlich ist.

räuchern, konservieren von Fleisch oder Fisch im schwelenden Rauch von Birken-, Buchen- oder Wacholderholz.

Raumanzug [der], ein vor Strahlungs- und Temperaturein wirkungen schützender Anzug in der Raumfahrt. Raumanzüge bestehen aus bis zu 14 Schichten und sind mit Lebenserhaltungssystemen ausgerüstet, die ein irdischen Verhältnissen entsprechendes Klima aufrechterhalten. Sie schließen die Astronauten ganz gegen die Umwelt des Weltraums ab.

Raumtransporter: Die Atlantis kehrt auf dem Rücken eines Shuttle Carrier Aircrafts, einer modifizierten Boeing 747, zurück zum Kennedy Raumfahrtzentrum.

Raumfahrt [die] → Weltraumfahrt.

Raumtransporter [der], *Raumgleiter, Raumfähre,* englisch *space shuttle,* ein wiederverwendbares Weltraumfahrzeug, das Gegenstände (z. B. Satelliten) ins All transportiert und im Innern auch Platz für wissenschaftliche Untersuchungen bietet. Der erste Raumtransporter wurde 1981 in den USA gestartet, 1983 mit dem europäischen Weltraumlabor *Spacelab* an Bord. 1999 dockte erstmals eine Raumfähre an Unity, einem Bauteil der *Internationalen Raumstation,* an.

Raupe [die], Larvenform der Schmetterlinge.

Raureif [der], unterkühlte Nebeltröpfchen, die bei Berührung mit einem Gegenstand sofort gefrieren.

Rausch [der], ein Zustand, der durch die Erregung bestimmter Gehirnteile ausgelöst wird, beispielsweise durch Alkohol oder andere Drogen, aber auch durch Sauerstoffmangel u. Ä. Im Rauschzustand verändert sich die Beziehung zur Wirklichkeit.

Rauschgift [das] → Drogen.

Raute [die] → Rhombus.

Rave ['rɛiv, der, engl.], eine Musikrichtung, die Elemente der Rockmusik und tanzbare Beats miteinander verbindet. Auch größere Techno-Veranstaltungen, meist in Hallen oder Fabriken durchgeführt, werden als *Raves* bezeichnet.

Ravel, Maurice, * 1875, † 1937; französischer Komponist.

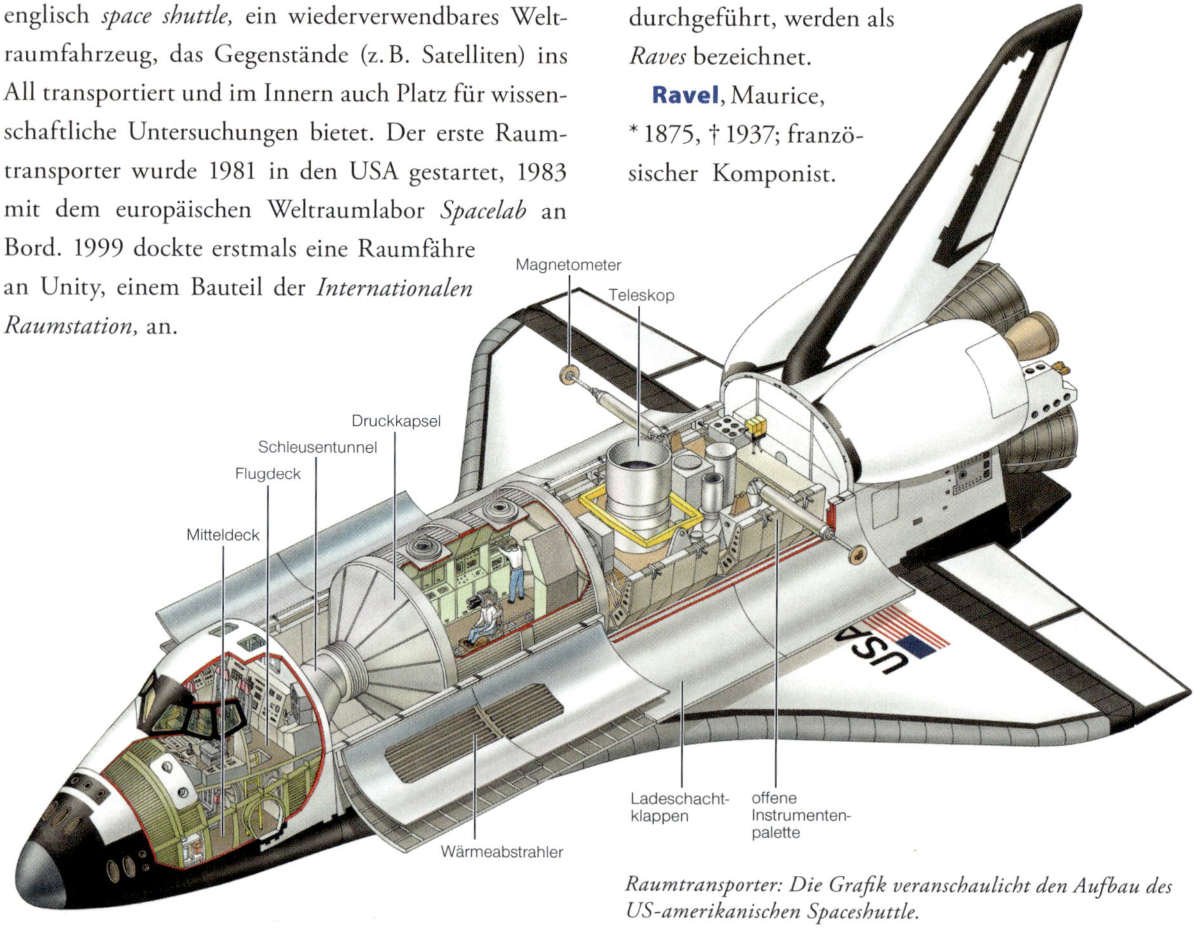

Raumtransporter: Die Grafik veranschaulicht den Aufbau des US-amerikanischen Spaceshuttle.

Ravel war ein Vertreter des musikalischen Impressionismus und ein bedeutender Wegbereiter der Neuen Musik. Er schrieb Orchesterstücke, Klavier- und Kammermusik sowie Opern, oft mit spanischem Einschlag, z. B. »Boléro«, »Rhapsodie espagnole«. Auch → »Genauer betrachtet«.

Razzia [die], überraschende polizeiliche Durchsuchung nach verdächtigen Personen.

Reagan ['reigən], Ronald W., * 1911, † 2004; US-amerikanischer Politiker. Ursprünglich Filmschauspieler war er 1967–1975 Gouverneur von Kalifornien und 1981–1989 der 40. Präsident der USA.

Reaktion [die], **1.** allgemein Rückwirkung, Gegenwirkung. **2.** in der Chemie ein Vorgang, bei dem ein Stoff durch Einwirkung eines anderen verändert wird. **3.** in der Politik eine politische Gegenwirkung, die Reformen verhindern und an veralteten Zuständen festhalten will.

Reaktor [der] → Kernenergie.

real, wirklich, tatsächlich; Gegensatz: *irreal.*

Realismus [der], allgemein eine nüchterne Einstellung zur Wirklichkeit, Realitätssinn; in der bildenden Kunst und besonders der Literatur eine Stilrichtung (etwa 1830 bis 1880), die eine künstlerische Darstellung der Wirklichkeit anstrebt. Berühmte Schriftsteller: H. de *Balzac,* C. *Dickens* und F. M. *Dostojewskij,* in Deutschland Th. *Storm,* G. *Keller* und Th. *Fontane.* Bekannte Maler: G. *Courbet* und H. *Daumier.*

Reality-TV [ri'ælititivi, das, engl.], Sparte des Fernsehens, zu der die → Realityshows zählen.

Realityshow [ri'ælitiʃou, die, engl.] Unterhaltungssendungen, in denen wirkliche Begebenheiten (z. B. Gerichtsverhandlungen, Unfälle, Verbrecherjagden oder Rettungseinsätze) in Form von originalen Amateurvideos, in nachgespielten Szenen oder als Live-Übertragung (z. B. Big Brother) gezeigt werden.

Realschule [die], Schulform im Sekundarbereich I. Sie umfasst 6 Jahre von der 5. bis zur 10. Klasse.

Genauer betrachtet …

Maurice Ravel

Ein Klavierkonzert für die linke Hand komponierte der französische Komponist Maurice Ravel. Es handelte sich um eine Auftragsarbeit für den Pianisten Paul *Wittgenstein,* der im Krieg seinen rechten Arm verloren hatte. Ravel schrieb zu seinem Werk: »(…) Das Konzert für die linke Hand (…) besteht aus einem einzigen Satz mit vielen Jazzeffekten (…). In einem Werk dieser Art kommt es wesentlich darauf an, dass man nicht den Eindruck eines leichten, lockeren Klanggewebes erweckt, sondern im Gegenteil die Illusion erzeugt, der Klavierpart sei für beide Hände geschrieben.« Letzteres ist ihm zweifellos gelungen. Das Konzert, dessen pianistische Schwierigkeiten ohne Gegenstück sind, wird vielfach als seine bedeutendste Komposition bewertet.

Rebe [die], Bezeichnung für verschiedene Pflanzen, von denen die *Weinrebe (Weinstock)* am bekanntesten ist. Verbreitet ist sie in den wärmeren Gebieten der nördlichen Erdhalbkugel, die meisten Arten sind in Nordamerika heimisch. Da die Wurzeln der Weinrebe bis zu 20 m tief in den Boden eindringen, wird sie auch in regenarmen Zeiten noch ausreichend mit Wasser versorgt. Ihre Früchte *(Beeren)* werden roh als Weintrauben und getrocknet als Rosinen verzehrt. Wein ist ein alkoholisches Getränk, das aus gegorenem Weintraubensaft hergestellt wird.

Rebhuhn [das], ein einheimischer, unscheinbarer *Fasanenvogel* von etwa 30 cm Körperlänge, rundlicher Gestalt, kurzen Flügeln und vorwiegend rostbraunem Gefieder. Das Rebhuhn ist in Europa und Westasien beheimatet und war ursprünglich ein Steppenbewohner. Rebhühner leben gesellig in Feldern und lichtem Gelände.

Rechenmaschine [die], ein Gerät zur Durchführung von Rechenvorgängen auf mechanischem Wege. Die Rechenmaschine erledigt die vier Grundrechenarten Addition, Subtraktion, Multiplikation und Division. Heute ist sie durch den Computer verdrängt.

Rechenzentrum [das], ein Institut, das mit Hilfe von elektronischen Datenverarbeitungsanlagen Rechenaufträge von Auftraggebern programmiert und ausführt.

Rechner [der], eine Bezeichnung für elektronische Geräte vom Taschenrechner bis zum Großrechner, besonders für den Mikrocomputer und den Personalcomputer.

Recht [das], alle zusammengefassten Regeln, die vom Gesetzgeber festgelegt wurden, um das Zusammenleben der Menschen zu regeln. Man teilt das Recht in zwei große Gebiete, das öffentliche Recht und das Privatrecht. Das *öffentliche Recht* regelt das Verhältnis Einzelner zum Staat und seinen Organen wie auch das Verhältnis zwischen Staaten (Strafrecht, Staatsrecht, Verwaltungsrecht, Völkerrecht u. a.). Das *Privatrecht* regelt das Verhältnis zwischen Privatpersonen (z. B. im Familienrecht, Erbrecht). Es ist im Bürgerlichen Gesetzbuch (BGB) zusammengefasst. Die *Grundrechte* garantieren dem Einzelnen seine Freiheit gegenüber dem Staat und stellen die Gleichheit aller sicher. Sie sind im Grundgesetz der Bundesrepublik Deutschland von 1949 niedergeschrieben. Die *Gerichte* sind unabhängige Einrichtungen des Staates, die die Aufgabe haben, Rechtsbrecher aufgrund der Gesetze zu verurteilen, den Rechtsbestimmungen Geltung zu verschaffen und Recht zu sprechen. Zu den *ordentlichen Gerichten* zählen die Strafgerichte, die Verstöße gegen Strafgesetze ahnden, die Zivilgerichte, die Privatrecht regeln, sowie die freiwillige Gerichtsbarkeit (Vormundschaftsgerichte, Nachlassgerichte, Handelsgerichte). Für weitere Bereiche der Rechtsprechung gibt es Arbeitsgerichte, Finanzgerichte, Sozialgerichte, Verfassungsgerichte und Verwaltungsgerichte. Die Rechtsprechung im Namen des Staates wird von *Richtern* durchgeführt, die dieses Amt vom Staat auf Lebenszeit erhalten haben. Sie sind unabhängig und nur dem Gesetz verpflichtet. *Staatsanwälte* sind Beamte, die die Anklage erheben. *Rechtsanwälte* haben die Aufgabe, ihre *Mandanten* (Angeklagten) zu verteidigen. Allgemein gilt für alle Bürger das gleiche Recht. In der Rechtsprechung unterscheidet man aber bei der Festlegung der Strafhöhe und der Art der Strafe, wie alt ein Schuldiger ist (Jugendstrafrecht) und ob ein Schuldiger voll für seine Tat verantwortlich ist (z. B. bei psychisch Kranken). Siehe auch ZEIT-Beitrag → »Recht: Alles, was Recht ist«, Seite 86–89.

Rebhuhn: Der Fasanenvogel ist ein ursprünglicher Bewohner unserer Breiten. Es wird oft mit dem Fasan verwechselt.

Recycling: Produktverpackungen aus PET (Polyethylenterephthalat) werden gesammelt und können wiederverwertet werden.

Rechteck [das], in der Mathematik ein Viereck mit 4 rechten Winkeln, bei dem die gegenüberliegenden Seiten jeweils gleich lang sind und parallel zueinanderliegen. Die Fläche eines Rechtecks wird wie folgt berechnet: $F = a \cdot b$ (a und b sind die verschieden langen Rechteckseiten).

Rechtsanwälte [Pl.] → Recht.

Recycling [ri'saikliŋ, das, engl.], die Zurückführung von Abfallstoffen in den Verwertungskreislauf, die Rückgewinnung (z. B. das Sammeln von Altglas, Papier, Dosen oder Aluminium) und die Wiederverwertung (z. B. die Herstellung von Papierartikeln aus Altpapier). Auch → »Genauer betrachtet«.

Redakteure [Pl.], Journalisten, die im Auftrag z. B. von Zeitungen, Fernseh- oder Rundfunkanstalten Texte *(Manuskripte)* zur Sendung oder zum Druck überarbeiten beziehungsweise in Buchverlagen Bücher inhaltlich und stilistisch bis zur Veröffentlichung betreuen.

Reduktion [die], **1.** Zurückführung, Herabsetzung, Minderung. **2.** in der Chemie die Umkehrung der *Oxidation,* d.h. im einfachsten Fall der Entzug von Sauerstoff aus einer Verbindung oder die Aufnahme von Wasserstoff.

reduzieren, herabsetzen, mindern, zurückführen.

Reede [die], ein Ankerplatz für Seeschiffe als Vorhafen oder Ersatz für einen Hafen.

Reeder [Pl.], Schiffseigentümer, die als Kaufleute tätig sind und nicht selbst das Schiff fahren. Ihr Geschäft heißt *Reederei.*

reell, **1.** wirklich, tatsächlich, begründet. **2.** ehrlich, anständig, zuverlässig.

Referat [das], ein Sachbericht, wissenschaftlicher Vortrag.

Referendare [Pl.], Anwärter auf die höhere Beamtenlaufbahn nach der ersten Staatsprüfung (z. B. Gerichtsreferendare, Studienreferendare).

Referendum [das], ein Volksentscheid, eine Form der Volksabstimmung.

Referenten [Pl.], Berichterstatter, Vortragende, Sachbearbeiter in einer Behörde.

Referenz [die], Auskunft, Empfehlung, Fürsprache, günstige Beurteilung.

Reflex [der], **1.** der von einem bestrahlten spiegelnden Körper zurückgeworfene Widerschein. **2.** bei manchen Tieren und beim Menschen ein auf einen bestimmten Reiz hin – ohne Mitwirkung des Bewusstseins – eintretender Körpervorgang (z. B. Reflexbewegung, Atmung, Herztätigkeit).

Reflexion [die], **1.** Überlegung, kritisches Nachdenken. **2.** das Zurückwerfen von Strahlen und Wellen (z. B. Licht, Schall) an der Oberfläche eines Körpers.

Reform [die], eine gezielte Umgestaltung, Neuordnung, die sich nicht in gewaltsamer Form vollzieht.

Genauer betrachtet … Recycling

Das erste Verfahren zur Wiederverwertung von Altpapier wurde 1774 von dem Deutschen Martin Heinrich *Kleproth* erfunden. Aus bedrucktem Papier wusch er die Druckfarbe vollständig heraus und stellte daraus neues Papier her. Heute wird in Deutschland mindestens ein Drittel des verbrauchten Papiers (rund 10 Mio. Tonnen) eingesammelt und für die Altpapiergewinnung verwertet. Eine Wiederverwertung ist als Beimengung für grafisches Papier (rund 9 %), Hygienepapier (rund 30 %) sowie für Pappen und Verpackungspapier (bis zu 100 %) möglich. Außerdem wird »Umweltpapier«, das zu 100 % aus Altpapier besteht, angeboten. Es kann zum Beispiel als Schreibpapier verwendet werden.

Ein Senat des Bundesverfassungsgerichts. Das ist das höchste Gericht in Deutschland. Seine Richter wachen über das Grundgesetz

Recht

Alles, was Recht ist

Von Uwe Wesel

Denken wir uns folgenden Fall: Die zwölfjährige Andrea möchte, wie ihre Freundin, einen Hasen haben oder ein nettes Kaninchen. Sie spart ihr Taschengeld, geht in einen Zooladen und kauft einen weißen Zwerghasen mit roten Augen. Zu Hause gibt es Ärger: Andreas Vater sitzt allein im Wohnzimmer, regt sich über das Tier auf, will es auf keinen Fall in der Wohnung haben, schnauzt Andrea an und verlangt zu wissen, wo sie es gekauft hat. Schließlich sagt sie es ihm. Der Vater geht mit ihr in den Laden und macht dem Händler Vorwürfe: Andrea sei erst zwölf Jahre alt, also minderjährig. Deshalb sei der Kaufvertrag unwirksam. Er solle den Hasen nehmen und den Kaufpreis von 30 Euro zurückerstatten. Der Zoohändler gibt nach, sagt aber, er müsse die Umsatzsteuer abziehen (das ist ein Teil des Kaufpreises, den jeder Händler an das Finanzamt zahlen muss). Also nimmt der Verkäufer den Hasen und einen Taschenrechner und gibt Andrea 25,21 Euro zurück. Traurig geht sie mit ihrem Vater nach Hause.

Wer darf Hasen kaufen?

Hätte sie nur das Recht gekannt, dann hätte sie ihrem Vater einiges erzählen können. Erstens brauchte nämlich der Händler den Hasen gar nicht zurückzunehmen. Der Kauf war wirksam trotz ihrer Minderjährigkeit, denn sie hatte mit ihrem Taschengeld bezahlt. So steht es im Bürgerlichen Gesetzbuch, BGB. Zweitens hätte der Händler die Umsatzsteuer nicht abziehen dürfen bei Rückgabe der Sache. Auch das steht im BGB. Eine ganz andere Frage war, drittens, ob sie den Hasen mit in ihre Wohnung nehmen durfte. Das hätten ihr die Eltern gemeinsam verbieten können – aber der Vater durfte es nicht allein entscheiden. Denn wer (auch von Andreas Freunden) oder was mit in die Wohnung genommen werden darf, darüber entscheiden bei Kindern unter 18 Jahren die beiden Eltern gemeinsam. Das gehört zur »elterlichen Sorge«, geregelt in Paragraf 1626 BGB. Gemeinsam hätten die Eltern sagen können: Der Hase kommt in ein Tierheim.

Wäre Andrea aber schon 16 gewesen und wäre es nicht um einen Hasen, sondern um ein kleines Musikinstrument gegangen, das die Eltern störte, läge die Sache wieder anders. Denn in Absatz 2 desselben Paragrafen heißt es: »Bei der Pflege und Erziehung berücksichtigen die Eltern die wachsende Fähigkeit und das wachsende Bedürfnis des Kindes zu selbstständigem, verantwortungsbewusstem Handeln. Sie besprechen mit dem Kind, soweit es nach dessen Entwicklungsstand angezeigt ist, Fragen der elterlichen Sorge und streben Einvernehmen an.«

Jura wäre ein gutes Schulfach

Solche Dinge sollten in der Schule gelernt werden und noch etwas mehr vom Recht, das für uns alle wichtig ist. Es ist ein Jammer, dass das nicht geschieht. Warum nicht? Weil die Lehrer meistens selbst nicht viel über das Recht wissen, das unseren Umgang miteinander regelt. Dabei ist es wie eine riesige Maschine, die alles in Gang hält vom Laufen des Wasserhahns über den Einkauf im Supermarkt oder Zooladen, die Schule, den Besuch beim Zahnarzt bis zum Einsatz der Bundeswehr im Ausland. Die Maschine wird bedient von Juristen, Leuten, die das Recht studiert haben. Sie lernen an Universitäten und machen dann ein erstes Staatsexamen (nicht an der Uni, sondern bei einem Justizprüfungsamt des Justizministers eines Bundeslandes wie Bayern, Hessen oder anderen). Dann werden sie als »Referendare« ausgebildet bei Gerichten, in der Verwaltung und bei Rechtsanwälten – das ist eine Zeit, wo sie schon viel von Gesetzen verstehen, aber noch erfahrenen Kollegen zuschauen müssen. Danach kommt ein zweites Staatsexamen. Beide Prüfungen sind sehr schwer. Wenn die Juristen das geschafft haben, können sie Richter oder Staatsanwalt werden, Rechtsanwalt, Rechtsberater in großen Firmen oder Ähnliches. Es gibt verschiedene wichtige Rechtsgebiete. Das Privatrecht regelt das Recht der Menschen untereinander, also Verträge wie bei Andrea und dem Zooladenbesitzer – aber auch den Verkauf ganzer Fabriken.

Das Bürgerliche Gesetzbuch regelt zum Beispiel Kaufverträge, Erbfälle, Eheschließungen, Scheidungen

Das Schadensersatzrecht gehört ebenfalls zum Privatrecht: Es gilt, wenn Andrea aus Versehen den iPod ihrer Freundin fallen lässt und der kaputtgeht – dann sind, je nach Alter, sie oder ihre Eltern schadensersatzpflichtig. Und das Eigentumsrecht ist Privatrecht, also etwa die Frage, ob Andrea schon die Eigentümerin des Hasen war (Antwort: ja). Weiter das Familienrecht mit Vorschriften über Heirat und Ehe, Kinder, Unterhalt und Scheidung sowie schließlich das Erbrecht.

Das Arbeitsrecht ist ein großes Gebiet mit vielen Gesetzen, zum Beispiel über Urlaub – wann und wie lange dürfen Mama oder Papa Ferien machen und trotzdem ihr Gehalt bekommen – oder über Entlassungen. Das Strafrecht ist im Strafgesetzbuch geregelt, für Jugendliche im Alter von 14 bis 21 Jahren auch noch im Jugendgerichtsgesetz. Da geht es um Mord und Totschlag, Diebstahl und Betrug, Körperverletzung, Beleidigung und andere Vergehen und Verbrechen – in 358 Paragrafen. (Das Bürgerliche Gesetzbuch hat viel mehr: 2385.) Aber das Strafrecht ist für die meisten Leute interessanter als das Privatrecht, und deshalb gibt es im Fernsehen mehr Krimis als Filme über Geschichten, die in Zoohandlungen spielen.

Was der Polizei erlaubt ist

Das Verwaltungsrecht regelt die Frage, was die Verwaltung, also staatliche Behörden, dem Bürger zumuten darf und was nicht. Kann die Polizei zum Beispiel einfach ohne Anlass jemanden auffordern, seinen Personalausweis zu zeigen? Antwort: nein, sondern nur wenn ein bestimmter Verdacht besteht, dass er eine Straftat begangen hat oder begehen wird – oder eine sogenannte Ordnungswidrigkeit. Wenn er vielleicht falsch geparkt hat. Auch das Baurecht gehört zum Verwaltungsrecht. Die Baubehörde muss den Bau von Häusern genehmigen. Es gibt Vorschriften darüber, wo man bauen darf und wie hoch die Häuser sein dürfen. Und über die Sicherheit des Gebäudes, damit es nicht gleich wieder einstürzt. Und so weiter. Schließlich, auch das gehört zum Verwaltungsrecht, gibt es das Schulrecht. Welche Arten von Schulen darf es geben?

Die Göttin Justitia wird blind dargestellt – das soll ihre Unparteilichkeit symbolisieren

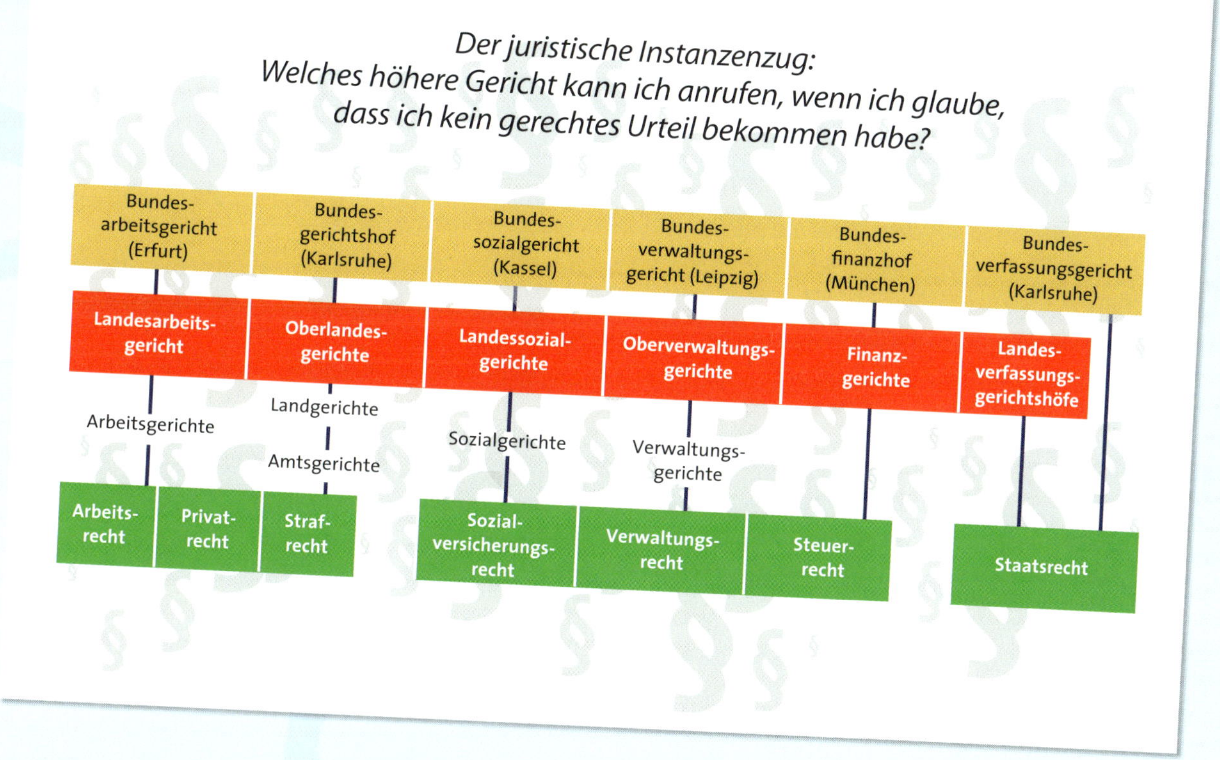

Welche Rechte haben Eltern und Schüler? Wie darf und muss die Schulordnung aussehen?

Ganz oben über den anderen Rechtsgebieten steht das Staatsrecht, sein wichtigstes Gesetz ist das Grundgesetz. Es enthält unsere Verfassung. Regeln für Bundestag, Bundesrat, Bundesregierung, die Rechte des Bundespräsidenten. Es legt fest, wie Gesetze zustande kommen. Das Verhältnis der Bundesländer zu den Bundesinstanzen wird geregelt, die Verteilung der Finanzen.

Was im Grundgesetz steht

Am Anfang des Grundgesetzes stehen, in den ersten 19 Artikeln, die Grundrechte. Grundrechte sind Menschenrechte, die in einer Verfassung geregelt sind wie die Meinungs- und Pressefreiheit, die Religionsfreiheit oder die Freiheit der Berufswahl. Insgesamt hat das Grundgesetz 146 Artikel.

Über die Einhaltung des Grundgesetzes und über die Achtung der Grundrechte wacht das Bundesverfassungsgericht in Karlsruhe seit 1951. Es ist das wohl mächtigste Verfassungsgericht der Welt mit den meisten Urteilen. Nach dem Grundgesetz kann »jedermann« sich an dieses höchste Gericht wenden, wenn er meint, er sei durch staatliches Handeln in seinen Grundrechten verletzt worden. Das kann auch durch Urteile anderer Gerichte geschehen sein. Etwa 5000 Verfassungsbeschwerden werden im Jahr erhoben.

Niemand muss also einen einmal ergangenen Richterspruch einfach so hinnehmen. Wenn jemand mit dem Urteil eines unteren Gerichts nicht zufrieden ist, kann er sich an ein höheres wenden, das überprüft, ob die Richterkollegen einen Fehler gemacht haben (siehe oben stehende Grafik). Das ist gut so, denn auch Richter, obwohl sie viel gelernt haben, sind Menschen. Und können sich irren.

Was war die … Reformation

Die Reformation war eine in der Kirchengeschichte durch M. *Luther*, U. *Zwingli* und J. *Calvin* in der ersten Hälfte des 16. Jh. hervorgerufene religiöse und gesellschaftliche Erneuerungsbewegung, die zur Entstehung neuer, vom Papst unabhängiger Kirchen führte. Kernidee war der Glaube, dass das Heil des Menschen in seiner persönlichen Beziehung zu Gott liege.

Anfänge und Ausbreitung in Deutschland: Missstände innerhalb der Kirche (wie z. B. die weltliche Haltung der Renaissancepäpste und Bischöfe, der krasse Gegensatz zwischen dem reichen höheren und dem armen niederen Klerus oder auch die wachsenden sozialen Spannungen) hatten der Reformation den Boden bereitet. Die am 31. 10. 1517 von Martin Luther veröffentlichten Thesen, in denen er sich kritisch zum Ablasshandel (Verkauf von Urkunden, auf denen die Kirche Sünden erließ) äußerte, begründete die eigentliche Reformationsbewegung. Die Anhänger der Reformation wollten nach der reinen Lehre der Evangelien leben und heißen darum evangelische Christen. Ein Großteil der weltlichen Machthaber unterstützte Luther. Auch zahlreiche Prediger verbreiteten Luthers Theologie in Deutschland, der Gottesdienst wurde umgestaltet, neue Formen des Gemeindelebens entwickelten sich. Zwischen dem katholischen Lager unter Führung *Kaiser Karls V.* und den Evangelischen kam es zu langjährigen kriegerischen Auseinandersetzungen, die schließlich zur religiösen Spaltung des Abendlandes führten. 1555 musste der Kaiser im Augsburger Religionsfrieden den Protestanten freie Religionswahl zugestehen. Um 1561 war Deutschland zu $^4/_5$ protestantisch, doch gelang es der katholischen Kirche in der *Gegenreformation,* weitere Gebiete zurückzugewinnen. Erst nach dem *Dreißigjährigen Krieg* wurden 1648 im Westfälischen Frieden die Konfessionen anerkannt und ihr Bestand garantiert.

Ausbreitung in Europa: Von Deutschland aus ergriff die lutherische Reform auch nordische und baltische Länder. In der deutschsprachigen Schweiz führte Zwingli von Zürich, in der französischsprachigen Schweiz Calvin von Genf aus die Reformation durch. Der Zwinglianismus konnte besonders im schweizerischen Bodenseegebiet Fuß fassen, der Calvinismus erlangte großen Einfluss in Frankreich *(Hugenotten)* und in den Niederlanden. In England und Schottland sowie bei einem großen Teil des polnischen und ungarischen Adels setzte sich der Calvinismus gegen anfangs vorhandene lutherische Einflüsse durch und prägte so auch die in England v. a. aus politischen Gründen gegründete *anglikanische Kirche.*

Beim Marburger Religionsgespräch im Jahr 1529 versuchen Luther und Zwingli, die Verschiedenheiten ihrer beiden Konfessionen zu überwinden.

reformierte Kirchen [Pl.], die evangelischen Kirchen, die auf das Reformationswerk Ulrich Zwinglis und Johann Calvins zurückgehen.

Regatta [die], ein Wettbewerb mit Wasserfahrzeugen, z. B. Segeln, Rudern, Kanu- oder Motorbootsport.

Regatta: Das Segelschulschiff »Gorch Fock« der Deutschen Marine (links unten) wird umringt von Begleitbooten und anderen Seglern an der Spitze der kilometerlangen Windjammerparade auf der Kieler Förde.

Regel [die], **1.** Vorschrift, Normalfall. **2.** →Menstruation.

Regen [der], flüssiger Niederschlag in Form von Tropfen. Sind die Tropfen sehr klein, spricht man von *Niesel-* oder *Sprühregen.* Aus Schichtwolken fällt ein gleichmäßiger *Landregen,* der sich meist über ein großes Gebiet erstreckt. Quellwolken dagegen verursachen die kurzen, heftigen, örtlich begrenzten Schauer mit großen Tropfen, mitunter auch *Wolkenbrüche,* bei denen in kurzer Zeit 40 mm und mehr Niederschlag gemessen werden können.

Regenbogen [der], ein weit über den Himmel gespannter farbiger Bogen, der bei gleichzeitigem Sonnenschein und Regen auftritt. Ein Regenbogen entsteht durch Brechung des Sonnenlichts in Regentropfen. Das Sonnenlicht wird dabei – wie von einem Prisma – in seine einzelnen Farben (Spektralfarben) zerlegt. Da blaues Licht stärker gebrochen wird als rotes, ist der Regenbogen außen rot und innen violett.

Regeneration [die], **1.** Erneuerung, Wiedergewinnung. **2.** in der Biologie die Erneuerung von Körpergewebe bei Lebewesen (z. B. Erneuerung der Haut, Nachwachsen der Haare, Nägel, Krallen) oder die Fähigkeit mancher Tiere, verloren gegangene Organe zu ersetzen (z. B. der Schwanz der Eidechse, der Arm des Seesterns).

Regenwald [der], *tropischer Regenwald,* ein Waldtyp mit üppigem Pflanzenwachstum (Urwald) im immer feuchten, heißen Tropenklima, wie z. B. im Amazonasbecken, in Zentralafrika oder in Hinterindien. Im tropischen Regenwald gibt es einen besonderen Artenreichtum. Der Wald ist durch drei Baumstockwerke gekennzeichnet mit einer *Bodenschicht,* einer *Unterwuchsschicht* aus jungen Bäumen und niedrigen Arten (bis 15 m), einer *Kronenschicht* (30–40 m) und mit den *Urwaldriesen* (50–60 m). Der Regenwald ist ein wichtiger Klimaregulator für die ganze Erde, weil er den Kohlenstoff-, Sauerstoff- und Stickstoffkreislauf in großem Maße beeinflusst. Seit einigen Jahren werden jedoch täglich große Flächen Regenwald abgeholzt oder niedergebrannt, um diese Flächen in Acker-

Regenbogen: Er entsteht, wenn sich die Sonnenstrahlen an den Regentropfen in der Luft brechen und spiegeln.

Regenwald: Schematische Darstellung des Wasserkreislaufs im tropischen Regenwald

land umzuwandeln oder das Holz zu verwerten. Die Auswirkungen, die diese Vernichtung des Regenwalds für das weltweite Klima haben wird, sind noch nicht abzusehen.

Regenwürmer [Pl.], Ringelwürmer, die im Boden graben und sich von verwesenden Pflanzenteilen ernähren. Der Körper besteht aus einem Hautmuskelschlauch mit Längs- und Quermuskeln; jedes Segment (Ringel) ist mit vier Borstenbündeln versehen, die in schlüpfrigen Röhren wie Steigeisen verwendet werden. Regenwürmer durchwühlen den Boden bis in 1,50 m Tiefe. Als Humuserzeuger (z. B. im Kompost) und Bodenlockerer sind sie von größtem Nutzen. Sie pflanzen sich durch Eier fort, die in feuchter Erde abgelegt werden.

Reggae ['regɛi, der], die Musik der farbigen Bevölkerung Jamaikas. Der besonders rhythmische Musikstil zeichnet sich durch die starke Betonung afroamerikanischer und karibischer Elemente aus. Der bekannteste Vertreter war Bob *Marley* (* 1945, † 1982), der den Reggae Anfang der 1970er Jahre auch in Amerika und Europa populär machte.

Regie [re'ʒiː, die], die Spielleitung bei Theater, Fernsehen, Film, Funk u.Ä. Spielleiter *(Regisseure)* besetzen die Rollen und inszenieren die Stücke.

Regierung [die], die Leitung des Staates mit lenkenden und planenden Aufgaben. Je nach Staatsform ist der Chef der Regierung der Ministerpräsident (Kanzler), der Staatspräsident oder der Monarch. In Deutschland gibt es eine *Bundesregierung* und in den Bundesländern je eine *Landesregierung* (die in den Stadtstaaten *Senat* genannt wird).

Regime [re'ʒiːm, das], Regierung, Regierungsstil.

Register [das], **1.** Zusammenstellung, Sachverzeichnis, alphabetisches Inhaltsverzeichnis. **2.** eine Reihe von Pfeifen gleicher Klangart bei einer Orgel.

Reh [das], eine Art der Hirsche, die in Europa und Asien verbreitet ist. Rehe erreichen eine Höhe von 60–90 cm und haben ein braunes bis rostrotes Fell. Das weibliche Reh heißt *Ricke,* das männliche *Bock.* Letzterer trägt ein Gehörn, das er im Herbst abwirft. Das junge Reh heißt *Kitz.* Rehe leben in Rudeln im Wald, sind aber auch oft auf Äckern zu sehen.

Regenwürmer haben ein sehr gutes Regenerationsvermögen. Ein durchschnittener Regenwurm kann aber meist nur den Hinterkörper, selten den Vorderkörper neu bilden.

Rehabilitation [die], Wiederherstellung, z. B. der Gesundheit oder des guten Rufs.

Reibung [die], der Widerstand, die Kraft, die die Bewegung zweier sich berührender Körper oder von Teilen eines Körpers gegeneinander behindert. Sie ist umso stärker, je rauer die sich berührenden Flächen sind. Außerdem ist die Reibung zwischen trockenen Körpern größer als zwischen feuchten. Die bei der Reibung auftretende Energie verwandelt sich in Wärme, z. B. bei den Bremsen von Autos, beim Schleifen einer Oberfläche.

Reichskristallnacht [die] → Kristallnacht.

Reichsstädte [Pl.], im römisch-deutschen Reich Städte (oft Handelsstädte in verkehrsgünstiger Lage), die nicht einem Landesherrn, sondern »reichsunmittelbar« nur dem deutschen Kaiser und Reich unterstanden.

Reichstag [der], **1.** im römisch-deutschen Reich die Versammlung der Reichsstände (1663–1806) in Regensburg. **2.** im Deutschen Reich (1871–1945) die Volksvertretung. Der Reichstag hatte das Recht, bei der Gesetzgebung mitzuwirken und die Regierung zu kontrollieren. 1919–1933 wuchsen seine Machtbefugnisse in der Weimarer Republik. 1933–1945 war der Reichstag im Nationalsozialismus ohne Bedeutung.

Reif [der], dünner Eisbelag am Erdboden oder an Gegenständen und Pflanzen in Bodennähe; entsteht beim Gefrieren der Luftfeuchtigkeit.

Reifen [der], Teil des Rads, der die Felgen umfasst. Der Reifen besteht beim Fahrrad und einigen Kraftfahrzeugen aus einem Gummischlauch, der von einem Mantel (der Decke) umgeben ist. Der Mantel setzt sich aus einem widerstandsfähigen Unterbau aus Textilien und dünnen Stahlseilen und der Lauffläche aus Hartgummi mit mehr oder weniger starken Profilen zusammen. Heute hat sich beim Auto der schlauchlose Reifen durchgesetzt, bei dem der Mantel zugleich die Aufgaben des Gummischlauches hat.

Reiher [Pl.], große, hochbeinige Vögel mit langem Hals. In Europa tritt besonders der *Fischreiher (Graureiher)* auf. Die Reiher erbeuten ihre Nahrung, meist Fische, Frösche und Mäuse, durch plötzliches Vorschnellen des s-förmig zurückgelegten Halses mit ihrem langen, starken Schnabel.

Reim [der], der Gleichklang von zwei (oder mehr) Wörtern vom letzten betonten Vokal an (z. B. singen/bringen, laufen/raufen). Am weitesten verbreitet ist der *Endreim* am Schluss eines Verses. Die germanische Dichtung kannte nur den auf Alliteration (Übereinstimmung der Anfangslaute) beruhenden *Stabreim* (z. B. Kind und Kegel, Haus und Hof). Die Dichtung des Altertums machte vom Reim selten Gebrauch. Dagegen wurde der Reim in der europäischen Literatur seit dem Mittelalter zu einem häufig verwendeten Gestaltungsmittel in der Dichtung.

Reims [rɛ̃s], eine Stadt in der Champagne im Nordosten Frankreichs, 187 000 Einwohner. Reims war 988 bis 1825 Krönungsort der französischen Könige, heute ist die Stadt Mittelpunkt der Champagnerherstellung.

Reis [der], ein Getreide, das vor allem im tropischen Asien angebaut wird. Die Ähren sitzen in bis zu 30 cm langen Rispen am Halm. Den auf bewässerten Feldern oder Terrassen angebauten Reis bezeichnet man als *Wasser-* oder *Nassreis,* den in trockenen Bergregionen

Reis: In Indonesien wird der Wasser- oder Nassreis traditionell per Hand geerntet. Die Erntehelfer stehen dabei knöcheltief im Wasser.

angebauten Reis als *Bergreis.* Er ist stärkereich, verliert aber durch das Schälen und Polieren seine Vitamine. Man unterscheidet *Langkorn-* und *Rundkornreis.*

Reiter, Thomas, * 1958; deutscher Luft- und Raumfahrtingenieur, Pilot und Astronaut. Er war als erster westlicher Astronaut 179 Tage im All; am 4. 7. 2006 startete er mit der Raumfähre Discovery zur ersten europäischen Langzeitmission auf der Internationalen Raumstation ISS, um dort an wissenschaftlichen Experimenten zu arbeiten.

Thomas Reiter nach der Rückkehr von seinem sechsmonatigen Aufenthalt auf der ISS, der Internaional Space Station

Reitsport [der] → Pferdesport.

Reiz, in der Biologie alles, was von außen her auf den Körper, seine Organe oder seine Zellen einwirkt.

Reklamation [die], Beanstandung, Einspruch (z. B. Reklamation einer Warenlieferung).

Reklame [die] → Werbung.

Rekonstruktion [die], **1.** Nachbildung, Wiederherstellung in die ursprüngliche Form (z. B. Rekonstruktion eines Bauwerks). **2.** Wiedergabe eines Vorganges (z. B. Rekonstruktion eines Verkehrsunfalls).

Rekord [der], eine Höchst- beziehungsweise Bestleistung auf einem bestimmten Gebiet, z. B. im Sport.

Rekrut [der], Soldat während der Zeit seiner Grundausbildung.

Rektoren [Pl.], die für eine bestimmte Zeit gewählten Leiter einer Hochschule oder auch die Leiter einer Grund-, Haupt-, Real- oder Sonderschule.

Relais [rəˈlɛː, das], ein Schaltelement zum Steuern von größeren Energien durch vergleichsweise sehr kleine Energien. Das Relais arbeitet meist elektromagnetisch. Dabei fließt der Steuerstrom durch die Wicklung eines Elektromagneten, dessen Kern einen hebelartigen Anker anzieht, der seinerseits Kontakte betätigt, die Stromkreise öffnen oder schließen können. Relais werden als Bauelemente der industriellen Elektronik, Steuerungs- und Regelungstechnik und im Fernmeldewesen verwendet.

Relation [die], Beziehung, Verhältnis.

relativ, verhältnismäßig, vergleichsweise (z. B. ein relativ heißer Sommer), bezüglich, bezogen auf anderes (z. B. relative Beurteilung eines Aufsatzes). Gegensatz: *absolut.*

Relativitätstheorie [die], von Albert *Einstein* ab 1905 begründete physikalische Theorie, die besagt, dass Raum und Zeit relativ sind. In der *speziellen Relativitätstheorie* folgt daraus: 1. Es gibt keine absolute Bewegung, es kann nur eine Bewegung relativ zu etwas anderem festgestellt werden. So kann man z.B. in einem Zug im Bahnhof sitzend nicht unterscheiden, ob sich der Zug auf dem Nachbargleis bewegt oder

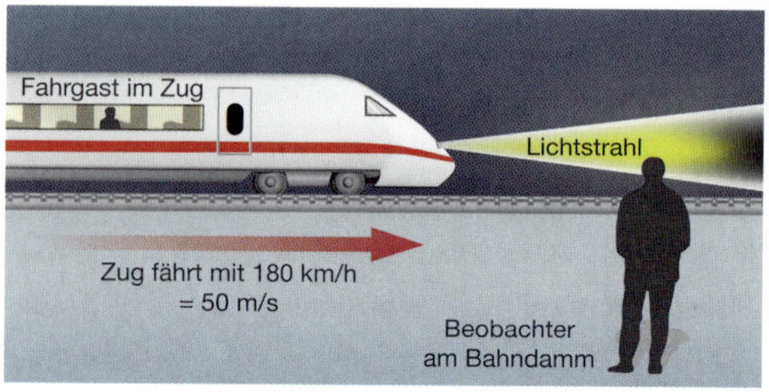

Relativitätstheorie: Für einen Fahrgast im Zug bewegt sich das Licht mit »normaler« Lichtgeschwindigkeit. Ein Beobachter am Bahndamm nimmt das Licht mit Lichtgeschwindigkeit plus Zuggeschwindigkeit wahr. Tatsächlich messen aber beide die einfache Lichtgeschwindigkeit.

der, in dem man sitzt. 2. Einem ruhenden Beobachter erscheint die Zeit in einem sich bewegenden System langsamer *(Zwillingsparadoxon)*. 3. Die Geschwindigkeit des Lichtes wird als Grenzgeschwindigkeit angesehen, der sich nur genähert, die aber nicht überschritten werden kann. 4. Die Relativitätstheorie besagt, dass die Masse mit zunehmender Geschwindigkeit immer größer wird, bis sie bei Erreichen der Lichtgeschwindigkeit unendlich groß würde. 5. Ebenso wichtig ist dabei die Aussage, dass die Energie eines Körpers gleich dem Produkt aus Masse und dem Quadrat der Lichtgeschwindigkeit ist ($E=m \cdot c^2$). Die Folgerung, dass sich Masse vollständig in Energie umwandeln lassen muss, wurde beim Prinzip der Atombombe ausgenutzt. Die *allgemeine Relativitätstheorie* überträgt diese Prinzipien auf beschleunigte Systeme. Danach ist es nicht möglich, zwischen Beschleunigung und Anziehungskraft (Gravitation) zu unterscheiden. Eine Folgerung ist die Raumkrümmung, bei der ein Lichtstrahl durch das Gravitationsfeld eines Sternes abgelenkt wird.

Relativpronomen [das], ein bezügliches Fürwort (»der«, »welcher«, z. B. in »ein Mann, der/welcher einen Hut trägt«).

relevant, von Bedeutung, wichtig.

Relief [reli'ɛf, das, franz.], eine besondere Form der Plastik, bei der Figuren so aus einer dickeren Platte (Holz, Stein, Metall) herausgearbeitet werden, dass sie nur teilweise herausragen. Reliefs findet man z. B. auf Bauwerken, Münzen und Schmuckstücken.

Religion [die, lat., »Gottesfurcht«, »Ergriffensein«], Religion ist der Glaube an eine überirdische Macht bzw. an überirdische Mächte; Gottesglaube und -verehrung. Das Phänomen der Religion ist in der gesamten Menschheitsgeschichte vorhanden, ein einheitliches Begriffsverständnis existiert jedoch nicht. Was unter Religion verstanden wird, ist vom jeweiligen Kulturkreis abhängig. Nicht zwingend gehört eine Gottesvorstellung dazu.

Nach außen hin zeigt sich Religion im Kultus (z. B. im Gottesdienst, in Ritualen, Gebeten oder Opfern), in heiligen Räumen (Tempel, Kirche), durch bestimmte Handlungen (Tanz, Musik, Feste) oder bestimmte Verhaltensweisen. Die meisten Religionen kennen Schöpfungsmythen und heilige Schriften, beispielsweise das Judentum und Christentum die *Bibel* und der Islam den *Koran*. Auch glauben sie an ein Weiterleben nach dem Tod entweder auf der Erde oder in einer jenseitigen Welt.

Religionen lassen sich wie folgt einteilen: *polytheistische Religionen* verehren viele Götter, monotheistische Religionen nur einen Gott. *Ethnische* oder *indigene Religionen* sind meist nur auf eine kleine Volksgruppe beschränkt, die vielfach Phänomene in der Natur verehrt, wie z. B. die Aborigines in Australien. Der *Pantheismus* glaubt an einen unpersönlichen Gott, der mit der Welt vollständig eins ist.

Religionen hat es zu jeder Zeit gegeben; kein Volk war je ohne Religion, angefangen bei Sippen- und Stammesreligionen der Vorgeschichte. Solche Religionen sind auch heute noch in Afrika, Asien und Südamerika verbreitet. Sie werden meist mündlich überliefert, in ihnen beschwört und verehrt der Mensch die Kräfte in der Natur und in leblosen Objekten. Der *Animalismus* betrachtet Tiere als göttlich; werden diesen sowie Pflanzen oder unbelebten Wesen Seelen zugesprochen, wird dies als *Animismus* bezeichnet. Von dort ist es nur ein kleiner Schritt zum Glauben an persönliche Götter und Geisteswesen, die das Lebens repräsentieren bzw. beeinflussen und dann in einem nächsten Schritt in eine Götterwelt eingebunden werden. Die meisten Religionen des Altertums kannten eine solche Götterwelt. So hatte der Schöpfer- und spätere Reichsgott Amun in der ägyptischen Religion eine herausragende Stellung; über den griechischen Götterhimmel auf dem Olymp herrschte Zeus. Als älteste monotheistische Religion gilt das *Judentum,* das in dieser Form im 6. Jh. v. Chr.

im babylonischen Exil entstand. Während das Judentum ursprünglich nur mit dem Volk Israel verbunden war, entfällt bei den anderen *Weltreligionen* diese Einschränkung. Sie sind nicht nur – mit Ausnahme des *Hinduismus,* der sich im Wesentlichen auf Indien beschränkt – auf der ganzen Welt verbreitet, sondern beanspruchen auch als Universalreligion weltweite Geltung: so der *Buddhismus,* das *Christentum* und der *Islam*. Siehe auch ZEIT-Beitrag → »Religion: Mehr als Essen, Leben, Sterben«, Seite 100–103.

Reling [die], das Geländer auf einem Schiffsdeck.

Reliquien [Pl.], in der katholischen Kirche die Überreste von Heiligen (Gebeine, Asche oder Gebrauchsgegenstände), die von den Gläubigen hoch verehrt werden.

Remarque [rə'mark], Erich Maria, eigentlich E. Paul *Remark,* * 1898, † 1970; deutscher Schriftsteller. Remarque wurde von den Nationalsozialisten verfolgt und musste emigrieren. Berühmt ist sein 1929 erschienener Antikriegsroman »Im Westen nichts Neues«.

Wer war ... Rembrandt

Der holländische Maler und Grafiker Rembrandt (eigentlicher Name *Rembrandt Harmensz van Rijn,* * 1606, † 1669) war einer der vielseitigsten und der bedeutendsten Vertreter der niederländischen Malerei des Barock (17. Jh.). In seinem umfangreichen Werk (Gemälde, Radierungen und Zeichnungen) behandelte er unterschiedlichste Themen, besonders aber Stoffe aus Geschichte, Bibel und Mythologie. Neben religiösen und Landschaftsbildern schuf er bedeutende Porträts von Einzelpersonen und Personengruppen. Von seinen Gemälden geht eine geheimnisvolle Licht-Schatten-Wirkung aus. Die Farben sind so gewählt, dass ein Helldunkel entsteht, in dem die Umrisse der Personen und Gegenstände weich und licht aufgelöst erscheinen. Zu seinen Hauptwerken gehören »Anatomie des Dr. Tulp«, »Die Nachtwache«, »Christus und die Ehebrecherin«, »Selbstporträt als Apostel Paulus«.

Seine künstlerische Ausbildung erhielt Rembrandt in Leiden und Amsterdam. 1631 zog er nach Amsterdam, wo er durch das Vermögen seiner ersten Frau Saskia van Uylenburgh und den Verkauf eigener Bilder in Wohlstand lebte und selbst eine bedeutende Kunstsammlung anlegte. 1642 starb Saskia; seit 1649 lebte Rembrandt mit Hendrickje Stoffels zusammen. In den 1650er Jahren begann sein wirtschaftlicher Niedergang, der wenige Jahre später zum finanziellen Zusammenbruch führte. In seinen letzten Jahren lebte und arbeitete Rembrandt zurückgezogen. Er wurde in der Westerkerk in Amsterdam begraben.

1642 malte Rembrandt das Bild »Die Schützenkompanie des Hauptmanns Frans Banning Cocq und des Leutnants Willem van Ruytenburch beim Aufbruch«. Bekannt ist es unter dem Titel »Die Nachtwache«; Amsterdam, Rijksmuseum.

Was war die …
Renaissance

Die 107 m hohe Kuppel des Florentiner Doms Santa Maria del Fiore entstand 1420–1436 unter Leitung des Baumeisters Filippo Brunelleschi, dem einflussreichsten Baukünstler der italienischen Renaissance.

Die Renaissance war eine Kulturepoche, die seit dem 14. Jh. von Italien aus ganz Europa und alle Bereiche des geistigen Lebens, insbesondere die bildenden Künste erfasste und bis ca. Mitte des 16. Jh. andauerte. Mit der Renaissance unlöslich verbunden ist der *Humanismus,* der dieselben Ursprünge und Ziele hatte. In der Epoche vollzog sich die Wende vom Mittelalter zur Neuzeit: Durch die Reisen und Entdeckungen (z. B. erste Weltumsegelung durch F. de *Magelhães,* Entdeckung Amerikas durch C. *Kolumbus*) erweiterte sich das geografische Weltbild. Der Mensch fing an, sich zunehmend als freie, selbstbewusste Persönlichkeit zu begreifen und mit der Einführung des Experiments begann das Zeitalter der Naturwissenschaften und der Technik (Buchdruck, Feuerwaffen, Uhren). In der Kunst sahen die Baumeister, Bildhauer und Maler die klassische Antike als ihr Vorbild an. Auch sie begannen, ihre Werke oft mit wissenschaftlicher, mathematischer Genauigkeit zu erschaffen. Viele Künstler waren zugleich Maler, Baumeister, Konstrukteure, Erfinder und Bildhauer. Die wichtigsten von ihnen, *Leonardo da Vinci* und *Michelangelo,* vereinigten diese Fähigkeiten zu einmaliger Größe. Allgemein wird das Zeitalter der Renaissance in drei Phasen aufgeteilt: Die Frührenaissance umfasste die Zeit zwischen 1420 und 1500; die Hochrenaissance endete 1520/1530 und mündete in die Spätrenaissance bzw. in den *Manierismus.*

Malerei und Baukunst: Ein Zentrum der Renaissance im 15. Jh. war Florenz, das durch Handel und Geldgeschäfte reich geworden war. Hier wirkte der einflussreichste Baumeister der italienischen Renaissance, Filippo Brunelleschi, der v.a. bedeutende Kirchenbauten schuf. Als ein technisches Meisterwerk der Zeit gilt die von ihm erreichtete Kuppel des Doms in Florenz. Weiterhin bedeutend war Donato Bramante, der den Petersdom in Rom entwarf. In der Malerei wurden die Gesetze des Zentralperspektive entdeckt, und zusammen mit dem erstmalig exakten Studium des menschlichen Körpers entstanden Bilder, die Personen, Bewegungsabläufe und Landschaften naturgetreu wiedergaben. Drei Künstlerpersönlichkeiten standen im Mittelpunkt der Hochrenaissance: *Leonardo da Vinci, Michelangelo* und *Raffael,* die schon damals hochgeschätzt waren. Sie schufen die Vorstellung vom Künstler als Genie und nicht mehr bloß als begabtem Handwerker.

Literatur und Musik: Auch in der Literatur rückte die Würde, die individuelle Persönlichkeit und die Fähigkeit des Menschen zum selbstständigen Handeln und Empfinden in den Vordergrund. Freigeistigkeit, Heiterkeit und Diesseitigkeit wurden zu bestimmenden Elementen der Dichtung. Im 16. Jh. setzte sich die Prosa gleichberechtigt neben dem Vers durch. Die italienischen Dichter F. *Petrarca* und G. *Boccaccio* schufen Werke, die in ganz Europa zum Vorbild genommen wurden. F. *Rabelais,* der bedeutendste Dichter der französischen Renaissance, verband gelehrte, volkstümliche, höfische und groteske Elemente. M. E. de *Montaigne* begründete mit seinem Hauptwerk, den »Essays«, die gleichnamige Gattung. Während in England das europäische Drama mit W. *Shakespeare* einen Höhepunkt erreichte, entstanden im deutschsprachigen Raum vielfach Werke mit einer belehrenden (didaktischen) Absicht. Beliebt war die Satire oder die zu sogenannten »Volksbüchern« zusammengestellten Schwänke (»Till Eulenspiegel«, »Schildbürger«). In der Musik der Renaissance erhoben die Komponisten die einfache, natürliche Melodie zum Ideal. Neben geistlicher Musik entstanden weltliche Gattungen wie das italienische Madrigal, das französische Chanson oder volkstümlich-gesellige Lieder. Immer mehr kam dem Text kam eine bedeutende Rolle zu. Im protestantischen Raum machte Luther das Kirchenlied zum wesentlichen Bestandteil des Gottesdienstes. 1465 wurden die ersten Noten gedruckt, Orgel und Laute waren die führenden Instrumente.

Die Grafik zeigt einen Aufriss der Kirche San Lorenzo in Florenz. Diese 390 gegründete Kirche wurde 1425 von Filippo Brunelleschi umgebaut; u.a. mit neuer Sakristei nach einem Entwurf von Michelangelo.

Auguste Renoir, Junge Badende; 1892. New York, Metropolitan Museum of Art

Rendezvous [rãde'vu, das, franz.], Verabredung, Zusammenkunft.

Rendite [die, ital.], Verzinsung angelegten Geldes (z. B. in Aktien oder Wertpapieren), der Ertrag einer Investition. Die Rendite wird meist für 1 Jahr berechnet und in Prozent der angelegten Geldsumme angegeben.

Renoir [rə'nwa:r], Pierre Auguste, *1841, †1919; französischer Maler des *Impressionismus.* Renoir schuf vor allem Aktbilder, Porträts und Gemälde mit Themen aus dem Alltagsleben.

renovieren, erneuern, wiederherstellen, instand setzen (z. B. ein Haus).

rentabel, lohnend, gewinnbringend.

Rente [die], **1.** ein regelmäßiges Einkommen aus einem Vermögen, z. B. feste Zinsen. **2.** eine regelmäßig gezahlte Geldsumme aus der Sozialversicherung (z. B. Altersruhegeld, Hinterbliebenenrente, Berufsunfähigkeitsrente).

Rentier [das], *Ren,* eine Art der Hirsche, die in den nördlichen Ländern verbreitet ist. Rentiere werden von den Lappen in großen Herden als Haustiere gehalten. Die genügsamen Tiere ernähren sich besonders von Moosen, Gräsern und Flechten. Eine nordamerikanische Unterart ist das *Karibu.*

Reparationen [Pl., lat., »Wiederherstellung«], Kriegsentschädigungen (Geld, Sach- oder Arbeitsleistungen), die der Besiegte nach einem Krieg an den Sieger leisten muss. Reparationen sollen Verluste, die durch den Krieg entstanden sind, ersetzen.

Reportage [repor'ta:ʒə, die], von Reportern (Berichterstattern) verfasster Bericht, in der Regel ein Augenzeugenbericht.

Reproduktion [die], **1.** Wiedergabe von Vorlagen durch Druck oder Fotografie. **2.** in der Biologie Fortpflanzung bei Tieren.

Reptilien → Seite 104.

Republik [die], Staat ohne monarchisches Staatsoberhaupt, in dem mehrere Personen oder das Staatsvolk Träger der Staatsgewalt sind.

Rentier: Bei den Rentieren tragen Männchen und Weibchen ein Geweih. Die Rangordnung in einer Herde richtet sich in erster Linie nach der Größe und dem Gewicht des Geweihs.

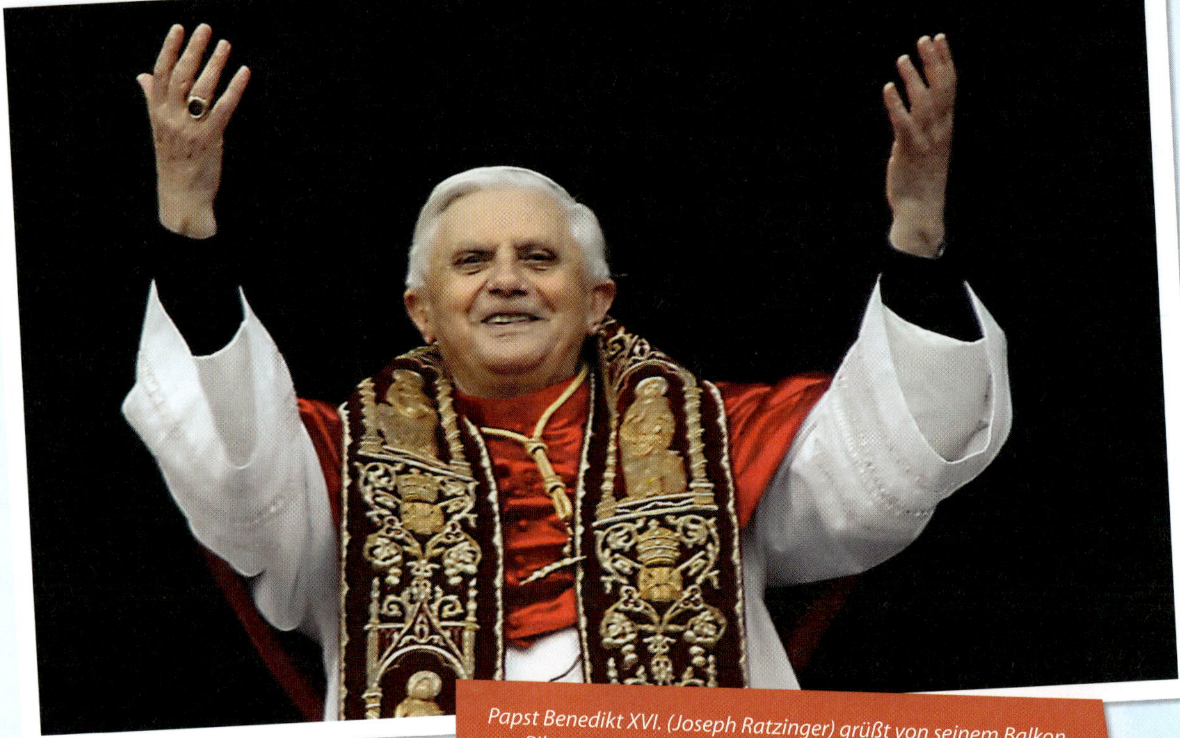

Papst Benedikt XVI. (Joseph Ratzinger) grüßt von seinem Balkon aus Pilger vor dem Petersdom in Rom

Religion

Mehr als Essen, Leben, Sterben

Von Robert Leicht

Der 5. August des Jahres 1942 war ein grauenhafter Tag für die Kinder des jüdischen Waisenhauses im Warschauer Ghetto. Die Nationalsozialisten hatten schon zwei Wochen zuvor begonnen, die jüdischen Bewohner nacheinander in Viehwaggons abzutransportieren – um sie umzubringen. Janusz Korczak, der Gründer und Leiter des Waisenhauses, lehnte alle Vorschläge ab, sich doch selbst in Sicherheit zu bringen, sondern ging den in Viererreihen abgeführten Kindern an der Spitze voran, den Blick gen Himmel gerichtet, ein Kind an jeder Hand – auf dem Weg in den Tod. Einer der deutschen Schergen fragte: »Wer ist dieser Mann?«

Was bewegte Janusz Korczak? Gewiss die Sorge um seine Kinder. Aber auch seine jüdische Religion – sein Glaube, dass es nach unserem irdischen Leben eine Verantwortung gibt, einen Lebenssinn, der weiter reicht als nacktes Essen und Trinken, Lieben und Hassen, Geborenwerden und Sterben. Und dass der Mensch nicht nur sein eigener Herr und Knecht ist. Dass es über allem einen Gott gibt.

Höherer, göttlicher Befehl

Das freilich glauben auch die islamistischen Selbstmordattentäter unserer Tage. Auch sie scheuen nicht das Sterben, wenn sie sich auf, wie sie meinen, höheren göttlichen Befehl hin mit vielen anderen Menschen in den Tod jagen – seien ihre Opfer nun »Feinde« des Islams oder auch nur Angehörige einer anderen islamischen Glaubensrichtung. Solche Selbstmordattentäter unterwerfen sich nicht etwa (wie Janusz Korczak) angstvoll, aber tapfer einer lastenden Verantwortung – sondern sehen vielmehr freudig einer sofortigen Belohnung im Paradies entgegen.

»Du sollst nicht töten!«

Am 20. Juli 1944, zwei Jahre nachdem die Nazis mit ihren Massenmorden an den Ghettobewohnern in Warschau begonnen hatten, wagten deutsche Offiziere ein Attentat auf Adolf Hitler, den Diktator des »Dritten Reiches«. Lange (zu lange?) hatten sie gezögert, ihren vermeintlich heiligen Eid auf den Führer zu »brechen« und den Tyrannenmord zu wagen. Einer der gegen Hitler Verschworenen, Werner von Haeften, geriet in der Haft nach dem gescheiterten Attentat in verzweifeltes Grübeln. Auch aus seinem christlichen Glauben hatte er sich schließlich zur Beseitigung des furchtbaren Diktators entschlossen. Nun aber, in der Haft, fragte sich Werner von Haeften, ob alles, was ihm nun bevorstand, nicht auch die tragische Folge dessen sei, dass er zusammen mit anderen gegen das heilige fünfte Gebot verstoßen wollte: »Du sollst nicht töten!«

Drei religiöse Lebensentscheidungen, eine jüdische, eine islamische, eine christliche: In allen drei Beispielen erahnen Menschen hinter unseren sichtbaren, zeitlich begrenzten Leben ein ewiges Dasein. Sie prüfen alle weltlichen Gesetze und Mächte vor dem Gerichtshof eines jenseitigen Gottes und einer überlegenen Gerechtigkeit. Diese Menschen bedienen sich durchaus der zeitgenössischen Vernunft, Wissenschaft und Technik – aber sie glauben nicht daran, dass der Mensch allein den Sinn seines Lebens entschlüsseln könnte. Sie bestreiten, dass die Menschen selbst Antworten auf ihre wichtigsten Fragen finden können: Weshalb und wozu leben und sterben wir? Und: Wie sollen wir leben – in Saus und Braus oder, wie es im Grundgesetz heißt, in der Verantwortung vor Gott und den Menschen?

Wo aber kommt eigentlich das Wort »Religion« her? Bei dem Römer Cicero findet sich folgende Deutung: Gemeint sei die sorgfältige Einhaltung

Jesus am Kreuz: Die lateinischen Buchstaben INRI stehen für »Jesus von Nazareth, König der Juden«

von Vorschriften – als stehe das lateinische Tätigkeitswort *relegere* dahinter. Der römische Kirchenvater Laktanz stellt ab auf die Beziehung der Menschen zu Gott; sie seien ihm verbunden, also *relegati.* Dem folgend, übersetzt man den Begriff »Religion« oft mit »Bindung« – und zwar Bindung an eine Gestalt, eine Autorität, eine Instanz, die zum einen über allen Menschen steht, die aber – anders als alle Menschen – erhaben ist über das unerbittliche Gesetz von Geburt und Tod. Man sagt dazu: die ewig existiert – schon immer und für immer, also unendlich.

Sinn für das Unendliche

Da es aber sehr unterschiedliche und gegensätzliche Religionen gibt – Juden, Christen, Muslime, Buddhisten, Shintoisten, Naturreligionen (und innerhalb der Religionen wieder viele verschiedene Gruppen) –, weil das Feld also so unübersichtlich ist, haben kluge Köpfe immer wieder versucht zu beschreiben, was alle Religionen dennoch miteinander verbindet, was also Religion an sich ist.

Der große Theologe Friedrich Schleiermacher hat an der Schwelle zum 19. Jahrhundert in seiner berühmt gewordenen Abhandlung *Über die Religion. Reden an die Gebildeten unter ihren Verächtern* eine historisch ungemein wirkungsvolle Unterscheidung getroffen. Er hatte nämlich die Lehre des gesamten verfügbaren Wissens (»Wissenschaft des Seins«) ebenso wie die Sittenlehre (»Wissenschaft des Handelns«) – heute würden wir dazu sagen: Ethik – deutlich abgegrenzt gegen die Religion. So sagt Schleiermacher einerseits: »… das Maß des Wissens ist nicht das Maß der Frömmigkeit« und andererseits: Die Sittlichkeit des Menschen »ist etwas anderes als seine Frömmigkeit«. Was aber ist nun für Schleiermacher Frömmigkeit – also Religion? Er sagt es so: »Wahre Religion ist Sinn und Geschmack für das Unendliche.«

Lohnt es sich denn, solche scheinbar veralteten Zitate auszugraben? Nun, wer seinen Schleiermacher ein wenig verstanden hat, wird sofort auch die aktuelle Debatte über das Thema »Religionsunterricht oder Ethikunterricht« besser verstehen. Beides ist nämlich beileibe nicht dasselbe. Über Ethik und über das, was sich unter anständigen, früher hätte man gesagt: gesitteten Menschen gehört – also über die Sittlichkeit –, kann man reden, ohne zugleich über die Unendlichkeit zu sprechen. Aber über Religion reden oder religiös sein ohne »Geschmack für das Unendliche«, das eben ist ein Ding der Unmöglichkeit. An anderer

Der siebenarmige Leuchter (Menora) ist ein wichtiger Kultgegenstand im jüdischen Glauben

Das zentrale Heiligtum des Islams: Jedes Jahr pilgern hunderttausende Muslime zur Kaaba, dem »Haus Gottes« in Mekka (Saudi-Arabien)

Stelle beschreibt derselbe Schleiermacher als den Kern jeder Religion (also nicht nur der christlichen Religion) »das Bewusstsein schlechthinniger (also: vollständiger) Abhängigkeit«.

Hund im Himmel

Sein Berliner Universitätskollege Georg Friedrich Wilhelm Hegel hat, als er dies hörte, gehöhnt, dann müsse sein Hund das frömmste Wesen auf Erden sein; denn der fühle sich von ihm schlechthin abhängig. Lässt man den Spott beiseite, dann kann man beide Äußerungen durchaus zum Verständnis von Religion heranziehen. Dass der fromme Mensch jeglicher Religion sich schlechthin, sich ganz und gar abhängig weiß von einem unendlichen Wesen, heißt ja nicht, dass er außerstande sei, als Mensch unter Menschen selbstständig zu handeln – im Gegenteil. Aber wenn es um die Fragen geht, was ihn zum Menschen macht und wie sich das Geschöpf zum Schöpfer verhält (und das schließt dann letztlich alle Geschöpfe in die Überlegung ein, nicht nur die Menschen) – dann stellt sich eben für den religiösen Menschen jenes »Bewusstsein schlechthinniger Abhängigkeit« ein. Denn das Gefälle zwischen Schöpfer und Geschöpf lässt sich nicht umkehren. Und weshalb soll dann das Bild eines Hundes, der so ergeben an seinem Herrn (oder seinem Frauchen) hängt, nicht eine gewisse, wenn auch noch unvollständige Vorahnung des Gemeinten geben?

Apropos Hund: Der Reformator Martin Luther, so wird aus seinen Tischgesprächen überliefert, habe dem seinen einmal über den Rücken gestreichelt und ihm versprochen, er wolle ihm im Himmel »ein silbern Haut und ein gülden Schwänzlein« verschaffen – ein anrührendes Bild des Zusammenhalts zwischen den Geschöpfen im Bewusstsein ihrer gemeinsamen schlechthinnigen Abhängigkeit von Gott.

Mehr wissen …

Erfolgreiche Eroberer des Landes: Reptilien

Wer kennt sie inzwischen nicht, die alles beherrschenden Dinosaurier, die doch nur einen Bruchteil dessen ausmachen, was einmal an Reptilien (Kriechtieren) auf der Erde gelebt hat oder heute noch weltweit vertreten ist?

Entwicklung:

Aus den Vorfahren der heutigen Amphibien sind vor etwa 300 Mio. Jahren die Vorläufer der Reptilien entstanden. Neben einigen Besonderheiten im Knochenbau unterscheiden sich moderne Reptilien von Amphibien besonders durch solche Anpassungen, die ihnen die Eroberung des Landes ermöglichten. Dazu gehören die Verlagerung der Atmung in das Körperinnere (Lungen- statt Hautatmung wie bei Amphibien), die drüsenlose Haut mit Hornschuppen oder der konzentrierte Harn – also alles Anpassungen, um unnötige Wasserverluste zu vermeiden. Eine der wichtigsten Neuerungen aber war die »Erfindung« des hartschaligen Eies, in dessen Inneren sich der Nachwuchs wie in einem kleinen Aquarium unabhängig vom Wasser entwickeln kann. All dies sind ganz wesentliche Erfolgsmerkmale, die das Mesozoikum (vor 220–65 Mio. Jahren) zu einem »Zeitalter der Kriechtiere« machte. Von den zahlreichen Urzeitformen sind bis heute allerdings nur vier Ordnungen übrig geblieben. Dazu gehören die stammesgeschichtlich alten Gruppen *Schildkröten* (mit rund 200 Arten) und *Brückenechse* (eine Art) sowie die *Krokodile* (21 Arten) und *Schuppenkriechtiere* (*Echsen* und *Schlangen* mit zusammen 5700 Arten).

Bis heute wissen wir nicht, wie es zum Aussterben der Urechsen kam. Möglicherweise waren gewaltige Vulkanausbrüche oder Meteoriteneinschläge dafür verantwortlich. Sie veränderten weltweit das Klima und damit auch die Lebensbedingungen der Tiere. Vielleicht konnten sich die Urechsen der neuen Umwelt nicht mehr genügend anpassen und starben deshalb aus. Ihre Stelle übernahmen schließlich die Säugetiere, die schon früh aus den Wurzeln der Reptilien entstanden waren, aber Millionen Jahre lang in ihrem Schatten leben mussten.

Die Europäische Sumpfschildkröte ist in stehenden Gewässern Mitteleuropas verbreitet und zählt zu den geschützten Arten.

Verlierer der Evolution?

Denkt man nur an die ausgestorbenen Dinosaurier, so könnten die heutigen Säugetiere als die Gewinner, Reptilien aber als die Verlierer der Evolution erscheinen. Immerhin haben Säugetiere mit ihrer konstanten Körpertemperatur die Fähigkeit entwickelt, selbst in Eis und Schnee zu überleben – sind dafür aber auf eine ständige Nahrungszufuhr angewiesen. In Lebensräumen, in denen

Nahrung knapp ist, sind jedoch alle Tiere im Vorteil, die keine gleich bleibende Körperwärme erzeugen müssen und die deshalb lange Zeit ohne Nahrung auskommen können. Reptilien gehören zu diesen Tieren. Sie regulieren ihre Körpertemperatur, indem sie die Umwelt nutzen: ein Sonnenbad zum Aufwärmen, Schatten zum Kühlen. So sind Reptilien in Wüstengebieten weiterhin die vorherrschende Tiergruppe und können deshalb kaum als Verlierer der Evolution gesehen werden – es ist also immer eine Frage der jeweiligen Umwelt, ob Tiere erfolgreich sind.

Verblüffendes:

Wer schon einmal einen Gecko beobachtet hat, wie er mühelos an einer Glaswand emporläuft, wird verblüfft gewesen sein, weder Krallen noch Saugnäpfe unter seinen Füßen entdecken zu können. Des Rätsels Lösung sind Abermillionen Haare, die bei jedem Schritt an das Glas gepresst werden. Die nur 0,0005 mm breiten Haare schmiegen sich dabei so eng an die Glasoberfläche, dass Anziehungskräfte wirksam werden, wie sie sonst nur zwischen Molekülen bestehen. Diese unsichtbare Haftkraft ist so wirkungsvoll, dass ein 20 g schwerer Gecko selbst mit einer Zuladung von 150 g nicht abrutscht. Einige Echsen zeigen noch ein weiteres erstaunliches Phänomen: Sie verlieren nicht den Kopf, sondern den zerbrechlichen Schwanz, wenn es um Leben oder Tod geht. Während der Schwanz mit heftigen Zuckungen die Aufmerksamkeit des Angreifers auf sich zieht, ergreift die Echse die Gelegenheit zur Flucht. Dieses Manöver rettet ihr das Leben, hat aber auch seinen Preis, da der Schwanz nicht nur als Fettspeicher dient, sondern auch Hilfsfunktionen bei der Fortbewegung, der Tarnung oder der Paarung erfüllt. Nach einiger Zeit wächst zwar ein neuer Schwanz nach, doch die Knochen der Schwanzwirbelsäule bleiben für immer verloren.

Die meisten Echsen sind Räuber. Einige Arten fressen aber auch Pflanzen.

Bedrohte Reptilien:

Sehr viele Reptilienarten sind heute durch den Einfluss des Menschen vom Aussterben bedroht. Sie wurden deshalb weltweit unter Schutz gestellt. Die Einhaltung dieser Maßnahme ist jedoch kaum zu kontrollieren. Sie kann weder die Meeresschildkröten retten, die sich neben Thunfisch und Lachs in den kilometerlangen Treibnetzen verfangen und jämmerlich ertrinken, noch die zahllosen Krokodile, Schlangen und Echsen, die zur privaten Haltung gefangen und zum Verkauf angeboten werden. Hier kann jeder Einzelne zur Rettung dieser Tiere beitragen, indem er – wenn überhaupt – Schlangen und Echsen nur aus Nachzuchten erwirbt.

Requiem [das], in der katholischen Kirche eine Totenmesse. Sie erhielt ihren Namen nach dem Anfang des lateinischen Textes: »Requiem aeternam dona eis, Domine« (»Herr, gib ihnen die ewige Ruhe«).

Reservat [das], *Reservation,* den Indianern Nordamerikas und Kanadas nach ihrer Vertreibung zugewiesenes Jagd- und Wohngebiet. *Tierreservate* sind Schutzgebiete für wild lebende Tiere.

Reserve [die], **1.** Vorrat, Rücklage. **2.** die ausgebildeten Wehrpflichtigen beim Militär, die schon entlassen sind und nur im Kriegsfall eingezogen werden. Sie werden *Reservisten* genannt.

resignieren, die Hoffnung aufgeben, sich mit etwas abfinden.

Resistenz [die], **1.** Auflehnung, Widerstand. **2.** Widerstandsfähigkeit gegen Krankheiten.

Resolution [die], Entschließung, schriftliche Willenserklärung einer Personengruppe.

Resonanz [die], das Mitschwingen eines schwingungsfähigen Körpers (z. B. des Bodens der Geige), wenn die Frequenz des Erregers mit der Eigenfrequenz des Körpers übereinstimmt. Im übertragenen Sinn bezeichnet man auch die Reaktion, das Echo auf einen Beitrag (Vortrag, Buch, Fernsehsendung, Aufruf oder Ähnliches) als Resonanz.

Resozialisierung [die], Wiedereingliederung, Maßnahmen, den Menschen wieder die Teilnahme am alltäglichen Leben zu ermöglichen, beispielsweise die Beschaffung von Wohnungen und Arbeitsplätzen. Von Resozialisierung spricht man besonders bei Strafgefangenen.

Ressentiment [re'sãti'mã, das, franz.], Vorbehalt, nicht vergessener Groll, Vergeltungswunsch.

Ressort [rə'soːr, das, franz.], Aufgabenbereich, Amtsbereich.

Restauration [die], die Wiederherstellung früherer politischer oder gesellschaftlicher Ordnungen.

Restaurierung [die], die Instandsetzung, Wiederherstellung besonders von alten, oft zerstörten Bauwerken, Gemälden u. Ä. Dabei versuchen *Restauratoren* den ursprünglichen Zustand möglichst genau wiederherzustellen.

Retorte [die], ein zur Destillation von Flüssigkeiten verwendetes birnenförmiges Gefäß mit abgeknicktem röhrenförmigem Ansatz.

Retortenbaby [das], ein durch künstliche Befruchtung außerhalb des Körpers der Mutter gezeugtes, aber auf natürlichem Wege geborenes Kind. Bei diesem Verfahren werden reife Eizellen im Labor mit männlichen Samenzellen zusammengebracht. Der Embryo wird dann in die Gebärmutterhöhle der Frau eingeführt.

Rettungsschwimmen [das], zusammenfassende Bezeichnung für alle Handlungen, die dem Retten Ertrinkender dienen. Die Ausbildung von Rettungsschwimmern erfolgt durch die *Deutsche Lebens-Rettungs-Gesellschaft (DLRG).*

Retusche [die], in der Fotografie die Nachbearbeitung von Negativen oder Positiven zur Beseitigung von Fehlern oder Ungenauigkeiten. Ausführende sind die *Retuscheure.*

Reuse [die], ein Fischfanggerät aus Netzwerk oder Drahtgeflecht, in das die Fische zwar hineinschwimmen, das sie aber nicht mehr verlassen können. Mit der Reuse werden u. a. Aale, Garnelen, Hummer und Thunfische gefangen.

Revanche [rə'vãʃ, die], **1.** Vergeltung, Rache. **2.** im Sport: Rückspiel.

Revier [das], allgemein ein Gebiet, Bezirk. In der Biologie ist es der Raum, der einem oder mehreren Tieren »gehört« und den sie gegen Eindringlinge verteidigen. Das Revier wird oft durch Kot, Harn oder Drüsenabsonderungen markiert.

Revolution [die], schnelle Veränderung von Bestehendem, im Gegensatz zur *Evolution.* Der Begriff steht besonders für die Veränderung einer ganzen Staatsordnung in politischer, wirtschaftlicher und kultureller Hinsicht (z. B. Französische Revolution 1789–1799 oder die Oktoberrevolution in Russland 1917), die nicht immer gewaltsam verlaufen muss. Siehe auch ZEIT-Beitrag → »Revolution: Wenn nichts bleibt, wie es ist«, Seite 108–111.

Revolver [der], eine Faustfeuerwaffe mit mehrschüssigem, drehbarem Trommelmagazin, das jeweils 5 bis 12 Patronen fasst.

Reykjavík ['rɛikjaviːk], Hauptstadt und Haupthafen von Island, an der Südwestküste der Insel, 114 000 Einwohner.

Rezension [die], die kritische Besprechung einer Veröffentlichung (z. B. Buch, Schallplatte) oder Darbietung (z. B. Konzert, Film) in Presse oder Funk. Die Verfasser einer Rezension heißen *Rezensenten.*

Rezept [das], **1.** allgemein eine Zubereitungsvorschrift, z. B. beim Kochen. **2.** Anweisung von Ärzten an Apotheker, eine Arznei auszuliefern.

Rezession [die], Nachlassen der Wachstumsrate in einer Volkswirtschaft.

reziproke Zahlen, Paar von Zahlen, deren Produkt gleich 1 ist, z. B. $^3/_4$ und $^4/_3$.

Reykjavík: Die Kirche Hallgrímskirkja, 1945–1986 erbaut, ist das Wahrzeichen der isländischen Hauptstadt. Der Architekt Gudhjón Samúelsson schuf das neogotische Bauwerk nach dem Vorbild mittelalterlicher Kirchenbaukunst.

Rezitativ [das], der Sprechgesang in Oper, Oratorium und Kantate.

rezitieren, Dichtungen kunstvoll vortragen.

Rhein [der], der größte deutsche Fluss, 1320 km lang. Er entspringt als *Vorderrhein* und *Hinterrhein* in den schweizerischen Alpen und mündet bei Bregenz in den Bodensee, den er als *Seerhein* bei Stein wieder verlässt. Bei Schaffhausen stürzt er über den 24 m hohen und 150 m breiten Rheinfall und tritt dann bei Basel als *Oberrhein* in die Oberrheinische Tiefebene. Bei Bingen wird er zum *Mittelrhein,* der das von vielen Burgen und Weinbergen gesäumte Durchbruchstal, das Rheinische Schiefergebirge, durchströmt. Ab Bonn fließt der *Niederrhein* durch das norddeutsche Flachland und strebt den Niederlanden zu. Dort teilt er sich in zahlreiche Arme eines großen Deltas, in das auch die Maas fließt, und mündet in die Nordsee. Der Rhein gehört zu den bedeutendsten Schifffahrtsstraßen der Erde. Er ist durch viele Kanäle mit dem Binnenland (Ruhrgebiet, Industriegebiet in Lothringen u. a.), aber auch mit der Donau (Rhein-Main-Donau-Kanal) verbunden, und stellt somit eine Verbindung zwischen dem Atlantik und dem Schwarzen Meer dar. Durch die starke Nutzung als Schifffahrtsstraße und eine hohe Zufuhr an Industrieabwässern war die Wasserqualität des Flusses erheblich gesunken und das ökologische Gleichgewicht gestört. Seit Ende der 1990er Jahre ist die Gewässerbelastung durch zusätzliche Filteranlagen und höhere gesetzliche Auflagen bei der Abwassereinleitung deutlich verringert und der Sauerstoffgehalt in allen Flussabschnitten zufriedenstellend, so dass nahezu alle 47 früher im Rhein heimischen Fischarten wieder vorkommen.

Rheinisches Schiefergebirge, ein deutsches Mittelgebirge mit ausgedehnten Hochflächen zu beiden Seiten des steil eingeschnittenen Rheintals. Es besteht aus dem linksrheinischen Teil mit Ardennen, Eifel und Hunsrück sowie einem rechtsrheinischen Teil mit Süderbergland (Sauerland), Westerwald und Taunus.

14. Juli 1789: Pariser Bürger stürmen das Bastille-Gefängnis – ein Schlüsselmoment der Französischen Revolution

Revolution

Wenn nichts bleibt, wie es ist

Von Volker Ullrich

Der 14. Juli 1789 war für den französischen König Ludwig XVI. ein anstrengender Tag. Das gewohnte Jagdvergnügen war ausgefallen; Staatsgeschäfte hatten ihn im Schloss von Versailles bei Paris in Anspruch genommen. Am Nachmittag hatte er zudem zwei Abordnungen der Nationalversammlung empfangen müssen, die nur wenige Hundert Meter entfernt im Ballhaus tagte. Sie verlangten von ihm den Rückzug der um Paris zusammengezogenen Truppen – denn das Land war im Aufruhr! Als sich der erschöpfte Monarch endlich zu Bett begeben hatte, betrat der oberste königliche Kammerherr, der Herzog von La Rochefoucauld-Liancourt, das Schlafgemach und berichtete, dass das Volk von Paris die Bastille, das berüchtigte Staatsgefängnis, gestürmt hatte. »Aber das ist eine Revolte«, empörte sich Ludwig XVI. »Nein, Sire, das ist eine Revolution«, entgegnete der Kammerherr.

»Sire, das ist eine Revolution!«

Es gibt kaum ein Geschichtsbuch, das diesen Wortwechsel nicht schildert – obwohl es keinen sicheren Beleg dafür gibt, dass er tatsächlich stattgefunden hat. Aber die Anekdote passt einfach zu gut, weil sie den Umbruch von 1789 so anschaulich macht. Und der war eben mehr als eine Revolte (ein kurzes Aufbegehren): Er war eine Revolution, eine grundlegende Umwälzung.

Dabei hatte das lateinische Wort *revolutio* (von *revolvere* = zurückrollen, zurückwälzen), von dem sich der Begriff Revolution ableitet, ursprünglich eine ganz andere Bedeutung. Man kann dies zum Beispiel am Titel von Kopernikus' berühmtem Werk *De revolutionibus orbium caelestum* (»Über die Kreisbewegungen der Himmelskörper«) von 1543 ablesen. Hier beschrieb das Wort eine Bewegung, die zum Ausgangspunkt zurückführt, aber noch nicht in Neues mündet.

Nicht aus heiterem Himmel

Ebendies aber macht den Kern des modernen Revolutionsbegriffs aus, wie er sich seit der Französischen Revolution ausgebildet hat. »Revolution« steht seitdem für eine Veränderung, die auf Neues, Zukünftiges zielt. In ihrem Verlauf werden politische und soziale Verhältnisse umgewälzt, Verfassungen und Institutionen umgeformt, traditionelle Werte und Lebensweisen durch neue ersetzt. Dieser Prozess kann sich in gewaltsamen Umbrüchen vollziehen wie in der Französischen Revolution von 1789 und in der Russischen Revolution von 1917 – oder auch als ein unblutiger, langfristiger Wandel wie in der Industriellen Revolution des 19. Jahrhunderts. Als Gegenbegriff bürgerte sich seit 1789 »Evolution« ein. Er meint keine gewaltsame Veränderung, keinen radikalen Wandel, sondern einen Prozess, der sich schrittweise durch Reformen vollzieht. »Mein Wahlspruch bleibt fortgehende, natürliche, vernünftige Evolution der Dinge; keine Revolution. Durch jene (die Evolution) … kommt man dieser (der Revolution) am sichersten zuvor«, schrieb der deutsche Schriftsteller und Philosoph Johann Gottfried Herder 1792.

Revolutionen kommen niemals aus heiterem Himmel, sondern haben immer eine Vorgeschichte. Zumeist ist es die Unfähigkeit der Herrschenden, rechtzeitig das politische und gesellschaftliche System zu erneuern. Im Frankreich des 18. Jahrhunderts zeigte sich diese Reformunfähigkeit am deutlichsten in der Finanzpolitik.

Das Land war hoch verschuldet. Deshalb versuchte der König, die Steuervergünstigungen (Privilegien) von Adel und Klerus, den beiden ersten Ständen, abzubauen. Nur so ließ sich der drohende Bankrott vielleicht noch abwenden. Doch er stieß auf erbitterten Widerstand. Daher trat er die Flucht nach vorn an und berief für Anfang Mai 1789 die Generalstände ein, eine

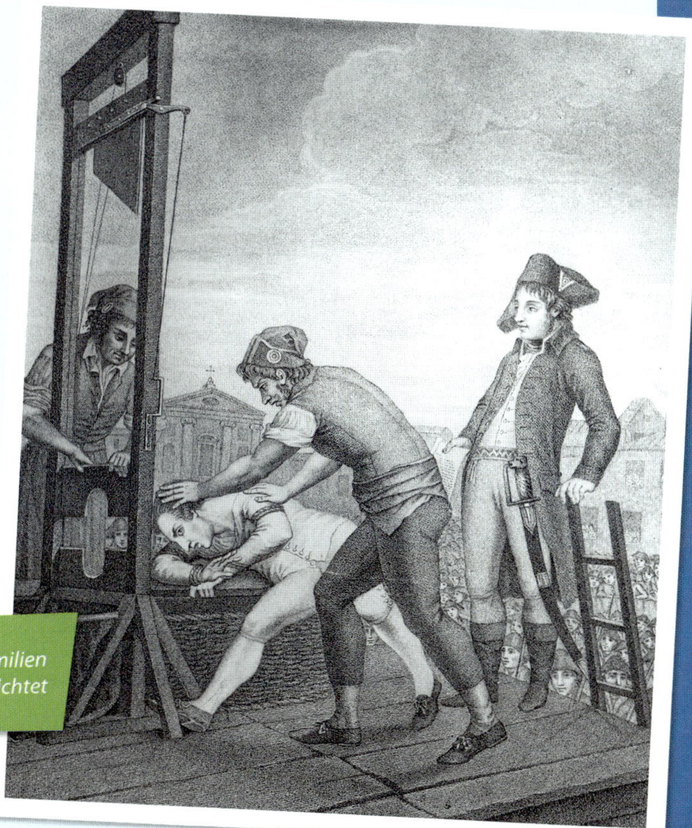

28. Juli 1794: Der radikale Revolutionsführer Maximilien de Robespierre wird öffentlich hingerichtet

Versammlung, in der nicht nur Adel und Klerus, sondern auch Bürger, Bauern und Handwerker – der dritte Stand – vertreten waren.

Eine symbolträchtige Tat

Dass alle drei Stände in einer Versammlung zusammenkamen, war ungewöhnlich; zuletzt war dies 1614 geschehen. Und schnell sollte sich zeigen, dass die Versammlung nicht so ablief, wie der König gehofft hatte. Denn in den Wahlen zu den Generalständen erhob der dritte Stand unüberhörbar seinen Anspruch auf Teilhabe an der politischen Macht. Eine solche Teilhabe war ihm bisher vorenthalten geblieben – obwohl mehr als 90 Prozent der Menschen im Land dem dritten Stand angehörte! In der berühmten Flugschrift des Abbé Sièyes vom Januar 1789 hieß es daher: »Was ist der dritte Stand? Alles. Was stellt er in der politischen Ordnung bisher dar? Nichts. Was fordert er? Etwas zu sein.«

Schon bald konnte Ludwig XVI. die Ereignisse nicht mehr kontrollieren. Er hatte gehofft, mit Hilfe der Generalstände seine Steuerpolitik durchsetzen zu können. Nun musste er feststellen, dass die Vertreter des dritten Standes sie benutzten, um die Macht der Krone einzuschränken. Und so kam es, dass sich wenig später, am 17. Juni 1789, der dritte Stand (dem sich Teile des niederen Klerus anschlossen) zur Nationalversammlung erklärte und sich vier Tage später im sogenannten Ballhausschwur verpflichtete, nicht auseinanderzugehen, bis eine Verfassung ausgearbeitet worden sei – der Anfang vom Ende der absoluten Monarchie in Frankreich.

Die Französische Revolution wurde schon von den Zeitgenossen wie etwa dem deutschen Dichter Friedrich Schlegel als »ein Urbild der Revolutionen« begriffen. Und tatsächlich zeigen sich in ihren Ursachen und ihrem Verlauf die typischen Muster revolutionärer Umwälzungen: Die alte Ordnung und deren Repräsentanten verlieren an Ansehen und Autorität. Bislang benachteiligte Gruppen und Schichten melden ihren Anspruch auf Mitbestimmung an. Intellektuelle machen sich zu Sprechern der Missstimmung. Die Regierung trägt den Protesten nicht ausreichend Rechnung, sondern macht halbherzige Zugeständnisse und versucht gleichzeitig, die Unzufriedenheit zu unterdrücken. Schließlich entsteht eine explosive Situation, die sich in einer symbolträchtigen Tat entlädt – wie am 14. Juli 1789 mit dem Sturm auf die Bastille. Erst das Eingreifen des Volkes von Paris sicherte das Werk der Nationalversammlung vor den gegenrevolutionären Bestrebungen am königlichen Hofe. Deshalb ist dieser 14. Juli auch das entscheidende Datum und für die Franzosen der wichtigste Nationalfeiertag.

Revolutionen durchlaufen mehrere Phasen, wobei es zu erbitterten Kämpfen um Machtpositionen und zu einer Radikalisierung der Bewegung kommt. So war es auch in Frankreich: Die erste, gemäßigte Phase wurde bestimmt durch die Nationalversammlung in Versailles. Mit ihren Beschlüssen in der Nacht vom 4. auf den 5. August 1789 hob sie die feudalen Vorrechte auf dem Lande auf und zerstörte damit die Grundlagen der alten Ständeordnung. Von bleibender Bedeutung war vor allem die »Erklärung der Menschen- und Bürgerrechte« vom 26. August 1789, in der die liberalen Grundrechte verankert wurden. Sie bildete auch die Grundlage der Verfassung vom 3. September 1791, durch die Frankreich zur konstitutionellen Monarchie wurde – den König also behielt, aber weitgehend entmachtete.

Mai 1848: In der Paulskirche zu Frankfurt tagt das erste frei gewählte deutsche Parlament – ein revolutionärer Akt

Eine zweite, radikale Phase führte vom Sturz der Monarchie und der Ausrufung der Republik im August/September 1792 bis zum Ende der Jakobinerherrschaft Ende Juli 1794. Diese Phase war gekennzeichnet durch die sich verschärfenden Gegensätze im Lager der Revolutionäre – auf der einen Seite die sogenannten Girondisten, die Vertreter des liberalen Bürgertums, auf der anderen die sogenannten Jakobiner, die sich auf die »kleinen Leute« vor allem in der Hauptstadt Paris stützten. Im Sommer 1793 schließlich übernahmen die Jakobiner die Macht. Unter Maximilien de Robespierre entwickelte sich die Jakobinerherrschaft zu einer Art Diktatur.

Die Schrecken der Guillotine

Zum Instrument des Terrors wurde die Guillotine, das Fallbeil. Auch Ludwig XVI. wurde öffentlich geköpft. Doch fielen ihr nicht nur Tausende von wirklichen oder nur vermeintlichen Revolutionsgegnern zum Opfer, sondern auch Weggefährten Robespierres wie George Danton – und am Ende Robespierre selbst. »Die Revolution frißt ihre eigenen Kinder« – dieses Wort aus dem Jahr 1793, das der deutsche Dichter Georg Büchner in seinem Drama *Dantons Tod* (1835) wieder aufgenommen hat, drückt eine zentrale Erfahrung aus.

So wohnt allen Revolutionen eine Widersprüchlichkeit inne: Sie sind einerseits, wie Karl Marx gesagt hat, die »Lokomotiven der Geschichte«. Ohne die großen Revolutionen – von der Glorious Revolution in England 1688 über die Amerikanische Revolution von 1775/1783 und die Französische Revolution von 1789/1794 bis zum europäischen »Völkerfrühling« von 1848/1849 – gäbe es keine Demokratie, keine universal gültigen Menschenrechte. Doch über die Gewinne dürfen die Verluste und Opfer nicht vergessen werden.

Rheinland-Pfalz, ein Bundesland im Südwesten Deutschlands. Im Norden erhebt sich rechts des Rheins der Westerwald, links die Eifel. Südlich der Mosel ziehen sich zwischen Saar und Rhein die Höhenzüge des Hunsrück hin. Jenseits der Nahe erhebt sich das Pfälzer Bergland, an das sich der Pfälzer Wald anschließt. Kulturelle und wirtschaftliche Schwerpunkte sind die alten Römerstädte Koblenz, Trier, Mainz und Worms sowie die Städte Ludwigshafen (chemische Industrie) und Kaiserslautern. Rheinland-Pfalz ist die wichtigste Weinbauregion Deutschlands. Hauptstadt ist *Mainz.* Das Bundesland ist 19 847,39 km² groß und hat 4 Mio. Einwohner. – Rheinland-Pfalz wurde 1946 aus den ehemaligen bayerischen, hessischen und preußischen Landesteilen gebildet und wurde 1947 Bundesland.

Rheinland-Pfalz: Entlang der Mosel befinden sich viele Weinberge.

Rhein-Main-Donau-Kanal [der] → Rhein.

Rhesusfaktor [der], Abkürzung Rh-Faktor, ein erbliches Merkmal der roten Blutkörperchen. 85% aller Menschen haben dieses Merkmal, sie sind folglich Rh-positiv; 15% sind Rh-negativ. Der Rhesusfaktor ist besonders bei Bluttransfusionen wichtig, weil bei dem Zusammentreffen unterschiedlicher Faktoren schwere gesundheitliche Störungen auftreten können. Der Rhesusfaktor wurde 1940 im Blut von Rhesusaffen entdeckt.

Rhetorik [die], *Redekunst,* die Lehre von der wirkungsvollen Rede. Eine *rhetorische Frage* ist eine Aussage, die formal als Fragesatz erscheint, auf die man aber keine Antwort erwartet, z. B. »Wer hätte das gedacht?« statt »Niemand hätte das gedacht«.

Was ist … Rheuma

Rheuma ist der Oberbegriff für eine Vielzahl schmerzhafter Erkrankungen der Muskeln, Sehnen und Gelenke, die aber auch innere Organe, das Nervensystem, die Haut oder die Augen betreffen können. Wegen der vielen unterschiedlichen Arten spricht man allgemein von Erkrankungen des rheumatischen Formenkreises. Rheumatische Erkrankungen sind dabei nicht auf das Alter beschränkt, sondern treten in allen Altersgruppen auf, sogar schon bei Kindern und Jugendlichen, meist in Form von Gelenkentzündungen (Arthritis).

Rheuma bei Kindern: Es beginnt oft scheinbar ganz harmlos: Das Knie schwillt an, die Gelenke schmerzen, und es kommt zu Fieber. Treten bei Kindern Gelenkbeschwerden auf, sollte man das immer ernst nehmen und am besten von einem spezialisierten Arzt, einem Rheumatologen, untersuchen lassen. Oft klingen die Beschwerden nach einigen Tagen oder Wochen wieder ab, manchmal verbergen sich dahinter aber auch ernstere Erkrankungen. Es lassen sich verschiedene Formen von Gelenkentzündung unterscheiden:

Die *reaktive Arthritis* tritt nach einer Infektion mit Bakterien oder Viren auf. Eine Sonderform ist die *Borrelien-Arthritis,* die nach einem Zeckenbiss auftreten kann, durch den ebenfalls Bakterien (Borrelien) übertragen werden können. Eine Borrelieninfektion lässt sich im Blut nachweisen und mit Antibiotika behandeln. Eine reaktive Arthritis kann Tage, Wochen oder Monate dauern, hinterlässt aber keine bleibenden Schäden.

Eine *chronische Arthritis* dauert länger als 3 Monate, und sie kommt bei Kindern und Jugendlichen in verschiedenen Formen vor, bei denen unterschiedlich viele Gelenke, manchmal auch die Wirbelsäule, beteiligt sind. In manchen Fällen können gefährliche Augenentzündungen (Uveitis) hinzukommen, die, wenn sie nicht bemerkt werden, bleibende Sehschäden hinterlassen können. Deshalb sind regelmäßige Kontrollen durch den Augenarzt wichtig.

Ursachen: Die Ursachen vieler rheumatischer Erkrankungen sind nicht bekannt. In vielen Fällen nimmt man an, dass es eine ererbte Veranlagung gibt, dass aber noch äußere Faktoren hinzukommen müssen, etwa Infektionserkrankungen, Autoimmunreaktionen, bei denen das Immunsystem körpereigene Strukturen angreift, sowie psychische Faktoren (z. B. Stress).

Therapie: Wichtig ist, die Gelenkentzündungen möglichst frühzeitig und wirkungsvoll zu behandeln, um das Fortschreiten der Erkrankung aufzuhalten. Hierfür ist eine konsequente Therapie mit Medikamenten entscheidend, bei der sogenannte Antirheumatika entzündliche Prozesse im Körper bekämpfen sollen. Hinzu kommt die physikalische Therapie, wie z. B. Kälte- oder Wärmeanwendung, Massage und tägliche Krankengymnastik, damit die Beweglichkeit der Gelenke und Muskelgruppen so lange wie möglich erhalten bleibt. Die Behandlung muss meist über lange Zeit intensiv durchgeführt werden, kann aber zu einem vollständigen Rückgang der Gelenkentzündungen und der Bewegungseinschränkungen führen.

Rhinozerosse [Pl.] → Nashörner.

Rhodos, die östlichste Insel Griechenlands, vor der Südwestküste Kleinasiens. Das zentrale Bergland wird bis 1215 m hoch, die Ebenen sind fruchtbar. Hauptort der Insel ist *Rhodos.*

Rhombus [der], *Raute,* in der Mathematik Parallelogramm mit vier gleich langen Seiten.

Rhodos: An der Einfahrt zum Hafen von Mandraki stehen die Wappentiere der Insel auf Säulen.

Rhön [die], ein deutsches Mittelgebirge zwischen Thüringen, Hessen und Bayern, in der *Wasserkuppe* 950 m hoch. Die *Hohe Rhön* ist von Mooren und Weiden bedeckt, die *Kuppige Rhön* und die *Südrhön* sind stark bewaldet.

Rhône [roːn, die], der zweitlängste Fluss Frankreichs, 812 km lang. Die Rhône entspringt in den Berner Alpen und mündet in einer Deltaebene (Camargue) in das Mittelmeer.

Rhythmus [der], **1.** gleichmäßige Zeitfolge, regelmäßige Wiederkehr (z. B. von Ebbe und Flut). **2.** in der Musik der Wechsel von betonten und unbetonten Taktteilen, mit Zeitmaß und Taktart eng verbunden. **3.** in der Dichtung der Wechsel von betonten und unbetonten, von kurzen und langen Silben.

Riad, *Ar Rijad,* Hauptstadt von Saudi-Arabien, mit Vororten 4,1 Mio. Einwohner. Die Stadt besitzt 2 Universitäten und wird durch ein modernes Stadtbild geprägt. Seit 1824 ist sie Sitz des saudischen Fürstenhauses.

Richard I. Löwenherz, * 1157, † 1199; König von England (1189–1199). Er nahm am 3. Kreuzzug (1189–1192) teil und geriet auf der Rückfahrt nach England in die Gefangenschaft des Herzogs Leopold V. von Österreich, den er beleidigt hatte. Dieser lieferte ihn Heinrich VI. aus, der ihn 1194 gegen ein Lösegeld freiließ. Richard I. Löwenherz ist 1199 im Kampf gegen Frankreich gefallen.

Richelieu [riʃə'ljø], Armand Jean du Plessis, Herzog von Richelieu, * 1585, † 1642; französischer Staatsmann. 1622 wurde er Kardinal, danach leitender Minister unter König *Ludwig XIII.*, wodurch er großen politischen Einfluss bekam. Er errichtete den französischen absolutistischen Einheitsstaat und begründete Frankreichs Vormachtstellung in Europa.

Richter [Pl.], Personen mit juristischer Ausbildung, die im Namen des Staates → Recht sprechen.

Richter, Gerhard, * 1932; deutscher Maler. Er ist Vertreter einer Kunst zwischen Pop-Art und Fotorealismus. Er schafft Bilder nach fotografischen Vorlagen, die er mit verwischten Farbtönen übermalt oder neu gestaltet.

Richtfunk [der], eine drahtlose Nachrichtenübertragung mit Hilfe von Richtantennen *(Richtstrahlern).* Von den Richtstrahlern aus werden in stark gebündelter Form elektromagnetische Wellen abgestrahlt. Je nach Aufstellhöhe der Antennen, z. B. auf Fernmeldetürmen, beträgt die Reichweite 50 bis 100 km. In der Empfängerstation, die genau auf den Sender ausgerichtet ist, werden die elektromagnetischen Wellen auf eine andere Frequenz umgesetzt und an die nächste Station weitergeleitet. Mit Richtfunk werden Telefongespräche, Fernsehprogramme und Daten übertragen. Zur Überbrückung sehr großer Entfernungen werden Nachrichtensatelliten als Zwischenstation verwendet.

Riemenschneider, Tilman, * um 1460, † 1531; deutscher Bildhauer und Holzschnitzer der Gotik. Seine geschnitzten Holzaltäre, z. B. in Rothenburg ob der Tauber, enthalten ausdrucksstarke, beseelte Figuren. Aus Stein schuf er Grabmäler in Bamberg und Würzburg.

Riese, eigentlich Adam *Ries*, * 1492, † 1559; deutscher Rechenmeister. Riese verfasste die ersten deutschen Rechenbücher. Auf ihn bezieht sich die Redensart »nach Adam Riese«.

Riesen [Pl.], in den Sagen und Märchen aller Völker vorkommende Menschengestalten mit übernormaler Körpergröße und Körperkraft. Die Griechen nannten sie z. B. Giganten, Titanen und Zyklopen.

Riesengebirge [das], der höchste Gebirgszug der Sudeten, in der *Schneekoppe* 1602 m hoch. Hier befindet sich seit 1959 ein Nationalpark.

Riesenschlangen [Pl.], bis 9 m lange, ungiftige Schlangen, die ihre Beute erdrosseln und unzerkleinert verschlingen; z. B. *Python-* und *Boaschlangen.*

Riesenslalom [der], *Riesentorlauf,* alpines Skirennen, bei dem die Wettkämpfer eine durch Kontrolltore ausgeflaggte Strecke zu durchfahren haben. Riesenslalom ist eine Mischung aus Abfahrtslauf und Slalom.

Riff [das], eine felsige Erhebung im Meer, die bis dicht unter die Wasseroberfläche ragt.

Riesenslalom: Das Rennen gehört beim Ski alpin zu den Technik-Wettbewerben.

Riga: Die Altstadt gehört seit 1997 zum Weltkulturerbe.

Riga, Hauptstadt von Lettland, an der Düna, 739 000 Einwohner. Riga ist ein wichtiger Handels- und Fischereihafen. Die Stadt, die an einer Ostseebucht liegt, wurde 1201 als deutsche Stadt gegründet und war seit 1282 Mitglied der Hanse.

rigoros, unerbittlich, rücksichtslos.

Rikscha [die], ein in Ostasien verbreitetes leichtes Gefährt mit zwei Rädern zur Beförderung von Personen oder Lasten. Früher wurden die Rikschas von Menschen gezogen, heute meist von Fahrrädern oder Motorrädern.

Rilke, Rainer Maria, * 1875, † 1926; österreichischer Dichter. Sein stimmungsbetonter, zuweilen schwermütiger Stil hatte auf die Dichtung in der ersten Hälfte des 20. Jh. großen Einfluss. Zu seinen Hauptwerken gehören »Das Stundenbuch«, »Sonette an Orpheus« und »Die Aufzeichnungen des Malte Laurids Brigge«.

Rinder [Pl.], Horntiere mit plumpem Körperbau, gebogenen Hörnern und einem glatten Fell. Rinder sind Wiederkäuer. Als wilde Formen kennen wir in Europa den *Wisent,* in Nordamerika den *Bison,* in Afrika und Asien den *Büffel* und andere Wildrindarten. Die wilden Arten sind jedoch stark reduziert. Das Hausrind wurde schon vor über 8000 Jahren von Menschen gehalten und gehört heute zu den wichtigsten Nutztieren der Menschen. Das weibliche Rind heißt *Kuh,* das männliche *Stier* oder *Bulle.* Kastrierte männliche Tiere sind *Ochsen* und das junge Rind heißt *Kalb.* Die verschiedenen Rassen unterscheiden sich in Größe, Körperbau und in der Haarfarbe.

Rinderwahnsinn [der], *Bovine Spongiforme Enzephalopathie,* Abkürzung *BSE,* eine Infektionskrankheit der Rinder, die durch eine fortschreitende Zerstörung des Gehirns gekennzeichnet ist und in der Regel mit dem Tod endet. Die Krankheit ist erstmalig in Großbritannien aufgetreten. Als einen möglichen Auslöser vermutet man die Verfütterung von Tiermehl. Als Erreger des Rinderwahnsinns wurden infektiöse Eiweiße (sogenannte Prione) ausgemacht. Man geht davon aus, dass die Erreger durch den Genuss infizierten Fleisches auch auf den Menschen übergehen können, doch der Infektionsmechanismus ist bisher unbekannt. Das Auftreten einer neuen Variante der *Creutzfeld-Jacob-Krankheit* (ebenfalls eine tödliche Gehirnerkrankung) beim Menschen wird auf den BSE-Erreger zurückgeführt.

Ringelnatter [die], die häufigste ungiftige Natter Mitteleuropas, die bis 2 m lang wird. Sie ist an zwei gelblichen halbmondförmigen Flecken am Hinterkopf zu erkennen. Sie lebt in der Nähe von Gewässern und ernährt sich von Fröschen, Fischen und Molchen.

Ringelnatter: Die Schlange lebt vorzugsweise an Teichen und Bächen. Sie wird bei uns aber immer seltener und steht daher unter Naturschutz.

Ringen [das], die älteste Form des Zweikampfs ohne Waffen, der auch bei vielen Naturvölkern bekannt ist und bei dem der Gegner durch geeignete Griffe zu Boden geworfen und auf dem Rücken festgehalten werden muss. Es gibt zwei Formen des Ringens: Beim *griechisch-römischen Ringen* dürfen Griffe nur oberhalb der Hüfte angesetzt werden, beim *Freistil* reicht die Angriffsfläche vom Kopf bis zu den Beinen. In beiden Fällen sind jedoch schmerzhafte, die Gesundheit oder das Leben gefährdende Griffe untersagt. Die Ringer sind in 14 *Gewichtsklassen* (Frauen und Männer je 7) eingeteilt. Die Kampfentscheidung fällt entweder durch Schulterung eines Ringers (er muss dabei eine Sekunde auf beiden Schultern festgehalten werden) oder durch Punktwertung.

Rio de Janeiro [-ʒa'nɛiro], eine Stadt in Südbrasilien, 6,1 Mio. Einwohner (mit Vororten 15,1 Mio. Einwohner). Die Wahrzeichen der Stadt, die an einer Bucht liegt, sind der steile *Corcovado* (704 m) mit einer Christusstatue und der *Zuckerhut* (395 m). Durch den berühmten alljährlichen Karneval und die weißen Strände der *Copacabana* werden viele Touristen angezogen. Die Stadt besitzt den wichtigsten Einfuhrhafen Brasiliens.

Risiko [das], ein Wagnis, die Möglichkeit, etwas zu verlieren.

Rio de Janeiro: Im Hintergrund ist der 395 m hohe Zuckerhut zu sehen, im Vordergrund der berühmte Strand der Copacabana.

Ritter: Ritterturnier; Buchmalerei aus »Le petit Jehan de Saintré« von Antoine de La Sale; 15. Jh.

Rispe [die], eintraubiger Blütenstand, dessen Seitenachsen wieder Trauben bilden.

Ritter [der], im Mittelalter freie Krieger, die zu Pferde kämpften. Später bildeten die Ritter einen eigenen Berufsstand und waren nur ihren Lehnsherren verpflichtet. Sie kämpften in eisernen Rüstungen und erhielten ihre Ausbildung als *Knappen* auf den Ritterburgen. Danach wurden sie symbolisch mit der *Schwertleite* oder dem *Ritterschlag* in den Ritterstand aufgenommen. Sie durften ein eigenes Wappen führen. Die ritterlichen Tugenden waren Treue und Tapferkeit. Während der Kreuzzüge wurden viele Ritter zu Mönchen und gründeten Ritterorden. Mit der Erfindung der Feuerwaffen im Spätmittelalter verloren die Ritter ihre Bedeutung, viele verarmten und wurden Raubritter.

Rittersporn [der], Gattung der Hahnenfußgewächse. Die meist hohen Stauden tragen gespornte, blaue, rosafarbene oder weiße Blüten.

Ritus [der], allgemein ein religiöser Brauch, eine kultische Handlung, in den christlichen Kirchen Formen und Gebräuche des Gottesdienstes.

Rivalen [Pl.], Gegner, Gegenspieler, Widersacher.

Riviera [die], ein schmaler Küstenstreifen des Mittelmeeres zwischen Toulon (Frankreich) und La Spèzia (Italien). Sie gliedert sich in die *französische Riviera* (Côte d'Azur) zwischen Toulon und Ventimiglia und in die *italienische Riviera* westlich von Genua. Beide Teile sind mit ihrem milden Klima und der subtropischen Vegetation beliebte Urlaubsgebiete.

Robben [Pl.], räuberische Meeressäuger mit spindelförmigem Körper und mit dicker Speckschicht unter der Haut. Sie sind unbeholfen an Land, aber vorzügliche Schwimmer und Taucher. Ihre Gliedmaßen sind zu Flossen umgewandelt. Die Ohröffnungen und Nasenlöcher sind verschließbar. Robben sind in allen Weltmeeren anzutreffen, besonders in den Polarzonen, und halten sich mit Vorliebe in Küstengewässern auf, unternehmen aber auch Wanderungen in die Hochsee. Sie sind vor allem zur Paarungszeit sehr gesellig. Zu den Robben gehören *Seebären, Seelöwen, Walrosse, Seehunde* und *See-Elefanten.*

Robben bewohnen die Küsten aller Meere, vorzugsweise in kalten Gebieten. Vor allem zur Paarungszeit leben die Tiere in großen Kolonien.

Robespierre [rɔbs'pjɛːr], Maximilien de, * 1758, † 1794; französischer Revolutionär. Er war der Führer der Jakobiner während der *Französischen Revolution.* In dieser Zeit, die als Schreckensherrschaft bezeichnet wird, herrschte Robespierre als unbeschränkter Diktator und ließ viele Menschen hinrichten, darunter auch frühere Freunde wie Danton. Ende Juli 1794 wurde er durch eigene Parteigänger gestürzt und fand unter der Guillotine den Tod.

Robin Hood ['rɔbin 'hud], der Held in vielen englischen Volksballaden im späten Mittelalter. Er lebte in Sherwood Forest bei Nottingham und beraubte mit seinen Freunden die Reichen, um ihre Beute an die Armen zu verteilen. Sein größter Gegner war der Sheriff von Nottingham, der ihn jedoch nie fangen konnte. Vermutlich hat Robin Hood nicht wirklich gelebt und ist eine Erfindung der Volkssage.

Robinson Crusoe ['rɔbinsn 'kruːsɔu], der Titelheld eines Romans von D. *Defoe.* Als Schiffbrüchiger strandet er auf einer einsamen Insel und durchlebt dort die Stufen der Kulturentwicklung der Menschheit.

Roboter [der], eine stationäre oder mobile Maschine, die aufgrund ihrer Programmierung und der Auswertung von Sensorsignalen in der Lage ist, bestimmte Aufgaben automatisch auszuführen. Dem Aussehen des Menschen nachgebildete Roboter kamen im 18. Jh. auf. Damals wurden sie von Uhrwerken getrieben und dienten zu Schaustellungszwecken. Heute gibt es in fast allen größeren Betrieben Industrieroboter, d.h. elektronisch gesteuerte Arbeitsgeräte, die mit Greifarmen, Werkzeugen sowie Sensoren für Tast- und Sehfunktionen ausgestattet sind. Sie ersetzen z. B. in der Autoindustrie, wo sie u. a. zum Schweißen der Metallteile und zum Lackieren eingesetzt werden, viele menschliche Arbeitskräfte. Sie werden auch in Bereichen eingesetzt, die für den Menschen gefährlich sind und die große Genauigkeit erfordern, z. B. bei radioaktiven Prozessen.

Rochen [Pl.], Meeresfische mit einem abgeflachten Körper in rhombischer Form und einem langen, deutlich abgesetzten Schwanz. Rochen sind Raubfische, die vorwiegend am Meeresboden leben. Bekannte Arten sind der *Zitterrochen,* der seine Beute mit elektrischen Schlägen betäubt, und der *Stachelrochen,* der einen Giftstachel am Schwanz hat.

Rockmusik, *Rock*, eine in den 1950er Jahren im anglo-amerikanischen Raum entstandene und inzwischen weltweit verbreitete populäre Musikart. Die Abgrenzung zur *Popmusik* ist oft unklar. Aufgrund ihrer Fähigkeit, Einflüsse anderer Musikstile (z. B. Jazz, Folklore oder klassische Musik) aufzunehmen und zu verarbeiten, ist die Rockmusik bis heute eine äußerst wandelbare und vielfältige musikalische Ausdrucksform. Ihre Wurzeln liegen in den Spirituals, Gospel- und Bluesgesängen der afroamerikanischen Sklaven sowie im Rhythm & Blues und im Jazz. Rockmusik wird vorwiegend von kleineren Bands gespielt (Gesang, elektrische Gitarre, elektrischer Bass, Schlagzeug, manchmal auch Blasinstrumente, Tasteninstrumente und seit den 1970er Jahren Synthesizer). Sie versteht sich überwiegend als Ausdruck einer jugendlichen Protesthaltung.

Rock'n'Roll ['rɔkn'rɔul], eine Musikart, die in den 1950er Jahren in den USA entstanden ist und als Ursprung der →Rockmusik gilt. Die Musik wird als wild und aufrührerisch bezeichnet, da sie durch die Aufnahme des *Rhythm & Blues* einen pulsierenden Rhythmus bekommt. Hauptvertreter des Rock'n'Roll, dessen Phase bis 1962 andauerte, waren Bill *Haley*, Elvis *Presley*, Buddy *Holly*, Chuck *Berry* sowie Little *Richard*.

Rocky Mountains: In den kanadischen Rocky Mountains erstreckt sich der Banff Nationalpark mit dem Moraine Lake, einem beliebten Wanderziel.

Rocky Mountains ['rɔki 'mauntinz], *Rockies,* der östliche Teil der nordamerikanischen Kordilleren. Sie sind rund 4300 km lang und reichen von Alaska bis in den Süden der USA. Der höchste Berg ist der 4402 m hohe *Mount Elbert.*

Rodeln [das], eine Sportart, die mit dem *Rodel* ausgeübt wird. Der Rodel ist ein meist aus Kunststoff oder Holz gebautes Wintersportgerät mit zwei Kufen und einer Sitzmatte bzw. -schale. Rennrodel gibt es als Einsitzer und Zweisitzer. Die Rodelbahnen sind 1000 bis 1500 m lang und haben mehrere Kurven.

Rodeln: Um dem Wind möglichst wenig Widerstand zu bieten, pressen Rodler die Arme an den Körper und strecken die Füße.

Rodin [rɔ'dɛ̃], Auguste, * 1840, † 1917; französischer Bildhauer des *Impressionismus.* Er gestaltete seine Plastiken nach dem Eindruck, den er von der augenblicklichen äußeren Bewegung und der gleichzeitigen inneren Bewegtheit eines Menschen gewonnen hatte. Die Oberflächen seiner Skulpturen bearbeitete er so, dass sich darauf ein lebendiges Spiel zwischen Licht und Schatten ergibt. Bekannte Werke sind u. a. »Bürger von Calais«, »Der Denker«, »Der Kuss« und »Balzac«.

Rogen [der], die Eier von Fischen. Der Rogen des Störs ist als *Kaviar* bekannt.

Roggen [der], ein einheimisches Getreide, das von Nordeuropa bis zu den Alpen angebaut wird. Die Roggenähren sind lang und schmal und haben Grannen. Aus den Körnern wird Brot und Viehfutter bereitet.

Rohstoffe [Pl.], völlig unbearbeitete Stoffe, wie sie in der Natur vorkommen, z. B. Kohle, Gestein, Wolle, Baumwolle. Heute bezeichnet man auch die Ausgangsstoffe für den Bearbeitungsprozess (z. B. Stahl) als Rohstoffe.

Rokoko [das], eine aus dem Barock hervorgegangene Stilrichtung in der Kunst zwischen 1720 und 1775. Das Rokoko überwand die barocke Schwere und Wuchtigkeit. Es wirkte sich vor allem in der Innenarchitektur, bei der Porzellanplastik und im Kunstgewerbe aus, wo die Formen anmutig und die Farben zart waren. Besonders häufig wurde die Form der Muschel verwendet (französisch »rocaille«), die dem Stil ihren Namen gab. Die Räume spätbarocker Gebäude wurden häufig im Rokokostil ausgeschmückt, so in der Wieskirche bei Steingaden (Oberbayern) und in der Würzburger Residenz.

Roland, eigentlich Hruodlandus, † 778; Markgraf der Bretagne. In der Sage ist Roland ein Gefolgsmann Karls des Großen, der in Spanien im Kampf gegen die Basken umkam. Da er große Heldentaten vollbracht haben soll, wurde er in mehreren Dichtungen (»Rolandslied«) des Mittelalters verherrlicht. In vielen deutschen Städten stehen Rolandsäulen, die einen überlebensgroßen Ritter mit Schild und Schwert (z. B. in Bremen) zeigen. Sie sind das Symbol städtischer Gerichtsbarkeit und Freiheit.

Rokoko: Innenansicht der Wieskirche, die im 18. Jh. von Dominikus und Johann B. Zimmermann erbaut wurde

Rollerskates ['rəuləskɛits, Pl.], eine weiter entwickelte Form von Rollschuhen mit breiten Kunststoffrollen und beweglichen Achsen.

Rolling Stones ['rəuliŋ 'stəunz], 1962 in London gegründete britische Rockgruppe um den Sänger Mick *Jagger*. Mit ihrer Musik aus Elementen des *Rhythm & Blues* und *Rock'n'Roll* sind sie bis heute eine der erfolgreichsten Bands. In den 1960er Jahren galten sie als Symbolfiguren der rebellischen Jugendkultur.

Rom, Hauptstadt Italiens, am Tiber, 2,5 Mio. Einwohner. Rom ist Sitz der Regierung, des Papstes (→ Vatikanstadt) sowie kulturelles Zentrum Italiens. – Nach der Sage wurde Rom 753 v. Chr. von *Romulus* gegründet. Ausgrabungen belegen jedoch eine Vergangenheit, die bis ins 10. Jh. v. Chr. zurückgeht. In ihrer Geschichte wurde die Stadt, die auf 7 Hügeln erbaut wurde, Hauptstadt des → Römischen Reichs und war eng mit der Geschichte des Frankenreichs und dem Heiligen Römischen Reich Deutscher Nation verbunden. Aus dieser langen Geschichte sind viele Baudenkmäler erhalten.

ROM [das], Abkürzung für englisch **r**ead **o**nly **m**emory, ein Speichermedium in der Computertechnik, von dem die Daten nur zu lesen sind, aber nicht verändert und neu abgespeichert werden können. So können die auf einer *CD-ROM* gespeicherten Daten mit Hilfe eines *CD-ROM-Laufwerkes* gelesen, aber nicht überschrieben werden. Auch → Compact Disc.

Roma [Pl.], Selbstbezeichnung meist osteuropäischer, in Sippen herumziehender Nomaden, die in Deutschland oft als → Zigeuner bezeichnet werden. Die Roma stammen aus Nordindien und wanderten im 14./15. Jh. nach Europa. Sie waren oft Opfer von Rassenverfolgungen, besonders während des Nationalsozialismus.

Roman [der], eine umfangreiche Erzählung in Prosaform. Die ausführliche Darstellungsweise – in der

Regel wird über einen längeren Zeitraum das Schicksal eines Menschen, einer Familie oder irgendein Geschehen erzählt – ist ein wesentliches Merkmal des Romans. Es gibt besondere Formen des Romans wie z. B. den *Briefroman* oder den *Tagebuchroman*. Nach dem Inhalt unterscheidet man z. B. Abenteuer-, Entwicklungs-, Familien-, Gesellschafts-, Heimat- und Kriminalromane. Der Roman ist aus dem Epos entstanden und nimmt heute den größten Teil der Literatur ein.

Was war die … Romanik

Die Romanik ist ein im Frühmittelalter in Europa verbreiteter Kunststil. Er entwickelte sich von etwa 1000 bis 1250 unter römischen, byzantinischen und germanischen Einflüssen. Zentren der romanischen Kunst waren Frankreich, Italien (Lombardei) und Deutschland. Der Stilbegriff »Romanik« wurde erst 1820 von einem französischen Kunstwissenschaftler geprägt.

Baukunst: Die bestimmende Kunstform der Epoche war die Architektur und hier vor allem der Kirchenbau. Romanische Bauwerke zeichnen sich durch eine wuchtige, kompakte Struktur mit rundbögigen Portalen und Fenstern, gedrungenen Türmen (Betonung der Waagerechten) sowie Arkaden aus. Besonders die Bögen und Felder über den Kirchentüren sind mit figürlichen Darstellungen versehen, die Szenen aus der Heilsgeschichte zeigen. Die Figuren sind in ihrer Darstellung vereinfacht, ihre Gebärden sind zurückgenommen, sie zeigen einen feierlichen Gesichtsausdruck und schlichte Kleidung mit geradlinigem Faltenwurf. Bedeutende Kirchenbauten der Epoche sind in Deutschland St. Michael in Hildesheim und die »Kaiserdome« in Mainz, Worms und Speyer. Die weltliche Baukunst kennt Kaiserpfalzen (Gelnhausen, Wimpfen, Goslar) und Burgen (Wartburg).

Malerei: In der romanischen Malerei waren vor allem Buchmalerei und Wandmalerei von großer Bedeutung. Ähnlich wie in der Plastik kam es auch hier nicht auf realistische Darstellung, sondern auf Symbolhaftigkeit an. Die Figuren waren flächenhaft gezeichnet, ihre Haltungen und Gebärden überwiegend streng und feierlich. Typisch waren auch die in die Länge gezogenen menschlichen Proportionen. Jesus Christus wurde noch nicht als leidender Gottessohn, sondern würdevoll und triumphierend in aufrechter Haltung dargestellt.

Romanik: Die im 12. Jh. erbaute Abteikirche St. Austremoine d'Issoire, Auvergne, Zentralfrankreich

Was war die …
Romantik

Als Romantik wird im engeren Sinn eine Epoche der deutschen Literatur von 1798 bis etwa 1830 bezeichnet. Im weiteren Sinn ist sie eine über die Dichtung hinausgreifende gesamteuropäische Bewegung, die alle Gebiete des Geisteslebens erfasste und das 19. Jh. bestimmte. Die Romantik stellte eine Gegenbewegung zur vernunftbeherrschten Aufklärung sowie zum formenstrengen Klassizismus dar. Sie strebte die Verbindung aller Künste und Wissenschaften an und forderte, dass die Poesie alle Lebensbereiche durchdringen solle. Wichtig für die Künstler der Romantik war es, persönliche Stimmungen und Empfindungen wiederzugeben und in ihren Werken die Grenzen zwischen Traum, Fantasie und Wirklichkeit aufzuheben. Sie verklärten das Mittelalter, das für sie ein harmonisches, ideales Zeitalter darstellte. Volkstümliches, Religion und Mystik wurden ebenfalls zum Kennzeichen aller romantischen Künste.

Die Romantik strebte eine Poetisierung aller Lebensbereiche an (Universalpoesie); das so entstehende »romantische Dasein« (Symbol: die blaue Blume) galt als Gegenentwurf zur bürgerlich-ökonomischen Welt. Damit einher ging die Idealisierung der Epoche des Mittelalters, das man als »Goldenes Zeitalter« ansah, welches es zurückzuerobern galt. Dies führte zur Wiederentdeckung der mittelhochdeutschen Literatur (Tieck), zum Aufblühen der Sagen- und Mythenforschung (J. und W. Grimm) und zur Beschäftigung mit der Volkspoesie (J. G. von Herder). In der Romantik fand ferner die Entdeckung des Unbewussten statt. Der Traum wurde als Erinnerung an den Urzustand des Menschen interpretiert, die Traumbilder folglich mit den märchen- und mythenhaften Bildern der Poesie gleichgesetzt. Ähnlich wie im Sturm und Drang trat das geniale, schöpferische Individuum in den Vordergrund, das in seinen Werken die Grenzen zwischen Traum, Fanatsie und Wirklichkeit aufhob.

Europäische Romantik: Das utopische Ziel war die Schaffung eines romantichen Kunstwerks, das alle Gattungen umfasste (»Gesamtkunstwerk«) und zugleich die Einheit der Welt offenbarte. Für Frankreich erschloss Madame *de Staël* die deutsche Romantik. V. *Hugo* führte die historische Erzählung zur Vollendung und schuf mit dem Vorwort zu seinem Drama »Cromwell« 1827 das romantische Manifest. Die Romantik in England war humanitär und sozialkritisch und weniger volkstümlich-märchenhaft. Sie wurde vor allem durch Sir W. *Scott* und Lord *Byron* verkörpert. In Osteuropa förderte das erwachte Nationalbewusstsein das Entstehen von Nationalliteraturen. Bedeutsam für Russland (u. a. A. S. *Puschkin*) wurde die deutsche und englische Romantik. Italien orientierte sich an Deutschland und Frankreich.

Romantik: George Inness, Das Lackawanna-Tal; um 1856. Washington D. C., National Gallery of Art

Literatur: Die Künstler der Romantik strebten danach, die Grenzen zwischen Traum, Fantasie und Wirklichkeit aufzuheben. Die »Blaue Blume« galt ihnen dabei als Sinnbild für die romantische Seele. Mit ihrer Begeisterung für vergangene Epochen legten ihre Vertreter die Grundlagen für Geschichtswissenschaft, Literaturwissenschaft (A. W. und F. von *Schlegel*), Germanistik (J. und W. *Grimm*) und Rechtsgeschichte (F. C. von *Savigny*). Dem Wesen der Romantik entsprach am meisten die Lyrik. Der traditionelle Aufbau von Roman und Erzählung wurde z. B. durch den Einschub von Liedern oder Märchen aufgebrochen. Als neue, spielerisch-offene Kunstform entstand das Fragment. In der Phase der *Frühromantik* (1797–1804) versammelte sich in Jena eine Gruppe von verschiedenen Literaten, der u. a. A. W. und F. von *Schlegel*, L. *Tieck*, W. H. *Wackenroder* und *Novalis* angehörten. Sie machten sich vor allem um die Theorie der romantischen Dichtung verdient. F. von Schlegel forderte eine »Universalpoesie«, die alle Gattungen verschmelzen und Philosophie, Kritik und Rhetorik (Redekunst) mit umfassen sollte. Die frühromantischen Dichtungen hatten vor allem das stimmungsvolle Naturerlebnis und das Mittelalter zum Thema; zentrale Werke sind hier u. a. »Hymnen an die Nacht«, »Die Lehrlinge zu Sais« und »Heinrich von Ofterdingen« von Novalis. Zentrum der *Hochromantik* (1804–1815) war der Kreis der Heidelberger Romantik. Hier stand besonders die Suche nach einer sogenannten »Volksliteratur« im Mittelpunkt. C. *Brentano* und A. von *Arnim* gaben die Volksliedsammlung »Des Knaben Wunderhorn« heraus, J. und W. Grimm die »Kinder- und Hausmärchen«. E. T. A. *Hoffmann* wurde mit seinen fantastischen Erzählungen (»Der goldne Topf«) und seinem Schauerroman »Die Elixiere des Teufels« zum Vertreter einer Schwarzen Romantik. Zentren der *Spätromantik* (1815–1830), die auch als katholische Romantik bezeichnet wird, waren Wien, Berlin, Nürnberg und Schwaben. Ihr Hauptvertreter ist J. von *Eichendorff*, der in seinen Erzählungen (»Aus dem Leben eines Taugenichts«) und in seinen Gedichten (»Der frohe Wandersmann«) die Sehnsucht nach der Natur und religiöses Empfinden verbindet.

Kunst und Musik: In der Malerei standen stimmungsvolle Landschaftsbilder im Vordergrund. Die Natur wurde dabei als Spiegel des persönlichen, oft auch religiösen Erlebens betrachtet und besaß daher eine große Symbolkraft. Hauptvertreter der romantischen Malkunst in Deutschland waren C. D. *Friedrich* und P. O. *Runge*. Hauptthema der Werke C. D. Friedrichs ist das Werden und Vergehen. Seine Motive (Jahreszeiten, Naturvorgänge, Ruinen und der sich in der Natur befindende, vereinzelte Mensch) stellen Allegorien (Gleichnisse) des menschlichen Lebens dar. P. O. Runge malte Porträts, die die Einfachheit der Personen betonen sowie zahlreiche Kinderbilder. Seine Kupferstichfolge »Die Tageszeiten« gilt als grafisches Hauptwerk der Romantik.

In der Musik werden im allgemeinen Sprachgebrauch die Werke zwischen 1820 und 1910 als »romantisch« bezeichnet. Formale Strenge und Geschlossenheit sind in ihnen aufgebrochen. Kennzeichnend für die romantische Musik sind die Liedvertonungen von F. *Schubert*, R. *Schumann* und J. *Brahms*. Als neue Gattung entstand das lyrische Klavierstück (R. Schumann) und das Lied ohne Worte (F. *Mendelssohn-Bartholdy*). F. *Liszt* war der gefeierteste Klaviervirtuose seiner Zeit, während J. Brahms, A. *Bruckner* und G. *Mahler* die Sinfonie weiterentwickelten. Als erste romantische Oper gilt »Der Freischütz« von C. M. von Weber. Einen Höhepunkt erfährt die Gattung in Deutschland durch die von R. *Wagner* verfolgte Idee des Gesamtkunstwerks, in dem alle Künste eine Einheit anstreben. Wagners Musik übte eine nachhaltige Wirkung bis ins 20. Jh. aus. Bis heute hält die Auseinandersetzung mit dem Wagner-Kult an.

römische Götter [Pl.], die Götter der Römer. An hervorragender Stelle der alten römischen Götter stand der Kriegsgott *Mars,* im selben Rang befand sich *Jupiter,* der Gott des Himmels. Diese beiden bildeten zusammen mit einem dritten Gott *(Quirinus),* der wie Mars kriegerische Bedeutung hatte, die Spitze der römischen Gottheiten (Trias). Sie waren umgeben von den Göttern *Janus* und *Vesta,* die aus der Verehrung von Tür und Herd (also der Heimstatt) entstanden waren. *Neptun* herrschte über das Wasser, *Vulcanus* über das Feuer; *Faunus* war der Gott der Herden und der Hirten. Die *Penaten* sorgten für reiche Vorräte; *Genius* und *Juno* vertraten im Kreise der Götter die Manneskraft und die gebärende Kraft des Weibes. Die Toten traten in den Kreis der *Manen* ein und gehörten zur Unterwelt. Seit dem 6. Jh. v. Chr. setzte der kulturelle Einfluss der Griechen ein, der eine Vielzahl griechischer Götter nach Rom brachte. Mit der Ausdehnung des Weltreichs nahm der römische Götterhimmel an Vielfalt zu. Die verschiedenen orientalischen Kulte fanden Eingang.

Was war das … Römische Reich

Als Römisches Reich *(Imperium Romanum)* bezeichnet man das in der Antike aus dem kleinen Stadtstadt Rom hervorgegangene Weltreich. Es umfasste zur Zeit seiner größten Ausdehnung im 2. Jh. n. Chr. den gesamten Mittelmeerraum und angrenzende Länder vom Atlantik bis zum Persischen Golf und von Schottland bis zur Sahara und hatte rund 50–60 Mio. Einwohner.

Das Forum Romanum, der im alten Rom zwischen den Hügeln Capitol, Palatin und Quirinal gelegene Staatsmarkt, war politisch-religiöses Zentrum des Römischen Reiches.

Aufstieg zur Weltmacht: Die alten Römer gehörten zu den Latinern, die Anfang des 1. Jahrtausends v. Chr. in Italien eingewandert waren. Nach der Sage wurde Rom 753 v. Chr. von *Romulus* gegründet und nacheinander von sieben Königen regiert. Die letzten drei Könige waren → Etrusker. Um 510 v. Chr. wurde die etruskische Fremdherrschaft beendet und die Republik eingeführt. An der Spitze des römischen Staates standen zwei jährlich gewählte *Konsuln* und der *Senat* (Rat der Alten). Dem Senat gehörten ursprünglich nur Patrizier an. Die Plebejer mussten sich ihre Teilnahme an den Geschicken des Staats erst erkämpfen (»Ständekampf«). Der Senat war mit der Einbeziehung der Plebejer in die Staatsführung zu einem gemeinsamen Organ der neuen, aus Patriziern und Plebejern gebildeten Oberschicht *(Nobilität)* geworden. Wegen des hohen sozialen Ansehens und der politischen bzw. militärischen Erfahrung seiner ca. 300 Mitglieder auf Lebenszeit bestimmte der Senat faktisch die Politik, obgleich er nur beratende Funktionen ausübte und keine Gesetze geben konnte; seine Empfehlungen wurden aber als bindend betrachtet und von der *Volksversammlung* regelmäßig bestätigt. Lediglich für Notzeiten und besondere Aufgaben war das Amt des *Diktators* mit unbeschränkten Vollmachten vorgesehen, das jedoch höchstens sechs Monate bekleidet werden durfte. In Kämpfen mit den Nachbarvölkern unterwarfen die Römer bis 265 v. Chr. fast die ganze italienische Halbinsel. In den drei *Punischen Kriegen* (264–241, 218–201, 149–146 v. Chr.) gegen Karthago gewannen sie Sizilien, Sardinien, Korsika, Südspanien und Nordafrika. Karthago wurde zerstört. In den drei *Makedonischen Kriegen* (215–205, 200–197, 171–168 v. Chr.) fasste Rom Fuß in Griechenland. Durch die Errichtung der Provinz Asia 129 v. Chr. in Kleinasien konnte der Ring um das Mittelmeer geschlossen werden, Rom war zur Weltmacht geworden.

Das Ende der Republik: 133 v. Chr. begann das Jahrhundert der Bürgerkriege zwischen den Verfechtern der Senatspolitik, den *Optimaten* und deren Gegnern, den reformwilligen *Popularen*. Eingeleitet wurde diese Krisenzeit mit den Auseinandersetzungen um die Reform der *Gracchen* (133–121 v. Chr.), die als *Volkstribunen* versuchten, mit sinnvollen Maßnahmen Missstände zu beseitigen, aber am Widerstand des Senats scheiterten und eine zutiefst gespaltene Gesellschaft hinterließen. Das gespannte Verhältnis zu den italienischen Bundesgenossen führte zum Krieg (91–89 v. Chr.), an dessen Ende die Verleihung des römischen Bürgerrechts an alle Bundesgenossen stand. Die inneren Wirren dauerten weiter an. 69 v. Chr. begann *Cäsar* seinen politischen Aufstieg an der Seite der Popularen. Ihm wurde 45 v. Chr. die Diktatur auf Lebenszeit übertragen, er wurde jedoch schon ein Jahr später ermordet. Der von Cäsar als Haupterbe eingesetzte *Octavian* setzte sich gegen alle Rivalen durch. Nach und nach vereinte er die wichtigsten Amtsgewalten in seiner Person und begründete damit das römische Kaisertum (27 v. Chr. Titel *Augustus*).

Die Kaiserzeit: Das Zeitalter des Augustus war eine Zeit des inneren Friedens und hoher kultureller Blüte. Augustus hinterließ ein militärisch gesichertes Reich mit gefestigter Organisationsstruktur. Unter *Trajan* (98–117) hatte das Römische Reich seine größte Ausdehnung. Bald darauf setzten aber sowohl äußere Gefährdungen als auch innerer Verfall ein. Seit 235 herrschten die *Soldatenkaiser*, die von der Armee eingesetzt und oft auch beseitigt wurden. Kaiser *Diocletian* (284–305) zog in seinen Reformen die Konsequenzen aus den Erfahrungen der Krise des 3. Jh. und gliederte Reich und Verwaltung neu. Mit seinem Streben nach religiöser Einheit des Reiches, das seit 303 zur letzten reichsweiten Christenverfolgung führte, scheiterte er. Kaiser *Konstantin der Große* erkannte das Christentum als Religion an und machte *Konstantinopel* zur neuen Hauptstadt. Unter *Theodosius dem Großen* (379–395), der das Christentum zur Staatsreligion erhob, wurde das Römische Reich letztmals unter einer einheitlichen Regierungsgewalt zusammengefasst. Die Teilung des Reichs unter seine Söhne *Honorius* und *Arcadius* brachte die Spaltung in *Oströmisches (Byzantinisches)* und *Weströmisches Reich*. Die Bedrohung durch germanische Völker, die infolge der →Völkerwanderung in Italien einfielen, nahm nun ständig zu. Während das Byzantinische Reich erst 1453 durch die Türken beseitigt wurde, blieb das Weströmische Reich nur noch einige Jahrzehnte bestehen. 476 setzte der germanische Heerführer *Odoaker* den letzten weströmischen Kaiser *Romulus Augustulus* ab.

römische Ziffern [Pl.], ein Ziffernsystem. Die römischen Zahlen bestehen aus den Zeichen I = 1, V = 5, X = 10, L = 50, C = 100, D = 500, M = 1000. Diese Zeichen sind Ziffern und Zahlen zugleich. Aus ihnen werden durch Zusammensetzen die anderen Zahlen gebildet. Die römischen Ziffern werden in absteigender Reihenfolge aneinandergereiht, dabei werden höchstens drei gleiche Zeichen hintereinandergesetzt.

Steht eine kleinere Ziffer vor einer größeren, wird sie von dieser abgezogen (IV = 4, CD = 400, CM = 900, MCMXCV = 1995).

Röntgen, Wilhelm Conrad, * 1845, † 1923; deutscher Physiker. Er entdeckte 1895 die Röntgenstrahlen, die die Physik und Medizin revolutionierten. 1901 erhielt er dafür den ersten Nobelpreis für Physik.

Röntgenstrahlen [Pl.], *X-Strahlen,* kurzwellige elektromagnetische Strahlen. Diese unsichtbaren Strahlen werden in einer Röntgenröhre erzeugt. Die Absorption der Strahlen wird von der Dichte der Materie bestimmt, auf die sie gerichtet werden: Knochen z. B. absorbieren stärker als Haut, Blei absorbiert stärker als Knochen. Darum kann man mit Röntgenstrahlen den menschlichen Körper »durchleuchten« und Knochen oder Gewebe sichtbar machen. Röntgenstrahlen werden zur Diagnose von Krankheiten und Verletzungen eingesetzt. Körperstellen, die nicht geröntgt werden sollen, können durch Bleiplatten geschützt werden, da bei häufiger oder zu langer Einwirkung der Strahlen alle lebenden Zellen getötet werden. Röntgenstrahlen werden auch in der Technik eingesetzt. Sie wurden 1895 von dem deutschen Physiker Wilhelm Conrad *Röntgen* (* 1845, † 1923) entdeckt, der 1901 den Nobelpreis dafür bekam.

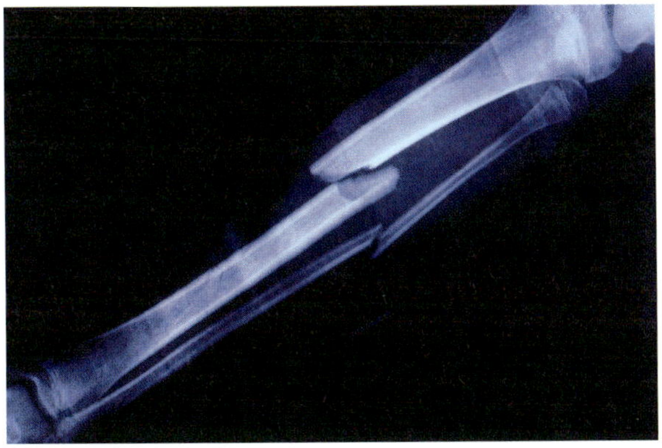

Röntgenstrahlen werden u. a. zur medizinischen Diagnose eingesetzt, wie bei dieser Röntgenaufnahme eines Bruchs des Unterarms.

Wer war … Franklin D. Roosevelt

Am 8. 12. 1941 unterzeichnete Franklin D. Roosevelt die Kriegserklärung gegen Japan.

Franklin Delano Roosevelt (* 1882, † 1945) war ein US-amerikanischer Politiker (Demokratische Partei) und 1933–1945 Präsident der USA. Roosevelt, der – einzigartig in der Geschichte der USA – viermal nacheinander in das Amt des Präsidenten gewählt wurde, führte das Land erfolgreich in Zeiten schwerer innen- und außenpolitischer Krisen.

Roosevelt, ein entfernter Verwandter des 26. US-amerikanischen Präsidenten Theodore *Roosevelt,* dessen Nichte Anna Eleanor er 1905 heiratete, ließ sich 1907 als Rechtsanwalt nieder. Obwohl er 1921 an Kinderlähmung erkrankte und danach größtenteils auf den Rollstuhl angewiesen war, machte er politische Karriere. 1929 wurde er Gouverneur von New York und 1933 der 32. Präsident der USA. Zunächst konzentrierte er sich auf die Überwindung der schweren Wirtschaftskrise durch das Programm des *New Deal* (»Neuer Handel« bzw. »Neue Runde«), das u. a. Arbeitsbeschaffungsmaßnahmen, eine umfangreiche Bautätigkeit, Förderung der Farmer sowie die Schaffung eines Sozialversicherungssystems umfasste. Außenpolitisch durchbrach Roosevelt den besonders vom US-amerikanischen → Kongress (2) geförderten *Isolationismus*, demzufolge sich die USA aus den Streitigkeiten fremder Mächte heraushalten sollten. Nachdem die USA im Zweiten Weltkrieg zunächst ihre Neutralität erklärt hatten, wurde diese von Roosevelt bald zugunsten der Unterstützung der deutschen Kriegsgegner aufgegeben. Mit dem britischen Premierminister W. *Churchill* verkündete er am 14. 8. 1941 die *Atlantik-Charta* mit den Plänen einer zukünftigen Weltordnung, die später zur Grundlage der *Vereinten Nationen* wurden. Der Überfall der Japaner auf den US-amerikanischen Flottenstützpunkt *Pearl Harbor* (7. 12. 1941) führte dann zum US-amerikanischen Kriegseintritt. Roosevelts Zusammenarbeit mit *Stalin* mit dem Ziel, unter Anerkennung der sowjetischen Interessen friedliche Nachkriegsverhältnisse zu schaffen, blieb umstritten. Kurz vor Ende des Zweiten Weltkriegs starb Präsident Roosevelt an einem Schlaganfall.

Roosevelt ['rɔuzvɛlt], Theodore, * 1858, † 1919; US-amerikanischer Politiker (Republikaner). 1901 bis 1909 war er der 26. Präsident der USA. Er leitete zahlreiche Reformen in der Verwaltung, Wirtschafts- und Umweltpolitik ein; mit ihm begann die amerikanische Großmachtpolitik in Lateinamerika (u. a. durch den Bau und die Kontrolle des Panamakanals). 1906 erhielt er den Friedensnobelpreis.

Rose [die], ein Strauch mit Stacheln und einzeln oder in Büschen stehenden Blüten. Aus den Blütenblättern besonders stark duftender Arten wird das Rosenöl gewonnen, das in der Parfümherstellung verwendet wird. Neben zahlreichen Zierrosen gibt es viele Wildrosen (z. B. die *Heckenrose*). Die Früchte heißen *Hagebutten*.

Rosenkranz [der], in der katholischen Kirche eine Folge von Gebeten, in der eine bestimmte Anzahl von Einzelgebeten (»Ave Maria« und »Vaterunser«) gesprochen wird. Ihre Zahl lässt sich an einer mit Perlen versehenen Gebetsschnur, ebenfalls Rosenkranz genannt, überprüfen.

Rosinen [Pl.], getrocknete, kernlos gezüchtete Weinbeeren, besonders aus den Mittelmeerländern und Kalifornien. Große hellgelbe Rosinen heißen *Sultaninen*, kleine schwarze *Korinthen*.

Rosmarin [der], Gattung der Lippenblütler, im Mittelmeerraum vorkommender Strauch mit weißen Blüten. Durch Destillation aus seinen getrockneten Blättern, Blüten und Zweigen wird das *Rosmarinöl* gewonnen.

Rossini, Gioacchino, * 1792, † 1868; italienischer Komponist. Rossini schrieb neben Kirchen- und Kammermusik etwa 40 Opern. Sein Meisterwerk »Der Barbier von Sevilla« wurde zu einem Welterfolg.

Rosskastanie [die] → Kastanie (2.).

Rost [der], eine lockere, braunrote Schicht, die sich auf Eisen bildet, wenn es mit feuchter Luft in Berührung kommt. Die Ursache für das Rosten von Eisen ist eine langsame → Oxidation.

Rotterdam: Der Hafen ist einer der bedeutendsten Containerhäfen der Welt.

Rostock, Stadt und bedeutender Ostseehafen in Mecklenburg-Vorpommern, 198 000 Einwohner. Rostock ist eine alte Hansestadt mit Universität (seit 1419) und bedeutenden Bauwerken der Backsteingotik.

Rotation [die, lat.], Drehbewegung eines Körpers oder einer Fläche um eine Achse.

Röteln [Pl.], eine meist harmlos verlaufende Infektionskrankheit bei Kindern, die mit Hautausschlag und Fieber verbunden ist. Die Krankheit ist jedoch für werdende Mütter in den ersten 3 Monaten der Schwangerschaft gefährlich, da es zu Missbildungen des Kindes kommen kann. Eine Schutzimpfung hilft hier vorbeugend.

Rotes Kreuz, Abkürzung RK, eine internationale Hilfsorganisation, die 1863 in Genf von Henri *Dunant* gegründet wurde. Sie will besonders den Opfern von Kriegen und Katastrophen helfen, Kranke und Verwundete versorgen. Das *Deutsche Rote Kreuz* wurde 1921 gegründet und arbeitet auch im Rettungsdienst, im Suchdienst oder im Sozialwesen.

Rotes Meer, ein Nebenmeer des Indischen Ozeans, zwischen Arabien und Nordostafrika. Es ist durch den Suezkanal mit dem Mittelmeer verbunden. Das Rote Meer ist stark salzhaltig.

Rotkehlchen [das], ein heimischer Singvogel mit olivbraunem Gefieder und orangefarbener Kehle und Brust. Das Rotkehlchen gehört in die Familie der *Drosseln.*

Rotterdam, zweitgrößte Stadt der Niederlande und der größte Seehafen auf dem europäischen Festland, an einem Hauptarm des Rheindeltas und der Neuen Maas, 599 700 Einwohner (mit Vororten 1,08 Mio. Einwohner).

Roulette [ru'lɛt, das], *Roulett,* ein Glücksspiel, bei dem eine Kugel auf einer drehbaren Scheibe mit schwarzen und roten nummerierten Feldern läuft. Wenn die Kugel liegen bleibt, hat derjenige gewonnen, der auf das entsprechende Feld gesetzt hat.

? ***Wer war …***

Jean-Jacques Rousseau

Jean-Jacques Rousseau, porträtiert von Allan Ramsay; 1766. Edinburgh, National Gallery of Scotland

Jean-Jacques Rousseau (* 1712, † 1778) war ein französischer Schriftsteller und Philosoph schweizerischer Herkunft. Mit seinen viel gelesenen Romanen und Abhandlungen wurde er einer der gedanklichen Wegbereiter der *Französischen Revolution.* Der Betonung des fortschrittsgläubigen Verstandes stellte Rousseau sein Ideal des Guten und gefühlsbetonten Seins gegenüber, wodurch er zum Überwinder der *Aufklärung* und Wegbereiter der *Romantik* wurde. Rousseau stammte aus dem calvinistischen Genf, er führte lange ein unstetes Wanderleben als Hauslehrer und Sekretär, das er in seinen »Bekenntnissen« (1782) beschrieb. Er wurde damit zum Begründer der modernen Autobiografie. 1750 wurde er mit seiner Preisschrift »Discours sur les sciences et les artes« über die negativen Einflüsse der Künste und Wissenschaften auf die Sitten berühmt. Rousseau gehörte anfangs zum Kreis der *Enzyklopädisten* um *Diderot* und *d'Alembert*, entfernte sich später von ihnen. Seine

Kultur- und Zivilisationskritik ist geleitet von einem positiven Menschenbild, in dem die von der Aufklärung unterdrückten Bedürfnisse des Herzens gegen die Herrschaft des Verstandes revoltieren (»Julie oder Die neue Héloise« 1761). Seinen Aufruf »Zurück zur Natur« verband er mit einem natürlichen, undogmatischen Erziehungsideal (»Émile oder Über die Erziehung« 1762), womit er auch die Entwicklung der modernen Pädagogik einleitete. Seine Staatsphilosophie legte Rousseau in »Der Gesellschaftsvertrag« (»Contract social« 1762) dar; danach fußt der Staat auf der freiwilligen Vereinigung der Einzelwillen zu einem Gesamtwillen (»volonté générale«). In diesem sind die Prinzipien Freiheit und Gleichheit verwirklicht, das Volk ist der Souverän. Sein »Gesellschaftsvertrag« war Vorbild für die erste Verfassung der französischen Republik sowie die in den Menschen- und Bürgerrechten verankerten Maximen »Freiheit, Gleichheit und Brüderlichkeit«.

Rowling, Joanne Kathleen, * 1965; britische Schriftstellerin. Rowling erfand die Figur des Zauberschülers Harry Potter. Ihre Romane sind geradlinig und chronologisch erzählt und enthalten Elemente des Fantasy-Genres.

Ruanda, Staat in Ostafrika, → Rwanda.

Rubel [der], die Währungseinheit in Russland und anderen Nachfolgestaaten der Sowjetunion, 1 Rubel = 100 Kopeken.

Rüben [Pl.], Pflanzen, die in ihren fleischig verdickten Wurzeln Nährstoffe speichern. Zu den Rüben gehören *Mohrrübe, Zuckerrübe, Runkelrübe* u. a.

Rubens, Peter Paul, * 1577, † 1640; flämischer Maler des Barock. Die Motive zu seinen rund 1000 Bildern stammen aus der Bibel, der Geschichte, den Göttersagen und dem Alltagsleben. Seine Werke, darunter viele Landschaftsbilder und Porträts, zeigen leuchtende Farben, die dargestellten Personen wirken lebendig und besonders seine Frauengestalten sind meist üppig und voller Sinnenfreude.

Rübezahl, Geist, der im Bergwald wohnt und »Herr des Riesengebirges« in Schlesien. Er erscheint der Sage nach in vielerlei Gestalt.

Rubin [der], ein durchsichtiger, roter Edelstein. Auch → Edelsteine.

Rückenmark [das], im Innern der Wirbelsäule gelegener Teil des Nervensystems. Das menschliche Rückenmark ist ein etwa fingerdicker Strang, der aus vielen Nervenfasern besteht. Die Nerven kommen vom Gehirn und gehen in alle Teile des Körpers. Wenn diese »Hauptleitung« durch Krankheit oder einen Unfall durchbrochen wird, kommt es zu Lähmungen.

Rückgrat [das] → Wirbelsäule.

Rudern [das], ein Wassersport, bei dem schmale Boote mit Ruderstangen auf dem Wasser fortbewegt

Peter Paul Rubens, Raub der Töchter des Leukippos; 1617/1618. München, Alte Pinakothek

Rugby: Ein Spieler passt den Ball aus dem Gedränge. Die Szene stammt aus einem Länderspiel zwischen England und Frankreich.

werden. Bei den Sportbooten unterscheidet man *Riemenboote,* bei denen der Ruderer die Ruderstange mit beiden Händen fasst, und *Skullboote,* bei denen jeder Ruderer ein Ruderstangenpaar bedient. Sportboote sind mit einem bis acht Ruderern, mit oder ohne Steuermann besetzt.

Rudiment [das], Rest, Überbleibsel. Ein *Rudimentärorgan* ist ein Organ, das im Laufe der menschlichen Entwicklung überflüssig geworden ist und sich deshalb zurückgebildet hat, z. B. der Wurmfortsatz am menschlichen Blinddarm.

Rugby ['rʌgbi, das], ein Mannschafts-Rasenspiel, das Elemente des Fuß- und Handballspiels vereint. Zwei Mannschaften zu je 15 Spielern versuchen, einen ovalen Lederball ins gegnerische *Malfeld* (hinter den Toren) zu bringen oder über die 3 m hohen Querlatten der Tore *(Male)* zu schießen. Ein Spiel dauert 2 x 40 Minuten.

Rügen [die], größte deutsche Insel in der Ostsee, 930 km^2. Im Norden und Osten sind viele Steilküsten wie die Kreidefelsen mit dem 122 m hohen *Königsstuhl.* Rügen ist durch den 2,5 km langen Rügen-Damm mit dem Festland verbunden.

Ruhr [die], rechter Nebenfluss des Rheins, 214 km lang. Sie entspringt im Sauerland, durchfließt das Ruhrgebiet und mündet bei Duisburg. Mehrere Talsperren an der Ruhr tragen zur Wasserversorgung des Ruhrgebiets bei.

Ruhrgebiet [das], ein Industriegebiet in Nordrhein-Westfalen zwischen Ruhr und Lippe. Das Ruhrgebiet ist einer der bedeutendsten Industrieräume Europas und die am dichtesten besiedelte deutsche Landschaft. Es verdankt sein Entstehen den Bodenschätzen, insbesondere den Steinkohlevorkommen, und der verkehrsgünstigen Lage am Rhein. Die Steinkohlevorkommen zogen andere Industrien, vor allem Eisen- und Stahlindustrie, nach sich. Doch der Bedarf an Steinkohle ging seit den 1960er Jahren durch die

Rügen: Im Nordosten der Insel liegt die bekannte Kreidesteilküste. Am Königsstuhl erreichen die Kreidefelsen der Stubbenkammer eine stattliche Höhe von 122 Metern.

Förderung anderer Energieträger wie Erdöl und Erdgas sowie durch die Nutzung der Kernenergie stark zurück. Noch heute werden Zechen stillgelegt und Betriebe der Stahlindustrie geschlossen, wodurch viele Menschen ihren Arbeitsplatz verlieren. Die Ansiedlung neuer, wachstumsstarker Industriezweige und die Umschulung der Arbeitskräfte stellt die Behörden und Unternehmer noch vor große Probleme. Von besonderer Bedeutung im Ruhrgebiet sind Maßnahmen zur

Gewässer- und Luftreinhaltung. Trotz Auflockerung der Industrielandschaft durch Wald, Seen und andere freie Flächen ist die Umweltbelastung sehr hoch.

Ruin [der], Verfall, Untergang, Zusammenbruch.

Ruine [die], ein verfallenes Bauwerk, zerstörtes Gebäude, Trümmerstätte.

Ländersteckbrief
Rumänien

Fläche:	238 391 km²
Einwohner:	21,6 Millionen = 91 je km²
Hauptstadt:	Bukarest
Religion:	rumänisch-orthodoxe Kirche
Amtssprache:	Rumänisch
Währung:	1 Neuer Leu = 100 Bani

Rumänien, Staat in Südosteuropa.

Landesnatur: Von den Karpaten bis zur Donau erstreckt sich das Tiefland der Walachei. Das Karpatengebirge umschließt das Transsilvanische Hochland mit Siebenbürgen, an das nach Westen das Flachland des Banats angrenzt. Im Osten liegen die Hügellandschaft der Moldau, zwischen der unteren Donau und dem Schwarzen Meer die Dobrudscha. Das Klima hat kontinentalen Charakter mit nach Osten und Südosten wachsenden jahreszeitlichen Temperaturschwankungen und abnehmenden Niederschlägen.

Rumänien: Die Kirche von Biertan ist eine der besterhaltenen der rund 300 befestigten Kirchen in Siebenbürgen. Seit 1993 gehört sie zum Weltkulturerbe.

Bevölkerung: In der Bevölkerung überwiegen die meist orthodoxen Rumänen bei weitem (90%); 7% sind Ungarn, 2% Roma. 44% der Bevölkerung leben auf dem Lande.

Wirtschaft: Angebaut werden v. a. Mais, Weizen, Obst, Zuckerrüben, Hafer, Wein, Tabak, Sojabohnen, Reis und Sonnenblumen. Im Tiefland werden Rinder und Schweine gezüchtet, im Gebirge wird neben Waldnutzung Ziegen- und Schafzucht betrieben. Der wichtigste Bodenschatz ist das Erdöl im Karpatenvorland. Daneben gibt es bedeutende Vorkommen von Erdgas, Kohle, Eisen, Zink, Blei, Kupfer, Mangan und Bauxit. Hauptzweige der Industrie sind die Eisen-, Stahl-, Metall-, chemische und Textilindustrie sowie der Maschinenbau. – Die Donau ist ein bedeutender Wasserweg. Die wichtigsten Binnenhäfen sind Brăila und Galați. Bedeutender Seehafen ist Constanța am Schwarzen Meer; Hauptflughäfen sind Bukarest und Constanța.

Geschichte: Das Land war einige Jh. v. Chr. von *Dakern* und *Geten* bewohnt; seit dem 7. Jh. v. Chr. wurden griechische Kolonien gegründet; 107 n. Chr. kam das Gebiet unter römische Herrschaft *(Dakerkriege)*. Ab

271 wurde es von den Wellen der Völkerwanderung erfasst. Seit dem 6. Jh. drangen *Slawen* ein. *Siebenbürgen* geriet unter ungarischen Einfluss und wurde 1526 Fürstentum. Im 14. Jh. entstanden die beiden Fürstentümer *Moldau* und *Walachei*. Sie gerieten im 15. Jh. unter türkische Oberhoheit.

Seit 1829 zeitweise russisches Protektorat wurden Moldau und Walachei 1861 zu einem Staat Rumänien vereinigt (unter Fürst Alexandru Ioan *Cuza*). 1881 erklärte sich Rumänien zum unabhängigen Königreich. Unter *Ferdinand I.* (1914–1927) trat Rumänien 1916 in den Ersten Weltkrieg ein und erhielt 1919/1920 Bessarabien, das östliche Banat, die Bukowina und Siebenbürgen *(Groß-Rumänien)* zugesprochen.

1940 machte sich General I. *Antonescu* zum Staatsführer. Rumänien nahm auf deutscher Seite am Zweiten Weltkrieg teil. Es verlor 1940 Bessarabien und die Nordbukowina an die Sowjetunion, den Hauptteil Siebenbürgens an Ungarn, die Süddobrudscha an Bulgarien. 1944 wurde Antonescu gestürzt und Rumänien geriet unter sowjetischen Einfluss. Durch die Pariser Friedensverträge erhielt Rumänien Nordsiebenbürgen zurück.

1947 wurde Rumänien kommunistische Volksrepublik. Es trat 1949 dem COMECON, 1955 dem Warschauer Pakt bei. Unter N. *Ceauşescu* (seit 1965 Generalsekretär der Partei, seit 1967 zugleich Staatsoberhaupt) betrieb Rumänien eine gegenüber der UdSSR relativ eigenständige Außenpolitik. In der Innenpolitik verfolgte das Regime einen diktatorischen Kurs. 1989 kam es zu einer Volkserhebung, Ceauşescu wurde gestürzt und hingerichtet. 1991 trat eine demokratische Verfassung in Kraft. 2004 wurde Rumänien Mitglied der NATO. Staatspräsident ist seit 2004 T. *Basescu*, Minister-Präsident seit 2004 C. *Popescu-Tariceanu*. 2007 erfolgte der Beitritt zur EU.

Rundfunk [der], die drahtlose Verbreitung von Informationen und Unterhaltung in Ton (Hörfunk) oder Bild (Fernsehen) an eine Vielzahl von Empfängern. Die Bild- und Tonsignale werden auf elektromagnetischen Wellen moduliert (→ Modulation, 2.) und über Sendeantennen ausgestrahlt. Im Empfangsgerät werden die von der Empfangsantenne aufgefangenen Wellen demoduliert (Trennung von Trägerwelle und Modulation), verstärkt und vom Lautsprecher in Schallschwingungen verwandelt. Rundfunk (d.h. Fernsehen und Hörfunk/Radio) ist heute neben der Zeitung und der Zeitschrift das wichtigste Informations- und Unterhaltungsmedium.

Runen [Pl., althochdeutsch, »Geheimnis«], die ältesten germanischen Schriftzeichen, die ursprünglich in Holz, später auch in Stein geritzt wurden. Sie wurden fast nur für Inschriften verwendet und bestanden zunächst aus 24 Zeichen, später aus 28 Zeichen.

Runge, Philipp Otto, * 1777, † 1810, deutscher Maler und Grafiker. Er ist einer der Hauptmeister der romantischen Malerei in Deutschland. Er malte Porträts von einfachen Leuten sowie Kinderbilder.

Rushdie ['ruʃdi], Sir (seit 2007) Salman, * 1947; englischer Schriftsteller indischer Herkunft. Er schreibt fantastisch ausufernde Romane, in denen er vor allem die indische Gesellschaft beschreibt. Wegen angeblicher Gotteslästerung in seinem Roman »Die Satanischen Verse« sprach der iranische Religionsführer *Chomeini* 1989 ein Todesurteil gegen ihn aus.

Rüsselkäfer [Pl.], mit über 46 000 Arten die größte Käferfamilie. Ihr rüsselförmig verlängerter Kopf geht in die Mundwerkzeuge über. Viele Rüsselkäfer sind Vorrats- und Pflanzenschädlinge.

Russell ['rʌsl], Bertrand, Earl R., * 1872, † 1970; englischer Mathematiker und Philosoph. Er vertrat eine Theorie, nach der Erkenntnisse nur durch Erfahrungen gemacht werden können, die auf Daten beruhen. In der Mathematik beschäftigte er sich mit der Logik. Er war Vorkämpfer der internationalen Friedensbewegung und erhielt 1950 den Nobelpreis für Literatur.

Ländersteckbrief Russland

Fläche:	17 075 400 km²
Einwohner:	142,5 Millionen = 8 je km²
Hauptstadt:	Moskau
Religion:	rumänisch-orthodoxe Kirche
Amtssprache:	Russisch
Währung:	1 Rubel = 100 Kopeken

Russland, Staat in Osteuropa und Nordasien.

Landesnatur: Russland ist das größte zusammenhängende Staatsgebiet der Erde. Es erstreckt sich von der Ostsee und dem Schwarzen Meer im Westen über Osteuropa und Nordasien (Sibirien) bis zum Pazifischen Ozean im Osten. Die osteuropäische Tiefebene *(Russische Tafel)* ist das Kernland Russlands. Es ragt nur in den flachwelligen Höhenrücken über die 200-Meter-Höhenlinie hinaus. Nach Osten wird es vom 2000 km langen *Uralgebirge* begrenzt. Östlich des Ural folgen das *Westsibirische Tiefland* bis zum Jenissej, weiter bis zur Lena das *Mittelsibirische Bergland* und schließlich das *Ostsibirische Gebirgsland* (→ Sibirien). Die vulkanreiche Halbinsel Kamtschatka, die Inselkette der Kurilen und Sachalin, die größte Insel Russlands, markieren die Ostgrenze des Landes. Auch der nordsibirischen Küste sind zahlreiche größere Inseln vorgelagert. Der Süden wird von z. T. stark vergletscherten Hochgebirgen *(Kaukasus, Altai, Sajan)* eingenommen.

Klima und Vegetation: Russland hat Anteil an fast allen Klimazonen der Erde. Die große Ausdehnung der Festlandsmasse ist die wesentliche Ursache für das nach Osten mit zunehmender Trockenheit und wachsenden Temperaturschwankungen immer extremer kontinental werdende Klima. Bei Ojmjakon in Ostsibirien reichen die Temperaturschwankungen von –53 °C im Januar bis +16 °C im Juli. – Die Vegetationszonen sind von Norden nach Süden die fast baumlose *Tundra*, die riesigen Nadelwälder der *Taiga*, denen sich im europäischen Teil und im Süden des russischen Fernen Ostens Misch- und Laubwälder anschließen. Vor den Gebirgsrändern und an der Grenze zu Kasachstan erstrecken sich ausgedehnte Steppengebiete.

Bevölkerung: Den Großteil der Bevölkerung stellen mit 82% die Russen; dennoch ist Russland ein Vielvölkerstaat, der rund 100 Minderheiten beherbergt, von denen die Tataren, Ukrainer, Tschuwaschen, Dagestaner, Baschkiren die größten Gruppen sind. Größte Religionsgemeinschaft ist die russisch-orthodoxe Kirche; an zweiter Stelle steht der Islam. Von der Bevölkerung leben 65% im europäischen Teil Russlands, 73% leben in Städten.

Wirtschaft: Russland hatte sich in der 1. Hälfte des 20. Jh. von einem ausgesprochenen Agrarland zum zweitgrößten Industriestaat der Erde entwickelt. Ausgangspunkt war die Einführung der staatlich gelenkten Planwirtschaft ab 1917 und der Aufbau einer umfangreichen Schwerindustrie auf der Basis der reichen Steinkohlen- und Eisenerzvorkommen. Ende der 1980er Jahre führte die sich verschärfende Wirtschaftskrise zu ersten Maßnahmen zur Umstrukturierung des Wirtschaftssystems. Die Privatisierung gestaltete sich jedoch insbesondere im Bereich der großen Industriekomplexe schwierig, so dass erst seit 1999 ein leichter Wirtschaftsaufschwung verzeichnet werden konnte. Dieser beschleunigte sich in jüngster Zeit durch den Anstieg der Rohstoffpreise.

Die wichtigsten Industriegebiete sind Moskau mit Umland, der Raum um St. Petersburg und die Verarbeitungszentren auf der Basis der reichen Bodenschätze bzw. an den Schnittpunkten der Hauptverkehrswege. Zentren der Eisen- und Stahlerzeugung sind v. a. das Becken von Kusnezk und der südliche Ural. Andere bedeutende Industriezweige sind der Maschinen-, Fahrzeug- und Schiffbau, die chemische Industrie, Textil-, Leder-, Holz- und Nahrungsmittelindustrie. Die Energieerzeugung beruht v. a. auf Kohle-, Erdöl- und Erdgasvorkommen. Sie wurde durch den Bau großer Stauanlagen an den Strömen und durch Kernkraftwerke erheblich gesteigert. Außer über Eisenerz, Kohle, Erdöl und Erdgas verfügt Russland noch über reiche Vorkommen von Mangan, Chrom, Nickel, Kupfer, Gold, Antimon, Quecksilber, Wolfram, Molybdän, Uran u. a. Die größten Agrargebiete sind die Waldsteppen und Steppen mit fruchtbaren Schwarzerdeböden im nördlichen Kaukasusvorland, mittleren Wolgagebiet und im Süden von Mittelsibirien. Es werden insbesondere Weizen und andere Getreidearten angebaut. Andere wichtige Anbauprodukte sind Kartoffeln, Zuckerrüben, Mais und Sonnenblumen. Der Nutzviehbestand umfasst v. a. Rinder, Schweine und Schafe. Durch die Anlage von Staubecken und Bewässerungskanälen werden in zunehmendem Maße Trockengebiete für den Ackerbau erschlossen. Der Wald (80% Nadelhölzer) bedeckt rund 45% der Gesamtfläche des Landes. Über die Hälfte des Holzbestandes entfallen auf Sibirien; die Taiga ist reich an Pelztieren. Importiert werden v. a. Maschinen, Nahrungsmittel und chemische Erzeugnisse. Weit über die Hälfte der Exporterlöse werden durch Brennstoffe, mineralische Rohstoffe und Metalle erzielt. Wichtigste Außenhandelspartner sind Deutschland, USA, Weißrussland und die Ukraine.

Russland: Die klassizistischen Bauten am Newa-Ufer in Sankt Petersburg werden von der prächtigen Isaak-Kathedrale überragt.

Verkehr: Wichtigster Verkehrsträger ist die Eisenbahn. Hauptverkehrsachse im asiatischen Teil ist nach wie vor die *Transsibirische Eisenbahn*, die seit 1984 durch eine nördliche Parallelstrecke *(Baikal-Amur-Magistrale)* z. T. entlastet wird. Die Binnenschifffahrt spielt eine wichtige Rolle, wird aber im Norden des Landes durch den langen Eisgang der Flüsse stark behindert. Im europäischen Teil besteht ein gut ausgebautes Kanalsystem. Wichtigste Wasserstraße ist die Wolga. Die größten Seehäfen sind St. Petersburg am Finnischen Meerbusen und Wladiwostok/Nachodka am Japanischen Meer. Die staatliche Luftverkehrsgesellschaft »Aeroflot« bedient im Flugverkehr das größte Streckennetz der Erde. Zentrum des Flugverkehrs ist Moskau.

Geschichte: Slawen drangen vom 7. bis 9. Jh. in die Gebiete des Dnjepr, der Düna, der oberen Oka und der oberen Wolga vor. Durch die Zentralisierung normannischer Herrschaften unter Oleg entstand das *Kiewer Reich* (882–1169), das 988 das Christentum orthodox-byzantinischer Prägung übernahm. Im Anschluss an dieses Reich bildeten sich in Russland 3 politische Zentren: 1. im Südwesten das Fürstentum *Halitsch-Wolynien*, das 1340 an Polen fiel; 2. im Nordwesten *Groß-Nowgorod*, das erst 1478 von Moskau unterworfen wurde; 3. im Nordosten stieg das Fürstentum *Wladimir-Susdal* zwischen Oka und oberer Wolga schnell auf, fiel aber 1238 an die Mongolen. Selbst dem energischen *Alexander Newskij*, der 1242 den vordringenden Deutschen Orden abgewehrt hatte, blieb als Großfürsten von Nowgorod (1252–1263) nichts übrig, als durch eine Politik des Nachgebens gegenüber den Mongolen eine gewisse Erholung des Landes zu erkaufen.

Allmählich kristallisierte sich die politische Macht um das Teilfürstentum Moskau. Hier konnte nach dem Ende der Mongolenherrschaft *Iwan III.* (1462 bis 1505) einen starken Einheitsstaat schaffen, den *Iwan IV.*, der Schreckliche, mit der Zarenkrönung 1547 und der russischen Osterweiterung weiter stärkte. Das Erlöschen der Rjurik-Dynastie 1598 führte in die »Zeit der Wirren«, die mit der Thronbesteigung des Hauses Romanow 1613 endete. Mitte des 17. Jh. konnte die Ukraine im Kampf gegen Polen gewonnen werden. *Peter der Große* (1682–1725) europäisierte das Land im Innern und machte es zur Großmacht. 1703 wurde die neue Hauptstadt Petersburg gegründet. Kaiserin *Katharina II.* (1762–1796) gewann das Küstenland des Schwarzen Meeres bis zum Dnjestr. Die Teilungen Polens (1772, 1793 und 1795) schoben die Grenzen Russlands bis nach Mitteleuropa vor.

Die führende Rolle Russlands beim Sieg über Napoleon I. (1813–1815) machte es unter *Alexander I.* (1801–1825) zur kontinentalen Hegemonialmacht. Durch die Eroberung Finnlands 1809 und den Erwerb des größten Teils von Polen auf dem Wiener Kongress 1815 fand die russische Expansion nach Westen zunächst ihren Abschluss. Nachdem Russland 1812 Bessarabien und 1829 das Donaudelta erworben hatte, setzten Frankreich und Großbritannien im *Krim-Krieg* (1853–1856) einem weiteren Vordringen ein Ende. Das russische Expansionsstreben verlagerte sich nach dem Fernen Osten, wo es erst durch den russisch-japanischen Krieg (1904/1905) gestoppt wurde, und nach Zentralasien. Die russischen Erfolge im Krieg gegen die Türkei standen im Gegensatz zu den Interessen Österreichs und Englands, so dass Russland auf dem *Berliner Kongress* 1878 seine auf eine grundlegende Neuordnung des Balkans zielenden Pläne aufgeben musste.

Im Innern hatte sich nach dem Krimkrieg zunächst eine liberale Politik durchgesetzt, die unter *Alexander III.* (1881–1894) und *Nikolaus II.* (1894–1917) aber zunehmend ins Reaktionäre umschlug, was schließlich in die Revolution von 1905/1906 mündete, die die Berufung einer Volksvertretung *(Duma)* erzwang. Die Unterstützung Serbiens zog das Russische Reich in den Ersten Weltkrieg. Nach schweren Niederlagen gegen die deutschen Truppen kam es zur *Februar-Revolution* von 1917. Nikolaus II. wurde zur Abdankung gezwungen. Russland wurde Republik. Die unentschlossene Politik der *Provisorischen Regierung* nutzten die *Bolschewiki* zur von *Lenin* organisierten *Oktober-Revolution* im selben Jahr. Es gelang ihnen durch den *Frieden von Brest-Litowsk* (3. 3. 1918) und das *Dekret über die Landaufteilung* breite Massen auf ihre Seite zu ziehen. Russland wurde zur *Russischen Sozialistischen Föderativen Sowjetrepublik* (Verfassung vom 10. 7. 1918) erklärt, die sich im anschließenden Bürgerkrieg behaupten konnte. Die Gründung der *Union der Sozialistischen Sowjetrepubliken* (UdSSR) am 30. 12. 1922, in der sich die russische Geschichte nun vollzog, und die neue Verfassung von 1923/1924 kennzeichneten eine Konsolidierung der bolschewistischen Macht. Im Inneren stärkte Lenin die Wirtschaft durch die *Neue Ökonomische Politik* (*NEP*, 1921–1927).

Nach Lenins Tod (1924) wurde J. W. *Stalin* Diktator der Partei und des Landes. Mit dem 1. *Fünfjahresplan* 1928 begann die Umwandlung vom Agrar- zum Industriestaat. Die Kollektivierung der Landwirtschaft stieß besonders bei den Großbauern auf erbitterten Widerstand und rief einen Rückgang in der land-

Russland: Die Tschuktschen-Halbinsel bildet den äußersten Nordosten Russlands, hier wird u. a. Steinkohle abgebaut und verwertet.

wirtschaftlichen Produktion hervor. Stalins blutiges Terrorregime, das Millionen von Toten forderte und ein unmenschliches Lagersystem (*GULAG*) etablierte, gipfelte in den *Großen Säuberungen* 1936–1938. Am 23. 8. 1939 schloss Stalin überraschend einen *deutsch-sowjetischen Nichtangriffspakt* mit Hitler, dem er dadurch den letzten Anstoß zum Angriff auf Polen gab.

Die Sowjetunion nutzte den Ausbruch des Zweiten Weltkriegs zu Gebietserweiterungen im Westen. Sie besetzte Ostpolen, Estland, Lettland, Bessarabien, Litauen und die Nordbukowina. Durch den Winterkrieg 1939/1940 erzwang sie die Abtretung Kareliens von Finnland. Im Jahr 1941 erfolgte der deutsche Angriff auf die Sowjetunion. Nach anfänglichen deutschen Siegen bedeutete die Niederlage bei Stalingrad 1943 die endgültige Kriegswende zu sowjetischen Gunsten.

Seit 1945 war die Sowjetunion Weltmacht. Mit Hilfe ihrer Besatzungstruppen förderte sie die Errichtung von volksdemokratischen Regimen in den osteuropäischen Staaten und in der Sowjetischen Besatzungszone Deutschland. Im Fernen Osten sicherte sie sich Südsachalin und die Kurilen. Daraus entwickelte sich ein Konflikt mit den Westmächten *(Kalter Krieg)*, der über die *Berliner Blockade* 1948/1949 zur Bildung von *NATO* (1949) und *Warschauer Pakt* (1955) führte. 1949 zündete die UdSSR die erste Atombombe, 1953 die erste Wasserstoffbombe. Nach Stalins Tod (1953) trat eine kollektive Führung mit G. M. *Malenkow*, L. P. *Berija* und W. M. *Molotow* an die Spitze. Berija wurde 1953 hingerichtet. Seit Herbst 1953 begann der Aufstieg N. S. *Chruschtschows*. Auf seine Initiative wurden in der Sowjetunion der Terror von und der Personenkult um Stalin verurteilt (1956) *(Tauwetterperiode)*. Angesichts des zunehmenden westlichen Widerstands gegen die aggressive sowjetische Außenpolitik wurden seit 1953 einige Konfliktherde beseitigt (Waffenstillstand in Korea 1953 und Indochina 1954, Beendigung des Kriegszustands mit Japan 1956), die These von der »friedlichen Koexistenz« wurde propagiert. Diese Lockerungen führten zu Emanzipationsbestrebungen in einigen Staaten des Ostblocks, die allerdings blutig unterdrückt wurden (17. Juni 1953 in der DDR; 1956 Ungarn und Polen). Mit Beginn der 1960er Jahre erfolgte der ideologische Bruch mit China. Die Kuba-Krise 1962 führte zur Konfrontation mit den USA.

Nach Chruschtschows Sturz 1964 wurde die Herrschaft der Parteibürokratie wieder gestrafft. Innerhalb der zunächst kollektiven Führung trat Parteichef L. I. *Breschnew* (seit 1977 auch Staatsoberhaupt) mehr und mehr in den Vordergrund. 1968 besetzte die Sowjetunion zur Unterdrückung reformkommunistischer Tendenzen die Tschechoslowakei. 1969 eskalierten Grenzstreitigkeiten mit China. Im Nahostkonflikt unterstützte die Sowjetunion die Staatengruppe, die einen Frieden mit Israel ablehnte. In mehreren afrikanischen Staaten gewann die Sowjetunion großen Einfluss. In Europa und gegenüber den USA bemühte sich die Sowjetunion um Entspannung: 1970 Moskauer Vertrag mit der Bundesrepublik Deutschland; 1972 und 1979 Verträge mit den USA zur Begrenzung der Raketenrüstung (SALT); Europäische Sicherheitskonferenz (KSZE). 1979 besetzte die Sowjetunion Afghanistan.

Nach dem Tode Breschnews (1982) und seiner Nachfolger J. W. *Andropow* (1982–1984) und K. U. *Tschernenko* (1984/1985) wurde 1985 M. *Gorbatschow* Generalsekretär der KPdSU. Unter den Losungsworten *Glasnost* (»Offenheit«) und *Perestrojka* (»Umgestaltung«) verkündete er eine wirtschaftliche und politische Reformpolitik, die nach innen und außen eine starke Eigendynamik entfaltete. Seit 1988 auch Staatsoberhaupt, veranlasste Gorbatschow 1989 den Rückzug der sowjetischen Armee aus Afghanistan. 1989/1990 tolerierte die UdSSR den demokratischen Wandel in Osteuropa sowie die deutsche Wiedervereinigung. 1990 setzte Gorbatschow die Einführung eines Präsidialsystems durch. Die KPdSU verzichtete auf ihr Machtmonopol. Unabhängigkeitsbestrebungen der baltischen Staaten u. a. Unionsrepubliken sowie die sich verschärfenden Nationalitätenkonflikte (Armenien/Aserbaidschan) bedrohten die Einheit der Sowjetunion. Außenpolitisch suchte Gorbatschow die wirtschaftliche Unterstützung des Westens. Er unterstützte die USA in der Golfkrise.

Im August 1991 scheiterte ein Putsch konservativer Kräfte v. a. am Widerstand des russischen Präsidenten B. *Jelzin*. Die KPdSU wurde verboten, die Unabhängigkeit der baltischen Staaten anerkannt. Die meisten Unionsrepubliken erklärten sich für unabhängig. Am 8. 12. 1991 gründeten Russland, die Ukraine und Weißrussland die *Gemeinschaft Unabhängiger Staaten (GUS)*; ihr schlossen sich am 21. 12. 1991 alle übrigen ehemaligen Sowjetrepubliken mit Ausnahme Georgiens an. Gorbatschow trat als Präsident zurück; die Sowjetunion hörte auf zu bestehen.

1992 unterzeichneten die autonomen 18 Republiken und Regionen Russlands einen Föderationsvertrag. 1993 scheiterte ein Putschversuch reaktionärer Kräfte gegen den russischen Präsident Jelzin. Im selben Jahr trat eine neue präsidialdemokratische Verfassung in Kraft. 1994 ließ Jelzin Truppen in Tschetschenien einmarschieren (blutiger militärischer Konflikt). Erst 1997 wurde ein Friedensvertrag unterzeichnet. 1996 konnte Jelzin die Präsidentschaftswahlen gewinnen. Ministerpräsident wurde 1999 W. *Putin*. Im selben Jahr begann Russland erneut einen blutigen militärischen Feldzug gegen muslimische Rebellen in Tschetschenien. Ende 1999 trat Jelzin als Präsident zurück, Nachfolger wurde Putin, der bei den Wahlen im Frühjahr 2000 im Amt bestätigt wurde. Bei den Parlamentswahlen 2003 wurde die von Putin begünstigte Partei *Einiges Russland* zur stärksten Kraft. Die Präsidentschaftswahlen 2004 gewann er mit überwältigender Mehrheit. Auf die mit dem Tschetschenienkonflikt verbundene Eskalation des Terrorismus reagierte Putin mit einer Verschärfung seiner autoritären Politik, die eine wirkliche Gewaltenteilung nicht zuließ. Die russische Außenpolitik betonte auch nach dem Ende der UdSSR den Großmachtstatus des Landes, zeigte sich jedoch um eine Öffnung zum Westen bemüht (Abzug der letzten Truppen aus Deutschland 1994, Beitritt zum Europarat 1996). Die NATO- und EU-Osterweiterung betrachtete die russische Führung mit Skepsis, obwohl sie die Zusammenarbeit mit beiden Organisationen intensivierte. Nach den Anschlägen vom 11. 9. 2001 erklärte Präsident Putin seine Solidarität mit den USA im Kampf gegen den internationalen Terrorismus, er sprach sich aber gegen eine gewaltsame Lösung des Irakkonflikts aus. Die Vollmitgliedschaft bei den G8-Staaten (seit 2002) bedeutete einen erheblichen außenpolitischen Prestigegewinn. Während sich die Beziehungen zu China verbesserten, verhinderte die ungelöste Kurilen-Frage weiterhin die endgültige Normalisierung des Verhältnisses mit Japan.

Rüstung [die], im Altertum und Mittelalter die Schutzwaffen der Kämpfer, besonders der Ritter. Sie bestanden aus *Helm* und *Harnisch* sowie Arm- und Beinschienen *(Panzer)* und Eisenschuhen. Heute bezeichnet man alle Maßnahmen für die Bereithaltung von Waffen, Munition und anderen Geräten für militärische Zwecke als Rüstung.

Ländersteckbrief
Rwanda

Fläche:	26 338 km²
Einwohner:	9,2 Millionen = 350 je km²
Hauptstadt:	Kigali
Religion:	römisch-katholische Kirche, Naturreligionen
Amtssprache:	Französisch, Englisch, Kinyarwanda
Währung:	1 Rwanda-Franc = 100 Centimes

Rwanda, Staat in Ostafrika.

Über dem mäßig warmen und feuchten Tropenhochland (2000 m) erheben sich im Norden die Kirunga-Vulkane (Karisimbi 4507 m). Im Westen hat Rwanda Anteil am Kivusee.

85% der Bevölkerung stellt die Bantugruppe der *Hutu*. Das Hirtenvolk der Tutsi (14%) bildete vor Erlangen der Unabhängigkeit die Oberschicht. Rund 50% sind Christen, 10% Muslime, 40% Anhänger traditioneller Religionen.

Die wenigen Großfarmen liefern Kaffee, der 37% des Exports ausmacht, und Tee (39%), ferner Baumwolle, Sisal, Chinarinde, Tabak u.a. für den Export. An Bodenschätzen werden Tantalit, Zinnerz und Wolfram gefördert. – Kigali und Cyangugu besitzen internationale Flughäfen.

Geschichte: Zusammen mit *Burundi* gehörte Rwanda 1899–1919 zur Kolonie *Deutsch-Ostafrika,* war dann Mandatsgebiet des Völkerbunds und als *Ruanda-Urundi* seit 1946 UN-Mandat unter belgischer Verwaltung. 1962 wurde die Staatenunion getrennt, Rwanda wurde unabhängige Republik. Die ethnischen Spannungen zwischen der Bevölkerungsminderheit der Tutsi und der Bevölkerungsmehrheit der Hutu führten zu ständigen Auseindersetzungen. Diese eskalierten 1994 nach dem Tode von Staatspräsident J. *Habyarimana* (seit 1973 im Amt). Rund 1 Mio. Menschen wurden Opfer blutiger Massaker. Während die Innenpolitik in jüngster Zeit von der Aufarbeitung des Völkermords der 1990er Jahre bestimmt wurde, beherrschte die Außenpolitik die blutigen Konflikte im Nachbarland Demokratische Republik Kongo. 2000 wurde P. *Kagame* Staatspräsident Rwandas. 2003 trat eine neue Verfassung in Kraft.

Rwanda: Die Landschaft, wie hier am Bulerasee, bietet hervorragende Bedingungen für eine vielschichtige Flora und Fauna.

S

s, Kurzzeichen für → Sekunde.

S, **1.** 19. Buchstabe des Alphabets (Konsonant). **2.** Abkürzung für Süden. **3.** chemisches Zeichen für das Element → Schwefel.

SA [die], Abkürzung für **S**turm**a**bteilung, eine Abteilung der NSDAP mit bis zu 2 Mio. Mitgliedern. Die SA hatte die Aufgaben einer Parteiarmee.

Saale [die], **1.** *Sächsische* oder *Thüringische Saale,* linker Nebenfluss der Elbe, 427 km lang. Die Saale entspringt im Fichtelgebirge und mündet südöstlich von Magdeburg in die Elbe. **2.** *Fränkische Saale,* rechter Nebenfluss des Main, 135 km lang.

Saar [die], rechter Nebenfluss der Mosel, 246 km lang. Die Saar entsteht aus *Weißer* und *Roter Saar* in den nördlichen Vogesen, durchfließt das Saarland und mündet bei Konz in die Mosel.

Saarbrücken, Landeshauptstadt und größte Stadt des Saarlandes, an der Saar, 182 000 Einwohner.

Saarland, Bundesland im Westen Deutschlands; es umfasst das Hügelland südlich des Hunsrück und liegt an der Grenze zu Frankreich. Die wirtschaftliche Bedeutung des Saarlandes lag lange Zeit im Steinkohlenbergbau; heute spielen unter anderem die Metallverarbeitung und der Maschinenbau eine wichtige Rolle. Hauptstadt ist *Saarbrücken.* Das Saarland ist 2568,15 km^2 groß und hat 1,1 Mio. Einwohner. – Das Land wurde in seiner Geschichte abwechselnd zu Deutschland und zu Frankreich gerechnet. 1935 kam das Saarland nach einer Volksabstimmung zum Deutschen Reich. Nach dem Zweiten Weltkrieg war das Saarland zunächst politisch und wirtschaftlich an Frankreich gebunden. 1957 wurde es Bundesland der Bundesrepublik Deutschland.

Sabbat [der], jüdischer Ruhe- und Feiertag am siebenten Tag der Woche. Er beginnt am Freitagabend und endet am Samstagabend. Nach Überlieferung des Alten Testaments erinnert der Sabbat an den siebenten Tag der Schöpfung, an dem Gott ruhte.

Sabotage [sabo'taːʒe, die], die planmäßige (böswillige) Beeinträchtigung oder Verhinderung eines Vorhabens, meist durch Beschädigung oder Vernichtung von Sachen (z. B. Sabotage einer militärischen Maßnahme durch Zerstörung von Waffen und Munition).

Sacharow, Andrej Dmitrijewitsch, * 1921, † 1989; russischer Atomphysiker. Als Kritiker des sowjetischen Herrschaftssystems und Wortführer der Bürgerrechtsbewegung wurde er 1980–1986 nach Gorkij verbannt. Er kehrte nach Moskau zurück und wurde 1988 in die Leitung der Akademie der Wissenschaften berufen. 1975 erhielt er den Friedensnobelpreis.

Sachs, Hans, * 1494, † 1576; deutscher Dichter. Nach einer Wanderschaft war Sachs seit 1516 Schuhmacher in Nürnberg und Mitglied der Zunft der Meistersinger. Er verfasste über 4000 Lieder und Hunderte von schwankartigen Fastnachtsspielen, die das Leben der Handwerker im 16. Jh. widerspiegeln.

Sachsen, seit 1990 Bundesland im Osten Deutschlands. Es grenzt im Süden mit dem Erzgebirge an die Tschechische Republik, im Osten an Polen. Wirtschaftliche Bedeutung hat das Industriegebiet um Leipzig (z. B. Maschinenbau und Schwerindustrie). Hauptstadt ist *Dresden.* Sachsen ist 18 413,91 km^2 groß und hat 4,3 Mio. Einwohner. – Das Land Sach-

Saarland: Bei Mettlach-Orscholz beschreibt die Saar eine große Schleife.

sen ging aus der 965 gegründeten Mark Meißen hervor, seit 1123 unter der Herrschaft der Wettiner. 1423 wurde es Kurfürstentum, 1806 Königreich, 1918 Freistaat. In der DDR war es 1952 bis 1990 aufgelöst.

Sachsen-Anhalt, seit 1990 ein Bundesland in der Mitte Deutschlands. Es liegt im Übergangsbereich zwischen dem Norddeutschen Tiefland und der Mittelgebirgsschwelle, ist 20 445,26 km² groß und hat 2,5 Mio. Einwohner. Die Hauptstadt ist *Magdeburg.* Sachsen-Anhalt wurde aus der ehemaligen preußischen Provinz Sachsen und dem Land Anhalt gebildet.

Sadismus [der], die krankhafte Freude an grausamen Handlungen.

Safari [die, arab., »Reise«], ursprünglich die ostafrikanische Bezeichnung für eine Reise mit einer Trägerkarawane (meist mit einheimischen Führern und Lastträgern). Heute bezeichnet man eine für Touristen veranstaltete Foto- oder Jagdreise als Safari.

Safe [sɛif, der], ein feuerfester, gesicherter Stahlbehälter zur Aufbewahrung von Wertgegenständen.

Safran [der], ein schon im Altertum im Mittelmeerraum bekannter Gewürz- und Farbstoff aus den getrockneten orangeroten Blütennarben der Safranpflanze, einer Krokusart.

Sage [die], eine auf mündlicher Überlieferung beruhende Erzählung von wunderbaren, fantastischen Ereignissen. Im Unterschied zum *Märchen,* das nicht an Ort und Zeit gebunden ist, knüpft die Sage an ein bestimmtes Ereignis an.

Sahara [die, arab., »Wüste«], die größte Wüste der Erde mit rund 8,7 Mio. km². Sie erstreckt sich quer durch Nordafrika, vom Atlantischen Ozean bis zum Roten Meer. In der Sahara herrscht regenarmes und teilweise regenloses Klima, Ackerbau ist nur in Oasen möglich.

Sahelzone [die, arab., »Ufer«], Landschaftsgürtel am Südrand der Sahara. Die Sahelzone bildet den Übergang zwischen Wüste und Trockensavanne und wird häufig von starken Dürrekatastrophen heimgesucht.

Saint-Exupéry [sɛ̃tɛgzype'ri], Antoine de, * 1900, † 1944 (Flugzeugabsturz); französischer Schriftsteller und Flieger. Er setzte seine persönlichen Erfahrungen als Pilot in einer von Krieg und Technik beherrschten Welt in Betrachtungen über den Sinn des Lebens, über Freundschaft, Menschlichkeit und Pflichterfüllung um. Bekannt sind seine Werke »Nachtflug«, »Der kleine Prinz« und »Die Stadt in der Wüste«.

Saint George's [sənt 'dʒɔːdʒiz], Hauptstadt des westindischen Antillenstaates Grenada (Windward Islands), 3900 Einwohner.

Ländersteckbrief
Saint Kitts und Nevis

Fläche:	261 km²
Einwohner:	43 000 = 165 je km²
Hauptstadt:	Basseterre
Religion:	Christentum
Amtssprache:	Englisch
Währung:	1 Ostkaribischer Dollar = 100 Cents

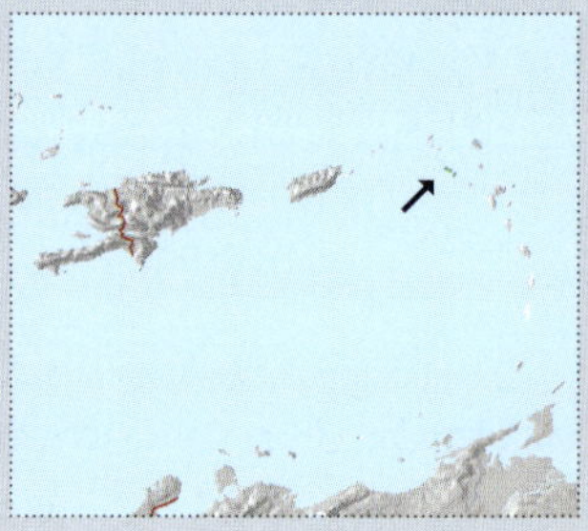

Saint Kitts und Nevis, Staat in der Karibik.

Der Inselstaat der Kleinen Antillen besteht aus den beiden Vulkaninseln *Saint Kitts* und Nevis sowie der Koralleninsel *Sombrero.* Bei feuchttropischem Klima wachsen Regen- und Nebelwälder. Die Bevölkerung besteht zu 86% aus Schwarzen, 11% Mulatten, 2% Weißen und bekennt sich zum Christentum. Die Wirtschaft basiert auf dem Anbau von Zuckerrohr und Baumwolle, dem Maschinenbau und dem Tourismus. – Die Inseln wurden 1493 von Kolumbus entdeckt, 1783 bekam Großbritannien die Oberhoheit. 1983 erhielt Saint Kitts und Nevis im Rahmen des Commonwealth die Unabhängigkeit.

Ländersteckbrief Saint Lucia

Fläche:	616 km²
Einwohner:	162 000 = 263 je km²
Hauptstadt:	Castries
Religion:	römisch-katholische Kirche
Amtssprache:	Englisch
Währung:	1 Ostkaribischer Dollar = 100 Cents

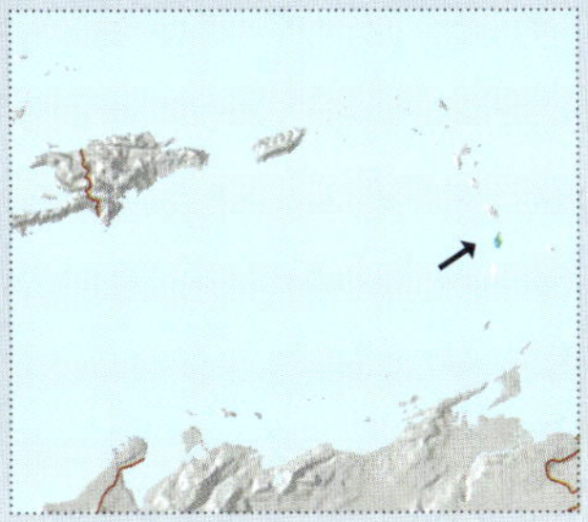

Saint Lucia, Staat in der Karibik.

Der Inselstaat der Kleinen Antillen wird von einem vulkanischen Bergland (bis 951 m) eingenommen; es herrscht feuchtheißes Tropenklima. 90% der vorwiegend katholischen Bevölkerung sind Schwarze, 6% Mulatten, 3% Inder und 1% Weiße. Export von Bananen, Bier und Textilien; bedeutender Tourismus. – 1814 wurde Saint Lucia britisch. Es gehörte verwaltungstechnisch zunächst zur Kolonie der Windward Islands, danach zur Westindischen Föderation und seit 1967 zu den Westindischen Assoziierten Staaten. 1979 wurde es im Rahmen des Commonwealth unabhängig.

Saint Phalle [sɛ̃ 'fal], Niki de, * 1930, † 2002; französische Bildhauerin, Bühnenbildnerin und Schriftstellerin. Sie wurde berühmt durch ihre »Nana-Figuren«, Frauenfiguren aus bunt bemaltem Pappmaché mit betont weiblichen Formen.

Ländersteckbrief Saint Vincent und die Grenadinen

Fläche:	388 km²
Einwohner:	120 000 = 309 je km²
Hauptstadt:	Kingstown
Religion:	protestantische Kirchen
Amtssprache:	Englisch
Währung:	1 Ostkaribischer Dollar = 100 Cents

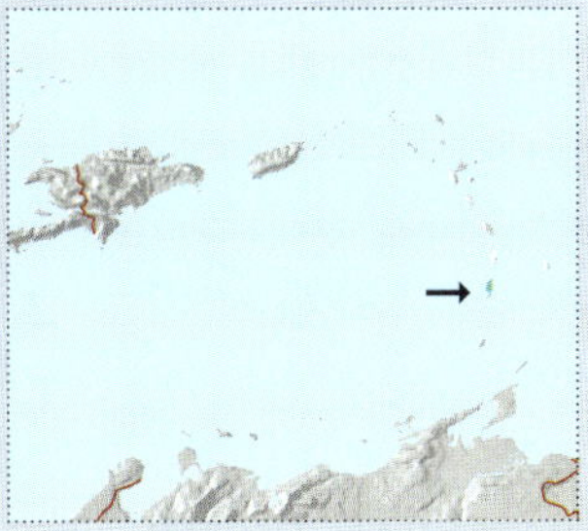

Saint Vincent und die Grenadinen, Staat in der Karibik.

Der Karibikstaat besteht aus gebirgigen Vulkaninseln (La Soufrière, 1234 m); es herrscht feuchtheißes Tropenklima, auf den Grenadinen Trockenklima. Die Bevölkerung (66% Schwarze, 19% Mulatten, 6%

Saint Vincent und die Grenadinen: Auf dem Wochenmarkt von Kingstown wird heimisches Obst und Gemüse verkauft.

Inder, 4% Weiße) ist christlich (v.a. protestantisch). Hauptexportgüter sind Bananen und Pfeilwurz (Marantastärke). Der Tourismus ist besonders auf den Grenadinen bedeutend; Tiefseehafen Kingstown. – Saint Vincent wurde 1498 von Kolumbus entdeckt. Die Insel war seit 1763 bzw. 1783 britisch. 1979 wurde Saint Vincent und die Grenadinen im Rahmen des Commonwealth unabhängig.

Saison [zɛ'zɔ̃, die], Jahreszeit, in der in einem bestimmten Bereich der größte Betrieb herrscht, z. B. die Hauptreisezeit im Fremdenverkehr oder die Spielzeit beim Theater.

Saite [die], ein elastisches fadenähnliches Gebilde aus Haaren, Seide, Metall, Perlon, Nylon oder zusammengedrehten Därmen. Bei *Saiteninstrumenten* sind mehrere Saiten über einen (hölzernen) Klangkörper gespannt. Durch Streichen, Zupfen oder Schlagen werden sie zum Klingen gebracht. Der Klang ist abhängig von Spannung, Länge, Stärke und Material der Saiten. Zu den Saiteninstrumenten gehören Geige, Harfe, Gitarre, Klavier u. a.

sakral, geweiht, heilig, z. B. sakrale Handlungen.

Sakrament [das, lat., »geheiligte Sache«], in der christlichen Kirche ein Zeichen für die Gnade Gottes. Die evangelische Kirche kennt zwei Sakramente, die Taufe und das Abendmahl. Die katholische Kirche und die orthodoxe Kirche haben sieben Sakramente: Taufe, Firmung, Eucharistie, Buß-Sakrament, Krankensalbung, Priesterweihe und Ehe.

Säkularisation [die], »Verweltlichung«, die Loslösung des Einzelnen oder der Gesellschaft aus den Bindungen an Religion oder Kirche; auch die Enteignung von kirchlichem Eigentum.

Salamander [Pl.], Unterordnung der Schwanzlurche, die mit mehreren Arten in weiten Teilen Europas und den angrenzenden Gebieten vertreten ist. Die bekannteste einheimische Art ist der *Feuersalamander* mit seinem auffällig gelbschwarz gefleckten Körper.

Saldo [der, Pl. Salden oder Saldi, ital., »Rechnungsabschluss«], der Unterschied zwischen Soll- und Habenseite eines Kontos.

Saline [die], eine Anlage zur Gewinnung von Salz. Meist wird in großen Pfannen salzhaltige Lösung (Sole) verdampft.

Salmiak [der], ein weißes Salz aus Salzsäure und Ammoniak (Ammoniumchlorid). Es wird z. B. beim Löten oder als Reinigungsmittel verwendet.

Salmonellen [Pl.], bewegliche, stäbchenförmige Bakterien, die mit Speisen und Getränken aufgenommen werden und sich über das Blut im ganzen Körper ausbreiten. Sie verursachen verschiedene Darmerkrankungen. Bei Lebensmittelvergiftungen (besonders häufig nach dem Verzehr von Eiern und Hühnerfleisch) sind oftmals Salmonellen im Spiel. Sie vermehren sich insbesondere bei sommerlicher Hitze. Man sollte daher Lebensmittel immer im Kühlschrank lagern und auf Sauberkeit achten. Zu den Salmonellen zählen auch die Erreger von Typhus und Paratyphus.

Salomo, auch *Salomon,* Sohn Davids, König von Israel und Juda etwa um 965–926 v. Chr. In der Überlieferung gilt seine Regierungszeit als »goldenes Zeitalter«. Seine Weisheit und seine Urteilsfähigkeit wurden gerühmt.

Ländersteckbrief

Salomonen

Fläche:	28 446 km²
Einwohner:	490 000 = 17 je km²
Hauptstadt:	Honiara
Religion:	Christentum
Amtssprache:	Englisch
Währung:	1 Salomonen-Dollar = 100 Cents

Salomonen, Staat in Ozeanien.

Der Inselstaat im westlichen Pazifik besteht aus der Inselgruppe der Salomonen (mit Ausnahme von Bougainville und Buka) und den *Santa-Cruz-Inseln*; es sind gebirgige, dicht bewaldete Vulkaninseln. Die Bewohner sind vorwiegend christliche Melanesier. Hauptexportgüter sind Palmöl, Fisch, Kopra und Holz, Kupfer und Gold. – Die Inselgruppe wurde 1568 von Spaniern entdeckt. Der nördliche Teil wurde 1885 deutsche Kolonie und kam nach dem Ersten Weltkrieg unter australisches Völkerbundsmandat. Er gehört heute zu Papua-Neuguinea. Der südliche Teil wurde 1893 britisches Protektorat und ist seit 1978 unabhängig.

Salpeter [der], Name für einige Salze der Salpetersäure. Man nennt sie auch Nitrate. Salpeter kommt in der Natur u. a. als Chilesalpeter vor und wird in großen Mengen zu Düngezwecken technisch hergestellt.

Salz [das], in der Umgangssprache Name für Kochsalz ($NaCl$). Salz wird als Steinsalz im Bergbau abgebaut sowie durch Eindampfen von Salzwasser (Sole) und Meerwasser gewonnen (→ Saline). In der Chemie versteht man unter Salz eine Verbindung aus einem Säurerest (Anion) und Metallkationen. Sie können gebildet werden durch die Einwirkung einer Säure auf ein Metall, Metalloxid oder Metallhydroxid sowie durch die Neutralisation einer Base mit einer Säure.

Salzburg, die Hauptstadt des österreichischen Bundeslandes Salzburg an der Salzach, 144 000 Einwohner. Auf den Ruinen einer Römersiedlung wurde 696 ein Kloster gegründet, seit 798 wurde vom Sitz der Erzbischöfe aus das Land Salzburg regiert. Salzburg ist der Geburtsort von W. A. *Mozart*. Die *Salzburger Festspiele* ziehen jährlich viele Besucher an.

Salzsäure [die], die farblose, stark ätzende Lösung von Chlorwasserstoff in Wasser. Salzsäure löst die

Saline: In dieser Saline in Djibouti wird Salz durch das Verdampfen des Wassers aus dem Lake Assal gewonnen. Arbeiter schaufeln das feuchte Salz zum Abtransport zusammen.

meisten Metalle unter Entwicklung von Wasserstoff, die Edelmetalle jedoch nicht.

Sambesi [der], der wasserreichste und längste Fluss Südafrikas, 2736 km lang. Er entspringt im Nordwesten von Sambia, bildet in seinem Verlauf die 107 m hohen Victoriafälle und mündet bei Chinde in den Indischen Ozean.

Ländersteckbrief
Sambia

Fläche:	752 614 km^2
Einwohner:	11,9 Millionen = 16 je km^2
Hauptstadt:	Lusaka
Religion:	Christentum; Naturreligionen
Amtssprache:	Englisch
Währung:	1 Kwacha = 100 Ngwee

Sambia, Staat in Südafrika.

Landesnatur: Sambia wird hauptsächlich von dem 1000–1300 m hohen Hochland der Lundaschwelle eingenommen, die von den tiefen Talungen des Sambesi und seiner Zuflüsse durchzogen wird. Das tropische Höhenklima ist mäßig warm und feucht.

Bevölkerung: Die Bevölkerung setzt sich aus 73 verschiedenen Stämmen (v. a. Bantus) zusammen. 72% sind Christen, 27% sind Anhänger traditioneller Religionen.

Wirtschaft: Der wichtigste Wirtschaftszweig ist der Bergbau, auf den 90% des Exports entfallen. Am bedeutendsten ist die Gewinnung und Verhüttung von Kupfererzen im Copper Belt. Wichtigste Zweige der vielseitigen Industrie sind Nahrungsmittel-, Textil, chemische und Metallindustrie.

Geschichte: Das heutige Sambia kam 1890 durch C. *Rhodes* unter den Einfluss Großbritanniens. 1899 bis 1964 war es britisches Protektorat. Dabei wurde das Land 1953 Bestandteil der Föderation von Rhodesien und Nyasaland. 1964 wurde es als Republik Sambia selbstständig. 1964–1991 regierte der Staatsgründer K. *Kaunda*. Nach freien Wahlen wurde 1991 F. *Chiluba* neuer Staatspräsident. Er wurde 2002 von L. *Mwanawasa* abgelöst.

Samen [der], **1.** Verbreitungsorgan der Samenpflanzen. Es besteht aus dem Embryo, der von Nährgewebe und einer schützenden Hülle umgeben ist. Die Verbreitung des Samens erfolgt durch Wind, Insekten oder Vögel. **2.** *Sperma*, aus der männlichen Geschlechtsöffnung der Tiere und des Menschen austretende Flüssigkeit. Sie enthält die von den männlichen Keimdrüsen gebildeten Samenzellen.

Samen, eigener Name der → Lappen.

Samenerguss → Ejakulation.

Sambia: Über 340 Millionen Liter Wasser stürzen an den Victoriafällen an der Grenze von Sambia und Simbabwe pro Minute in die Tiefe.

Ländersteckbrief
Samoa

Fläche:	2935 km²
Einwohner:	186 000 = 63 je km²
Hauptstadt:	Apia
Religion:	protestantische Kirchen; römisch-katholische Kirche
Amtssprache:	Samoanisch, Englisch
Währung:	1 Tala = 100 Sene

Samoa, Staat in Ozeanien.

Die größten Inseln des pazifischen Staates sind Savaii (bis 1857 m hoch) und Upolu, von Korallenriffen umgeben. Die Bewohner sind vorwiegend protestantische Polynesier. Exportiert werden Kopra, Kakao und Bananen; der Tourismus hat wachsende Bedeutung.

Geschichte: Samoa ist seit etwa 500 n. Chr. von Polynesiern bewohnt. 1899 wurde die Inselgruppe zwischen dem Deutschen Reich und den USA geteilt. Der deutsche Teil wurde 1920 Völkerbundsmandat, 1947 Treuhandgebiet unter neuseeländischer Verwaltung. Seit 1962 ist das Gebiet ein unabhängiger Staat. Der politischen Struktur nach ist Samoa eine Häuptlingsaristokratie.

Samowar [der], seit dem 18. Jh. vor allem in Russland verwendete, mit Holzkohle geheizte Teemaschine.

Sampling [saːmpliŋ, das, engl.], eine Aufnahmetechnik in der Musik. Mit Hilfe eines Mischpults oder Computers werden verschiedene Tonquellen zusammengeführt: Musikstücke werden kombiniert, mit Alltagsgeräuschen und neuen Rhythmen unterlegt, so dass schließlich ein ganz neues Musikstück entsteht.

Samurai [der], im 8. Jh. bewaffnete Dienstleute des japanischen Hofadels, die sich später zu einer eigenen Kaste entwickelten.

San'a, die Hauptstadt des Jemen, 1,4 Mio. Einwohner. Die Altstadt wird geprägt durch mehrstöckige Bauwerke aus Lehmziegeln mit kunstvollen Verzierungen.

Sanatorium [das], eine Krankenheilstätte zur Behandlung länger anhaltender Leiden oder zur Kräftigung des Körpers nach überstandener Krankheit.

Sanduhr [die], ein altes Gerät zur Zeitmessung. Es besteht aus zwei kegelförmigen, an den Spitzen miteinander verbundenen Glasgefäßen, von denen eines mit Sand gefüllt ist, der beim Umdrehen der Sanduhr in den leeren Teil rieselt.

Sandwich ['sæntvitʃ, das, engl.], zwei dünne, mit Butter bestrichene Weißbrotscheiben und Belag dazwischen.

San Francisco [sæn frən'siskou], eine Hafenstadt an der Westküste der USA in Kalifornien, an einer Bucht des Pazifischen Ozeans, 752 000 Einwohner. Die Einfahrt in die Bucht (Golden Gate) wird von einer der

San'a: Die außergewöhnlich schöne Altstadt wurde 1988 von der UNESCO zum Weltkulturerbe erklärt.

San Francisco: Die 1873 eingeführten Cable Cars sind seilgezogene Straßenbahnen. Sie stehen heute unter Denkmalschutz.

längsten Hängebrücken der Erde überspannt. San Francisco wurde 1776 von den Spaniern als Mission gegründet, 1848 ging die Stadt an die USA.

Sanierung [die], Heilung, Wiederherstellung der Gesundheit. Als Sanierung bezeichnet man auch die Behebung der finanziellen Probleme eines Unternehmens oder bauliche Maßnahmen zur Verbesserung der Wohnverhältnisse.

sanitär, die Gesundheit, das Gesundheitswesen betreffend. Unter *sanitären Anlagen* versteht man Toiletten und Waschräume.

Sanitäter [Pl.], Personen, die Krankentransporte fahren und in Erster Hilfe ausgebildet sind.

Sankt, Abkürzung St., heilig.

Sankt Bernhard, **1.** *Großer Sankt Bernhard,* Pass in den Westalpen, im schweizerischen Kanton Wallis nahe der italienischen Grenze, 2469 m. **2.** *Kleiner Sankt Bernhard,* Pass in den Westalpen, südlich vom Montblanc-Massiv, an der französisch-italienischen Grenze, 2188 m.

Sankt Gallen, die Hauptstadt des nordschweizerischen Kantons Sankt Gallen, südlich des Bodensees, 70 600 Einwohner. Um 614 gründete hier der irische Mönch *Gallus* eine Einsiedelei, aus der im 9. Jh. eine Benediktinerabtei hervorging (1805 aufgelöst). 1803 entstand der Kanton Sankt Gallen.

Sankt Gotthard, schweizerisches Gebirgsmassiv, das im Westteil im *Pizzo Rotondo* 3192 m und im Ostteil im *Pizzo Centrale* 3001 m hoch ist. Der Sankt Gotthard ist das Quellgebiet von Rhein, Reuss, Rhône und Tessin.

Sanktion [die], **1.** allgemein Bestätigung, Zustimmung. **2.** internationale Strafandrohung oder Strafmaßnahme von Staaten gegenüber einem anderen Staat oder anderen Staaten, die ihre vertragsmäßigen Verpflichtungen nicht erfüllt haben (z. B. Abbruch der diplomatischen oder wirtschaftlichen Beziehungen).

Sankt-Lorenz-Strom [der], Strom in Nordamerika, teilweise Grenzfluss zwischen den USA und Kanada, Verbindung der Großen Seen mit dem Atlantischen Ozean, 1287 km lang, entströmt dem Ontariosee.

Sankt Pauli, Ortsteil von Hamburg; Landungsbrücken, Vergnügungsviertel *Reeperbahn.*

Sankt Petersburg → St. Petersburg.

Ländersteckbrief
San Marino

Fläche:	61 km²
Einwohner:	28 000 = 459 je km²
Hauptstadt:	San Marino
Religion:	römisch-katholische Kirche
Amtssprache:	Italienisch
Währung:	1 Euro = 100 Cent

San Marino, Staat in Südeuropa.

Der europäische Zwergstaat erstreckt sich am Ost-Hang des Etruskischen Apennins, südwestlich von Rimini. Die meist katholischen Einwohner sind italienischen Ursprungs. Die wichtigsten Wirtschaftszweige sind Briefmarkenverkauf und Tourismus.

Geschichte: Die Republik bildete sich um das 885 erstmals erwähnte Kloster San Marino. Die Unabhängigkeit geht bis auf das 13. Jh. zurück. 1862 stellte sich San Marino unter den Schutz Italiens, das auch die auswärtigen Interessen von San Marino wahrnimmt. 1992 wurde San Marino Mitglied der UNO. 2002 erfolgte die Einführung des Euro.

San Salvador, die Hauptstadt der zentralamerikanischen Republik El Salvador, 611 000 Einwohner.

Sansibar, eine Koralleninsel im Indischen Ozean, vor der Ostküste Afrikas. Die Insel wurde 1503 von den Portugiesen erobert und schloss sich nach einer wechselvollen Geschichte mit Tanganjika zur Republik Tansania zusammen.

Sanskrit [das], eine altindische Kultur- und Bildungssprache. Das Sanskrit war bereits im 3. Jh. v. Chr. Gelehrtensprache (entsprechend dem Latein im europäischen Kulturleben). Als Umgangssprache wurde es schon vor Christi Geburt durch das *Prakrit* abgelöst, das die Vorstufe der neuindischen Sprachen bildete.

Sanssouci [sãsu'si], Rokokoschloss bei Potsdam; Lieblingsaufenthalt Friedrichs des Großen.

Santiago de Chile, Hauptstadt von Chile, am Fuß der Anden, 6,4 Mio. Einwohner. Die Stadt wurde 1541 von Spaniern gegründet.

Santo Domingo, Hauptstadt und wichtigster Hafen der Dominikanischen Republik, 1,9 Mio. Einwohner. Die Stadt wurde 1496 als erste Europäerstadt Amerikas von Spaniern gegründet.

São Paulo [sãu 'paulu], größte Stadt Brasiliens, Hauptstadt des gleichnamigen Bundesstaats und wichtigster Industriestandort in Brasilien, 10,8 Mio. Einwohner (mit Vororten 17,9 Mio. Einwohner).

Ländersteckbrief
São Tomé und Príncipe

Fläche:	1001 km²
Einwohner:	160 000 = 160 je km²
Hauptstadt:	São Tomé
Religion:	römisch-katholische Kirche
Amtssprache:	Portugiesisch
Währung:	1 Dobra = 100 Céntimos

São Tomé und Príncipe, Staat in Westafrika.

Die von Vulkanen (bis 2024 m) überragten und von Regenwald überwucherten feuchttropischen Inseln liefern Kakao (93% der Gesamtausfuhr), Kopra, Mais, Palmprodukte und Hölzer. Die Bevölkerung (hauptsächlich Schwarze, daneben Mulatten) ist meist katholisch. – São Tomé und Príncipe wurde 1471 von Portugiesen entdeckt und war bis zu seiner Unabhängigkeit 1975 im portugiesischen Besitz.

Saphir [der], ein blauer, durchsichtiger Edelstein. Auch → Edelsteine.

Sapporo, Hauptstadt der japanischen Insel Hokkaido, 1,8 Mio. Einwohner. Die Stadt ist ein Wintersportzentrum und bekannt durch das jährlich stattfindende Schneefest mit den berühmten Schneeskulpturen.

Sarajevo, Hauptstadt von Bosnien-Herzegowina, 380 000 Einwohner. 1984 fanden hier die Olympischen Winterspiele statt. In Sarajevo wurde 1914 der österreichisch-ungarische Thronfolger ermordet, wodurch der Erste Weltkrieg ausgelöst wurde. 1918 kam Sarajevo an Jugoslawien. Nachdem Bosnien-Herzegowina 1992 seine Unabhängigkeit erklärt hatte, brach zwischen Serben, Kroaten und Moslems ein blutiger Bürgerkrieg aus, in dessen Verlauf Sarajevo durch serbischen Beschuss stark zerstört wurde.

Sarazenen [Pl.], im Mittelalter die Bezeichnung für Araber, besonders für Moslems.

Sardelle [die], ein kleiner, fettreicher Heringsfisch, bis 15 cm lang. Er wird im Mittelmeer und an den westeuropäischen Küsten gefangen und meist eingesalzen verwendet.

Sardine [die], ein bis 26 cm großer Heringsfisch der subtropischen und gemäßigten Zonen des Ostatlantik und des Mittelmeeres, als *Ölsardine* ein wichtiger Exportartikel der Mittelmeerländer.

Sardinien, die zweitgrößte Insel Italiens, im Mittelmeer, 24 090 km², 1,6 Mio. Einwohner *(Sarden).* Hauptort ist *Càgliari.* Die Bewohner der gebirgigen Insel leben zum großen Teil von Fischerei, Schafzucht und Fremdenverkehr. Sie sprechen sardisch, ein Italienisch, das dem Latein sehr nahe steht.

Sargassosee [die], Bezeichnung für einen Teil des Atlantischen Ozeans, südöstlich der Bermudainseln. In den Algenwäldern der Sargassosee befinden sich die Laichplätze der Europäischen und Amerikanischen Flussaale (→ Aale).

Sarkasmus [der], beißender, verletzender Spott.

Sarkophag [der], prunkvoller, meist reich verzierter Sarg aus Stein, Metall, Holz oder Ton. In einem Sarkophag wurden früher hochgestellte, reiche Persönlichkeiten, z. B. Kaiser und Könige, beigesetzt.

SARS, Abkürzung für englisch ***S**evere **A**cute **R**espiratory **S**yndrome* (»Schweres akutes Atemwegssyndrom«), erstmalig 2002 in China aufgetretene, weltweit grassierende Lungenentzündung, die durch Viren hervorgerufen und überwiegend durch Tröpfcheninfektion übertragen wird. Symptome sind hohes Fieber, Halsschmerzen, Atemnot und schwerer Husten.

Saturn ist nach wie vor der »König der Ringe«, obwohl inzwischen auch bei anderen Planeten Ringsysteme nachgewiesen wurden.

Sartre ['sartr], Jean-Paul, * 1905, † 1980; französischer Schriftsteller und Philosoph. Sartre war ein führender Vertreter des *Existenzialismus.* Nach seiner Vorstellung ist der Mensch frei von jeder Bindung, auch von Gott. Der Mensch muss seinem Leben selbst einen Sinn geben und ist auch dafür verantwortlich. Zu seinen wichtigsten Werken gehören u. a. »Das Sein und das Nichts«, »Die Fliegen«, »Die schmutzigen Hände«, »Der Ekel«, »Die Wörter«. Sartre lehnte 1964 den Literaturnobelpreis ab.

Satan [der] → Teufel.

Satellit [der], **1.** Begleiter eines Planeten, die um Planeten kreisenden Monde. **2.** in der Raumfahrt ein unbemannter Raumflugkörper, der mit einer Trägerrakete in eine Umlaufbahn um einen Himmelskörper geschossen wird oder durch einen Raumtransporter in eine Umlaufbahn gebracht wird, in der er längere Zeit als künstlicher Mond kreist. Künstliche Satelliten werden z. B. in der astronomischen und geophysikalischen

Forschung eingesetzt, aber auch in der Wetterkunde sowie als Nachrichtensatelliten mit der Aufgabe, Ferngespräche, Fernsehprogramme u. Ä. von Kontinent zu Kontinent zu übermitteln. Je nach Zweck sind Satelliten mit Sende- und Empfangsanlagen, Mess- und Beobachtungsgeräten ausgerüstet.

Satellitenfernsehen [das], Übertragung von Fernsehsendungen durch Satelliten. Satellitenfernsehen ermöglicht größere Reichweiten, eine bessere Qualität von Bild und Ton und die Einrichtung von mehr Kanälen, die besonders vom Privatfernsehen genutzt werden. In Deutschland gibt es seit 1984 Satellitenfernsehen.

Satire [die], eine Literaturart, die Personen, Ereignisse und Ansichten kritisiert, indem sie diese lächerlich macht. Die Satire ist nicht an eine bestimmte Gattung gebunden. Es gibt satirische Gedichte, Erzählungen, Romane und Dramen. Heute wird die Satire besonders im Kabarett und in Zeitschriften gepflegt.

Saturn [der], **1.** in der römischen Sagenwelt der Gott der Saaten und der Fruchtbarkeit. **2.** zweitgrößter Planet des → Sonnensystems.

Satyr [der], in der griechischen Sagenwelt ein niederer Geist (Dämon) der Fruchtbarkeit aus dem Gefolge des Dionysos (Bacchus).

Satz [der], **1.** eine sprachliche Einheit, die meist aus mehreren Wörtern zusammengesetzt ist. Es gibt auch eingliedrige Sätze, wie z. B. der Ausruf »Achtung!«. Im Allgemeinen sind jedoch zumindest *Subjekt* und *Prädikat* erforderlich, um einen vollständigen Satz zu bilden, z. B. »Das Kind schreit«. Je mehr Ergänzungen hinzukommen (z. B. *Objekt, adverbiale Bestimmungen*), desto komplizierter wird der Satzbau. Man unterschei-

Genauer betrachtet …
Satz

Die Satzglieder und ihre Ermittlung im Überlick:

Satzglied	Hilfsfrage	Beispiel
Subjekt (Satzgegenstand)	Wer? Was?	*Der Lehrer* lacht.
Prädikat (Satzaussage)	Was geschieht?	Er *wartet* auf den Bus.
Objekte (Ergänzungen)		
Akkusativobjekt (4. Fall)	Wen? Was?	Ich suche *den Schlüssel.*
Dativobjekt (3. Fall)	Wem?	Er gibt es *seinem Bruder.*
Genitivobjekt (2. Fall)	Wessen?	Er erinnert sich *seiner Mutter.* (Häufiger: Er erinnert sich an *seine Mutter.*)
Präpositionales Objekt	Auf wen? Auf was?	Er wartet *auf einen Anruf.*
Adverbial (Umstandsbestimmung)	Was? Wann? Wo? Wie? Warum?	Er wartet *vor der Tür.* Er kommt *morgen.*
Attribut (Beifügung, als Satzgliedteil)	Was für ein?	Der *große* Hund bellt. Der Hund *der Nachbarin* bellt. Der Hund, *der groß ist*, bellt.

det vier Satzarten: 1. den *Aussagesatz*, mit dem man etwas mitteilen, berichten oder feststellen kann (z. B. »Marvin geht zur Schule.«), 2. den *Aufforderungssatz*, mit dem man etwas befehlen oder fordern kann (z. B. »Komm sofort her!«), 3. den *Ausrufesatz*, mit dem man Gefühle zum Ausdruck bringen oder dem Gesagten mehr Nachdruck verleihen kann (z. B. »Gib das sofort her!«) und den *Fragesatz*, mit dem man etwas erfragen oder erbitten kann (z. B. »Kommst du mit?«). Auch → »Genauer betrachtet«, Seite 149. **2.** in der Musik ein in sich abgeschlossener Teil einer Komposition, z. B. einer Suite, Sonate, Sinfonie.

Satzlehre → Syntax.

Satzung [die], eine schriftlich festgelegte Ordnung, Vorschriften, Bestimmungen von Vereinen, Gesellschaften, Gemeinden u. a.

Satzzeichen [das] → Zeichensetzung.

Ländersteckbrief
Saudi-Arabien

Fläche:	2 250 000 km²
Einwohner:	25,2 Millionen = 11 je km²
Hauptstadt:	Riad
Religion:	Islam
Amtssprache:	Arabisch
Währung:	1 Saudi Riyal = 20 Qirshes = 100 Hallalas

Saudi-Arabien besitzt ein Viertel aller bekannten Weltreserven an Erdöl, das wie hier vom Hafen Ra's At Tannurah aus weltweit exportiert wird.

Saudi-Arabien, Staat in Vorderasien.

Landesnatur: Das Kerngebiet von Saudi-Arabien besteht aus einem Hochplateau (*Nadjd*) mit Stein- und Sandwüsten zwischen 600 und 1000 m Höhe. Hinter der Küstenebene *Tihamah* am Roten Meer steigt das Küstengebirge teilweise bis rund 3000 m steil an. Nach Osten senkt sich das Land zum Persischen Golf. Das Klima ist sehr heiß und äußerst trocken.

Bevölkerung: Die fast ausschließlich arabische Bevölkerung lebt zu 30% nomadisch oder halbnomadisch. Die Zahl der ausländischen Arbeitnehmer liegt bei rund 30%. Der Islam ist Staatsreligion.

Wirtschaft: Außenhandel und Staatshaushalt beruhen auf dem Erdöl, das am Persischen Golf gefördert wird. Saudi-Arabien ist der größte Rohölexporteur der Welt. Die Industrie (Petrochemie, Stahl- und Baustoffwerke) wird weiter ausgebaut. Die Landwirtschaft beschränkt sich auf die Haltung von Schafen, Ziegen, Kamelen und auf Oasenwirtschaft. – Die wichtigsten Überseehäfen sind Djidda und Yanbu Al Bahr am Roten Meer sowie Jubayl und Dammam am Persischen Golf. Internationale Flughäfen gibt es bei Djidda, Dhahran, Riad und Medina.

Geschichte: 1902–1921 schuf *Ibn Saud* das Reich der *Wahhabiten im Nadjd* neu und eroberte 1924–1926 das Königreich *Hedjas*; 1932 nannte er sein Reich Saudi-Arabien. 1953 folgte ihm sein Sohn *Saud* auf dem Thron. Seit 1964 war dessen Bruder *Faisal* König. 1975 wurde Faisal ermordet; Nachfolger wurde sein Bruder *Chaled*; nach dessen Tod übernahm 1982 *Fahd* die Regentschaft. Nach der Besetzung Kuwaits durch Irak 1990 verlegten die USA Truppen nach Saudi-Arabien. 2005 verstarb König Fahd. Nachfolger wurde der bisherige Kronprinz *Abdullah*. Grundlage der Gesellschaftsordnung des Landes ist der Islam.

Sauerampfer [der], eine weit verbreitete krautige Wiesenpflanze mit sauer schmeckenden Blättern, die auch als Salat gegessen werden. Sauerampfer wird bis 1 m hoch und hat rote, ährenförmige Blütenstände.

Sauerland [das], eine westfälische Mittelgebirgslandschaft mit zahlreichen Talsperren und Tropfsteinhöhlen, viele Luftkurorte.

Sauerstoff, ein chemisches Element mit dem Zeichen O (lateinisch Oxygenium). Das farblose, geruch- und geschmacklose Gas kommt elementar in der Luft, gebunden im Wasser und in Verbindungen mit Metallen vor. Es verbindet sich mit den meisten Elementen zu Oxiden (→ Oxidation). Sauerstoff ist für alle Organismen lebensnotwendig. Menschen und Tiere ersticken, wenn sie nicht genügend Sauerstoff bekommen. Pflanzen dagegen geben bei der → Photosynthese Sauerstoff an die Luft ab. Sauerstoff wird technisch aus flüssiger Luft gewonnen und in Stahlflaschen unter Druck in den Handel gebracht. Er findet Verwendung bei der künstlichen Beatmung, zum Schweißen u. Ä.

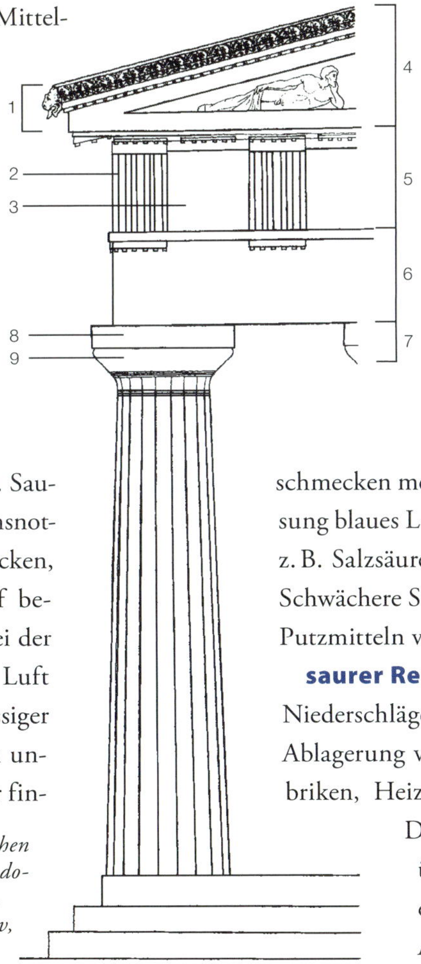

Säulen waren wichtige Elemente der klassischen griechischen Baukunst. Die Grafik zeigt die dorische Säulenordnung: 1 Gesims, 2 Triglyph, 3 Metope, 4 Frontgiebel, 5 Fries, 6 Architrav, 7 Kapitell, 8 Abakus, 9 Echinus.

Säugetiere → Seite 152.

Säule [die], rundlicher, hochragender Steinpfosten, der sich oft nach oben verjüngt und glatt oder gerillt sein kann. Säulen haben tragende oder schmückende Funktionen. Die Säule war besonders in der griechischen Baukunst von großer Bedeutung. Fast jeder Baustil entwickelte seine eigene Säulenform. Auch → Baukunst.

Sauna [die], ein finnisches Heißluftbad in trockener Hitze von 70 bis 90 °C, bei dem durch Übergießen von heißen Feldsteinen mit Wasser Dampfstöße erzeugt werden. Anschließend kühlt man sich mit kaltem Wasser oder Schnee ab. Das Schwitzen und die Temperaturwechsel regen den Blutkreislauf und den Stoffwechsel an.

Säuren [Pl.], chemische Verbindungen, die in der Lage sind, in wässriger Lösung Wasserstoff-Ionen abzugeben. Wenn die Wasserstoff-Ionen durch Metall-Ionen ersetzt werden, entstehen Salze. Säuren schmecken meist sauer und färben in wässriger Lösung blaues Lackmuspapier rot. Starke Säuren, wie z. B. Salzsäure und Schwefelsäure, wirken ätzend. Schwächere Säuren, z. B. Zitronensäure, werden in Putzmitteln verwendet.

saurer Regen, die Bezeichnung für die durch Niederschläge (besonders Regen) hervorgerufene Ablagerung von Luftverunreinigungen durch Fabriken, Heizungen, Landwirtschaft und Autos. Dabei führt besonders Schwefelsäure über das Regenwasser zur Versauerung von Böden und Gewässern. Auch → Waldsterben.

Mehr wissen …

Im Mutterleib geborgen: Säugetiere

Die ältesten Überreste eines Säugetiers, die bis heute entdeckt worden sind, stammen aus der Trias – sie waren 200 Mio. Jahre alt. Etwa 135 Mio. Jahre lang mussten die Säugetiere im Schatten der Dinosaurier leben. Ihre Zeit kam erst, als die Urzeitriesen vor 65 Mio. Jahren auf rätselhafte Weise verschwanden und den Säugern Platz machten.

Die Vorfahren der Säugetiere:

Die ursprünglichsten noch lebenden Säugetiere sind die Kloakentiere Australiens und der eng benachbarten Inselwelt: Ameisenigel und Schnabeltier. Diese Tiere zeigen noch viele Merkmale, die an die reptilienähnlichen Vorfahren erinnern, aus denen sich die Säuger einmal entwickelt haben. Wie ihr Name schon sagt, besitzen diese Tiere noch eine Kloake, so nennt man den gemeinsamen Ausführgang von Enddarm, Harn- und Geschlechtsweg; sie findet sich auch bei den heutigen Kriechtieren (Reptilien) und Vögeln. Weitere Übereinstimmungen mit diesen Gruppen zeigen sich z. B. beim Bau von Herz und Blutgefäßen, vor allem aber in der erstaunlichen Tatsache, dass Kloakentiere Eier legende Säugetiere sind. Aus diesem Grund verfügen ihre Nachkommen sogar über einen Eizahn zum Durchbrechen der Schale, der später zurückgebildet wird – ein für Säugetiere einzigartiger Besitz, der für viele Kriechtiere und Vögel aber ganz selbstverständlich ist.

Kennzeichen der Säugetiere:

Es mag verwunderlich sein, dass Kloakentiere trotz dieser sehr ursprünglichen Merkmale zu den Säugetieren gerechnet werden. Da sie aber schon durch wesentliche Kennzeichen mit den Säugern verbunden sind, sehen die Wissenschaftler sie lieber als ursprüngliche Säugetiere denn als hoch entwickelte Reptilien an. So zeigen Kloakentiere schon erste Ansätze, ihre Körpertemperatur konstant zu halten (Warmblütigkeit), haben ein Fell, um sich vor Wärmeverlusten zu schützen, einen für Säugetiere typischen Bau des Unterkiefergelenks, und sie geben Milch an ihre Nachkommen ab. Das Säugen der Jungen hat dieser Tiergruppe schließlich auch ihren deutschen Namen gegeben (Wissenschaftler bezeichnen die Säugetiere hingegen als »Mammalia«, vom lateinischen Wort »mamma« für Brustdrüse). Um säugen oder saugen zu können, waren viele Neuentwicklungen notwendig, die diese Tiergruppe schließlich so einmalig machen. Dazu gehören spezielle Drüsen zur Bildung von Milch, ein getrennter Nasen- und Mundraum, um saugen und atmen zu können, und bewegliche Lippen, die die Milchzitzen umschließen und so eine dichte Verbindung zum Saugen herstellen können. Im Unterschied zu den höher entwickelten Säugern besitzen die weiblichen Kloakentiere jedoch noch keine Milchzitzen, sondern nur ein einfaches Milchfeld am Bauch, von dem ihre Jungen die Milch ablecken.

Unterklassen der Säugetiere:

Mit 3 Arten bilden die *Eier legenden Säugetiere (Prototheria)* die kleinste und ursprünglichste der drei Säugetiergruppen. Zu ihnen gehören auch die heute noch lebenden Kloakentiere. Wesentlich mehr Arten (über 270) haben die Säugetiere der nächsthöheren Entwicklungsstufe zu bieten, die *Beuteltiere (Metatheria, Marsupialia):* wie verschiedene Ratten-, Marder-, Kletter-, Gleit-, Bilch- oder Honigbeutler und einige mehr. Eine beutelförmige

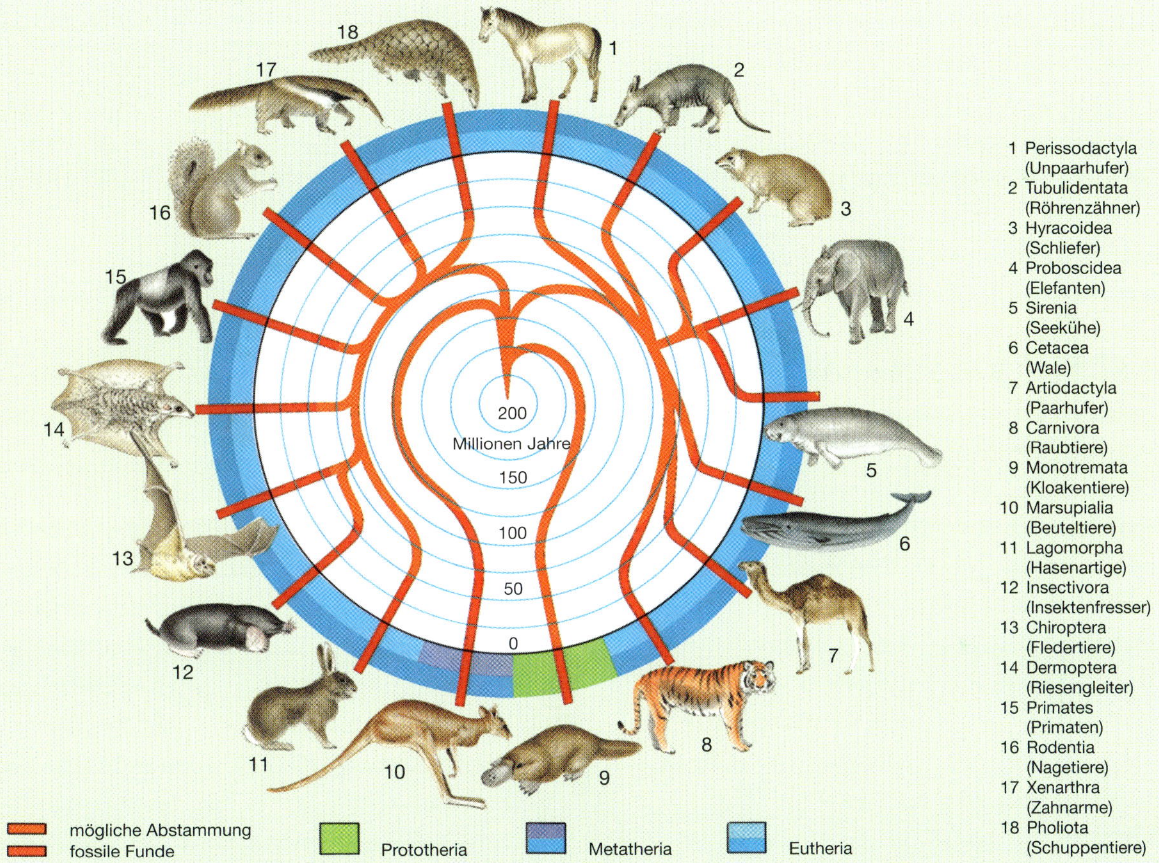

Hautfalte über den Milchzitzen, unter der sich ihre Jungen nach der Geburt weiterentwickeln, gab ihnen den Namen. Die wohl bekanntesten Beuteltiere dürften jedoch die australischen Kängurus und Koalabären sein.

Am erfolgreichsten verlief die Entwicklung der *höheren Säugetiere* oder *Plazentatiere (Eutheria, Placentalia)*, schließlich gehört ihnen die Mehrzahl der über 4600 Säugetierarten an. In einer unüberschaubaren Formenfülle haben sie fast alle Lebensräume der Erde besetzt. Ihre Gestalt reicht von normal gebauten Vierfüßern bis zu den hoch spezialisierten Springern, Rennern, Schwimmern, Hanglern oder Fliegern mit verkümmerten oder verstärkten Vorder- oder Hinterbeinen. Einige der Landgänger sind im Laufe ihrer Entwicklung sogar wieder ins Meer zurückgegangen, wovon ihre heutigen Nachfahren zeugen. Hierzu gehören zum Beispiel die Wale, die Delphine und alle Verwandten der Robben.

Saurier [Pl., von griech. sauros, »Eidechse«], ausgestorbene → Reptilien, die vor allem im Erdmittelalter lebten, vor 220 bis 65 Mio. Jahren. Unter den Sauriern gab es Räuber und Pflanzenfresser. Manche lebten auf dem Land (z. B. die *Dinosaurier*), manche im Wasser (z. B. die *Ichthyosaurier*), andere konnten fliegen (»Flugsaurier«). Auch → Dinosaurier.

Savanne [die], eine fast baumlose Grassteppe in den wechselfeuchten Tropengebieten Afrikas und Südamerikas. Während der Regenzeit herrscht üppiges Wachstum, in der Trockenzeit verdorrt die Landschaft.

Savanne: Unter den vereinzelt stehenden Bäumen in der Savannen-Landschaft suchen Elefanten einen Schattenplatz.

Saxophon [das], *Saxofon,* ein Blasinstrument aus Metall mit einem Klarinettenschnabel als Mundstück und einem der Oboe ähnelnden Klappensystem. Es wird vor allem in der Unterhaltungs- und Tanzmusik sowie im Jazz verwendet.

Scanner [der], ein elektro-optisches Gerät, mit dem Grafiken, Fotos, Texte usw. in einen Computer eingelesen werden können. Der Scanner tastet die Objekte punkt- oder zeilenweise ab und leitet die ermittelten Daten zur Auswertung an den Computer weiter. Scanner gibt es als *Lesestifte,* als Tischgeräte *(Flachbettscanner)* sowie als *Trommelscanner,* die in der Druckindustrie verwendet werden.

SCART [skaːt], *Euro-AV,* Steckverbindung zum Anschluss von Audio- und Videogeräten.

Schaben [Pl.] → Kakerlak.

Schachspiel [das, persisch schah, »König«], ein wahrscheinlich im 6. Jh. in Indien entstandenes Brettspiel zwischen zwei Spielern mit je 16 Figuren (König, Dame, zwei Türme, zwei Springer oder Rössel, zwei Läufer, acht Bauern) auf einem in 64 gleiche Quadrate von weißer und schwarzer Farbe eingeteilten Brett. Jede Figur hat ihre besondere Art (Regel), sich zu bewegen und Gegenfiguren auszuschalten. Das Ziel des Spiels ist es, den gegnerischen König matt zu setzen. Unentschiedene Spiele heißen Patt oder Remis. Im Schach gibt es internationale Wettkämpfe bis zur Schachweltmeisterschaft.

Saxophon: Das Instrument wurde 1842 von dem belgischen Instrumentenbauer Adolphe Sax konstruiert.

Schädel [der], allgemein das Knochengerüst des Kopfes von Wirbeltieren und Menschen. Der menschliche Schädel besteht aus mehreren zusammengefügten Knochen, die das Gehirn umgeben und schützen und im Gesichtsbereich als Gerüst dienen. Der Unterkiefer ist der einzige bewegliche Knochen. Die beiden Kiefer tragen die Zähne.

Schädlinge [Pl.], Tiere und Pflanzen, die dem Menschen, seinen Haustieren oder Nutzpflanzen Schaden zufügen. Zu den Schädlingen gehören z. B. der Kartoffelkäfer, der Kartoffeln vernichtet, Insekten, die Krankheiten übertragen können (z. B. Fliegen, Flöhe), aber auch Tiere, die Schäden an Kleidern oder Nahrungsmitteln verursachen (z. B. Motten, Ratten).

Schafe [Pl.], meist in Herden lebende Wiederkäuer, die zu den ältesten Haustieren zählen. Schafe liefern dem Menschen Wolle, Fleisch und Milch.

Schaffhausen, die Hauptstadt des schweizerischen Kantons Schaffhausen, am Rhein oberhalb des Rheinfalls, 34 000 Einwohner.

Schah [der], in Persien die Bezeichnung für einen König, Herrscher.

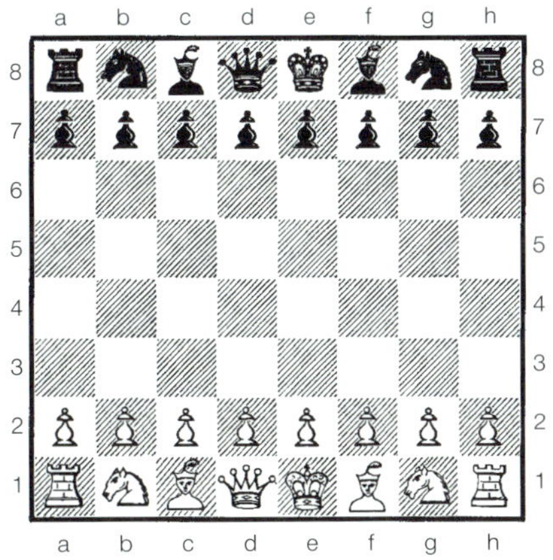

Schachspiel: Die Figuren sind in der Grundstellung aufgebaut. Durch die Benennung der senkrechten Linien mit Buchstaben und der waagerechten mit Ziffern ist jedes Feld genau zu bezeichnen.

Schakale [Pl.], gelblich graue Raubtiere aus der Familie der Hundeartigen. Schakale leben meist von Kleintieren und Beuteresten der Großraubtiere. Der typische Vertreter dieser Wildhunde ist der *Goldschakal,* dessen Verbreitungsgebiet sich vom südlichen Europa über Kleinasien bis Sri Lanka und vom Norden Afrikas bis zur Sahara und nach Kenia erstreckt. Außerdem gibt es den Streifen- und den Schabrackenschakal.

Schall [der], Schwingungen der Materie, die mit dem Ohr gehört oder mit entsprechenden technischen Geräten nachgewiesen werden können. Der Schall verbreitet sich in periodischen Schwankungen (Wellen). Hörbar für das menschliche Ohr sind Schallwellen von 16 bis rund 20 000 Schwingungen pro Sekunde. Je größer die Schwingungszahl *(Frequenz)* ist, umso höher ist der Ton. *Ultraschall* hat mehr als 20 000 Schwingungen pro Sekunde, *Infraschall* weniger als 16.

Schallgeschwindigkeit [die], die Geschwindigkeit, mit der sich Schallwellen ausbreiten.

Schallmauer [die], bildhafte Bezeichnung für die hohe Zunahme des Luftwiderstands, die ein Flugobjekt bei Geschwindigkeiten erfährt, die nahe der Schallgeschwindigkeit liegen. Vor dem Flugobjekt staut sich die stark verdichtete Luft, von der bei Überschreitung der Schallgeschwindigkeit eine starke Stoßwelle ausgeht, die als Knall zu hören ist.

Schallplatte [die], eine kreisrunde Scheibe, auf der Schallschwingungen aufgezeichnet sind. Es gibt Kunststoffplatten, bei denen der Ton mit einer Nadel in einer spiralförmigen Rille abgetastet wird. *Compact*

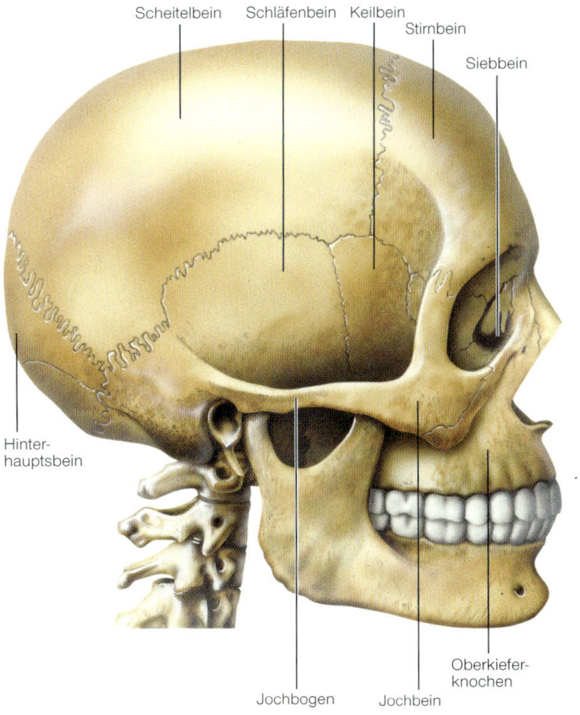

Schädel: Anatomie des menschlichen Schädels

Discs, die von einem Laser abgetastet werden, haben die Schallplatte fast vollständig verdrängt. Auch → »Genauer betrachtet«.

Schalmei [die], ein altes Blasinstrument mit einem gespaltenen Rohr als Tonerzeuger. Die Schalmei war im Mittelalter ein verbreitetes Instrument.

Schaltjahr [das], ein Jahr mit 366 Tagen, der Februar hat 29 statt 28 Tage. Schaltjahre sind notwendig, da die Erde ein paar Stunden mehr als 365 Tage braucht, um die Sonne zu umkreisen. Die Jahreszahl der Schaltjahre ist immer durch 4 teilbar.

Schamanen [Pl.], bei Naturvölkern Menschen mit magischen Fähigkeiten, Zauberer oder Priester. Sie versetzen sich mit Musik, Tanz und Drogen in einen rauschartigen Zustand. Schamanen wird die Fähigkeit zugeschrieben, in diesem Trancezustand Verbindung mit der Welt der Geister aufnehmen zu können. Ihre Aufgabe ist es u.a., Kranke zu heilen, wahrzusagen oder priesterliche Tätigkeiten auszuüben. Der *Schamanismus* findet sich besonders bei arktischen und zentralasiatischen Völkern.

Schamlippen [Pl.] → Geschlechtsorgane.

Scharade [die], Rätsel, bei dem aus Silben oder Wörtern auf einen Oberbegriff geschlossen werden muss, z. B. von Maul, Beere und Baum auf Maulbeerbaum.

Schäre [die], durch die Gletscher der Eiszeit abgerundete, kleine, über den Meeresspiegel aufragende Felsinsel. Vor der finnischen, schwedischen und norwegischen Küste gibt es Tausende von Schären *(Schärenküste).*

Scharlach [der], eine Infektionskrankheit, die besonders im Kindesalter auftritt. Anzeichen sind ein scharlachroter Ausschlag und Fieber.

Scharm [der] → Charme.

Scharnier [das], ein Gelenk zur Befestigung beweglicher Türen, Fenster, Deckel usw.

Schatten [der], der Bereich hinter einem Körper, in den die Teilchen oder Wellen eines Strahls (z. B. Licht,

Genauer betrachtet ... Schallplatte

1877 Thomas Alva *Edison* (* 1847, † 1931), ein amerikanischer Erfinder, baut das erste Gerät zur Wiedergabe von Sprache und Musik, den Phonographen. Er gibt mit einer Stahlnadel Töne wieder, die zunächst auf Stanniolpapier, dann auf einer Wachswalze aufgezeichnet sind.

1887 Emil *Berliner* (* 1851, † 1928) stellt die erste Schallplatte, eine gewachste Zinkplatte, her.

1892 E. Berliner beginnt mit einem nickelüberzogenen Kupfernegativ Schallplatten aus vulkanisiertem Gummi zu pressen. Damit können erstmals mehrere Kopien von einer Vorlage hergestellt werden.

1895 E. Berliner verwendet nun anstelle von Gummi Schellack für seine Platten.

1925 Die erste elektrisch aufgenommene Schallplatte erscheint.

1948 Kunststoff wird nun für die Herstellung von Schallplatten benutzt; die ersten Langspielplatten kommen auf den Markt.

1958 Die ersten Stereoschallplatten kommen auf den Markt.

1972 Erste Schallplatten in Quadrophonie werden angeboten.

1981 Die erste digitale Schallplatte, Compact Disc (CD), kommt heraus, die berührungslos mit einem Laser abgetastet wird.

2004 Im Internet sind Millionen digitaler Musikdateien gespeichert, die gegen Bezahlung legal per Download abgerufen werden können.

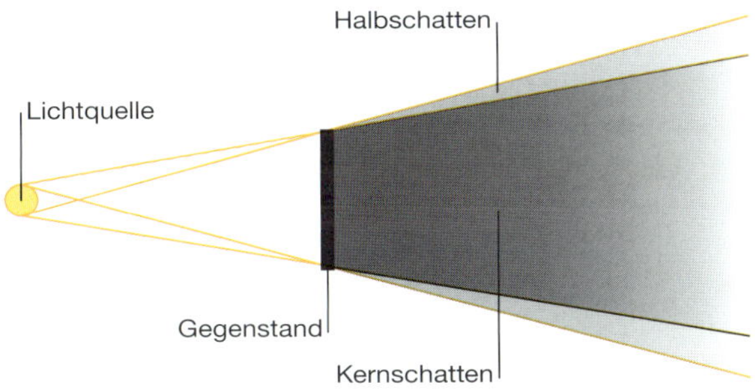

Schatten: Entstehung von Kern- und Halbschatten (Schema)

Schall) nicht eindringen können. Der *Kernschatten* ist der Bereich, in den überhaupt kein Licht gelangt, in den *Halbschatten* gelangt nur ein Teil der Strahlen.

Schattenspiel [das], ein aus China kommendes Puppenspiel mit flachen Puppen. Hinter einem von hinten angestrahlten Leinen- oder Seidenvorhang werden Figuren aus Pergament, Leder oder Pappe durch Fäden oder Stäbchen in Bewegung gesetzt.

Schauspiel [das] → Drama.

Scheck [der], *Check,* ein Zahlungsmittel, bei dem man kein Bargeld braucht. Wenn man bei einer Bank oder Sparkasse ein Girokonto hat, bekommt man Schecks ausgehändigt. Kauft man dann etwas, kann man den Scheck über die entsprechende Summe ausfüllen und dem Verkäufer anstelle von Bargeld geben. Der Händler lässt sich dann den Betrag von seiner Bank gutschreiben *(Verrechnungsscheck)* oder er löst ihn an einer Bank ein und erhält dann Bargeld *(Barscheck).* Seit Ablauf der Bankeinlöseverpflichtung 2002 sind Schecks weitgehend ungebräuchlich.

Schecke, geflecktes Pferd oder Rind.

Scheel, Walter, *1919; deutscher Politiker (FDP). Scheel war 1974–1979 Bundespräsident.

Scheich [der, arab., »Ältester«], das Oberhaupt eines kleineren arabischen Staates oder Beduinenstammes; in den Ländern des Islam auch Titel für die Oberhäupter religiöser Gemeinschaften oder für führende Wissenschaftler.

Scheide [die], *Vagina,* ein Teil der weiblichen → Geschlechtsorgane.

Schelf [der oder das, engl.], *Kontinentalsockel,* direkt den Küsten vorgelagerte Gebiete mit Wassertiefen von weniger als 200 m. Die Schelfe enthalten rund 30% der Welt-Erdölreserven und liefern 90% des Welt-Fischereiertrages.

Schellack [der], eine harzartige Absonderung von ostindischen Schildläusen auf den Zweigen von Bäumen. Schellack wird als Möbelpolitur, für Kitte und Lacke, früher auch für Schallplatten verwendet.

Schellfisch [der], bis 1 m langer Meeresfisch, der vor allem im Atlantik und in der Nordsee verbreitet ist. Auffällig ist die schwarze Seitenlinie und der große schwarze Fleck über der Brustflosse. Der Schellfisch ist ein beliebter Speisefisch.

Schema [das], vereinfachte Darstellung zur Verdeutlichung eines Sachverhalts (z. B. Schaltschema).

Schicksal [das], Ereignisse, die dem Menschen widerfahren, ohne dass er sie eingeplant hat, die aber sein Leben entscheidend beeinflussen.

Schiedsrichter [Pl.], unparteiische Spielleiter bei sportlichen Wettkämpfen, die über die Einhaltung der Regeln wachen.

Schiefer [der], allgemeine Bezeichnung für Gesteine, die sich in dünne Platten spalten lassen.

Schattenspiel: Schattenspielfiguren sind meist kunstvoll und sehr detailreich.

Schierling [der], eine in Europa, Nord- und Mittelasien heimische Pflanze. Der *Gefleckte Schierling* mit rot geflecktem Stängel ist sehr giftig. Sein Gift führt zum Tod durch Herzlähmung. Als der griechische Philosoph Sokrates zum Tode verurteilt wurde, musste er den »Schierlingsbecher« trinken.

Schießpulver [das], ein Explosionsstoff. Man unterscheidet das schon sehr lange bekannte *Schwarzpulver,* ein Gemisch aus Holzkohle, Schwefel und Salpeter, und das heute meist verwendete *rauchschwache Pulver.*

Schießsport [der], zusammenfassende Bezeichnung für Gewehr-, Pistolen-, Wurftauben-, Bogen- und Armbrustschießen auf feste oder bewegliche Ziele.

Schiff [das], ein größeres Wasserfahrzeug zur Beförderung von Personen (*Passagierschiff*) und Gütern (*Frachtschiff*). Es schwimmt nach dem *archimedischen Prinzip*: Das Gewicht der verdrängten Wassermenge ist gleich dem *Auftrieb.* Wiegt das Schiff mehr als das von ihm verdrängte Wasser, so geht es unter.

Ein Schiff besteht aus Rumpf und Aufbauten. Das vordere Ende des Rumpfes heißt *Bug,* das hintere Ende *Heck.* Die Seiten eines Schiffes heißen, in Richtung Bug gesehen, *Steuerbord* (rechts) und *Backbord* (links). Damit das Schiff bei einem Leck nicht sofort untergeht, wird der Rumpf durch *Schotten* in mehrere Abteilungen wasserdicht unterteilt. Während Schiffe früher von Dampfmaschinen angetrieben wurden, so

Schiff: Die Grafik stellt verschiedene Schiffstypen dar, wie sie von der Antike bis zum 18. und 19. Jh. die Meere befuhren.

Schildkröten können 150 Jahre alt werden. Damit halten sie den Rekord im Tierreich.

sind es heute Dieselmotoren oder Dampfturbinen. Über die Antriebswelle wird die *Schiffsschraube* im Heck des Schiffes angetrieben. Gesteuert wird ein Schiff mit dem *Ruder.*

Die Größe eines Schiffes wird mit einem Raummaß, der *Bruttoraumzahl*, angegeben. Die Bruttoraumzahl (BRZ) ergibt sich aus dem Inhalt aller umbauten Räume des Schiffes, die Nettoraumzahl (NRZ) repräsentiert den Laderauminhalt. Die Maßeinheit sind sogenannte *tons deadweight* (1 tdw = 1000 kg). Bei Kriegsschiffen wird nur die Wasserverdrängung in Tonnen angegeben. Die Fahrtgeschwindigkeit eines Seeschiffes wird in *Knoten* gemessen. Ein Knoten bedeutet, dass das Schiff eine Seemeile (= 1852 m) pro Stunde zurücklegt.

Schiffe werden nach ihrem Verwendungszweck (z. B. *Containerfrachter*, *Öltanker*) und ihrem Fahrtgebiet (z. B. *Küstenmotorschiffe*, *Eisenbahn-* und *Autofähren*) unterschieden. *Segelschiffe* gibt es nur noch als Freizeitjachten oder als *Schulschiffe* zur Ausbildung von Seeleuten. Die großen Passagierschiffe sind heute die *Kreuzfahrtschiffe*.

Schiiten [Pl.], Angehörige einer Glaubensrichtung *(Schiismus)* innerhalb des Islam. Sie erkennen nur die Nachkommen des 4. Kalifen Ali (* um 602, † 661) aus der Ehe mit Fatima (* um 607, † 632), der Tochter *Mohammeds,* als rechtmäßige Nachfolger Mohammeds an. Schiiten leben heute vor allem im Iran, Irak, Syrien und Pakistan.

Schikane [die], Böswilligkeit, unnötige Schwierigkeit, in die man jemand anderen bringt.

Schildbürger [Pl.], die Titelhelden einer Schwanksammlung um 1600, die in der gedachten Stadt *Schilda* spielt. Sie verkörpern den Typ des verbohrten Kleinbürgers, der in seiner Beschränktheit viele Dummheiten begeht. Deshalb spricht man heute von einem *Schildbürgerstreich,* wenn jemand sehr einfältig ist und Dummheiten macht.

Schilddrüse [die], allgemein eine bei fast allen Wirbeltieren vorkommende Hormondrüse, die ihre Absonderungen unmittelbar ins Blut abgibt. Die menschliche Schilddrüse liegt unterhalb des Kehlkopfes und besteht aus zwei taubeneigroßen, durch ein Mittelstück miteinander verbundenen Lappen. Die Schilddrüsenhormone regeln u. a. den Stoffwechsel und sind für Wachstum und Entwicklung unentbehrlich. Bei krankhafter Vergrößerung der Schilddrüse kommt es zur Bildung eines Kropfes.

Schildkröten [Pl.], die urtümlichste Ordnung der → Reptilien, die in Südeuropa und in den Tropen leben. Schildkröten haben einen aus knöchernen Platten bestehenden Panzer mit meist hochgewölbter Ober- und flacher Unterseite. Während Landschildkröten meistens Pflanzenfresser sind, ernähren sich die Wasserbewohner hauptsächlich von Kleintieren. Alle Schildkröten legen ihre Eier an Land ab und vergraben sie in der Erde. Sie betreiben keine Brutpflege. Wegen ihres Fleisches werden sie sehr geschätzt und sind daher in ihrem Bestand gefährdet. Schildkröten können das hohe Alter von über 150 Jahren erreichen.

Schilf [das], *Schilfrohr,* ein in aller Welt verbreitetes Gras, das an Ufern stehender und fließender Gewässer zu finden ist. Es wird mehrere Meter hoch und bietet dadurch vielen Tieren Unterschlupf.

Wer war …
Friedrich von Schiller

(Johann Christoph) Friedrich von Schiller (1802 geadelt, * 1759, † 1805) war ein deutscher Dichter und Philosoph. Er gilt als der wichtigste Dramatiker der *Weimarer Klassik*. Bei Schiller verbindet sich Geist, Fantasie und Sinn für Tragik und Dramaturgie mit dem Willen zur ästhetisch-humanistischen Erziehung des Publikums. Seine Stücke gehören bis heute zu den meistgespielten auf deutschsprachigen Bühnen.

Schillers Leben war geprägt von Rastlosigkeit und finanzieller Not. Er litt unter der Willkürherrschaft des württembergischen Herzogs *Karl Eugen,* auf dessen Befehl er auf der Militärakademie Medizin studieren musste. Die heimliche Beschäftigung mit der Literatur des *Sturm und Drang* sowie den Ideen der *Aufklärung* beeinflussten sein Drama »Die Räuber«, das 1782 in Mannheim mit großem Erfolg aufgeführt wurde. Dem herzoglichen Schreibverbot entzog sich Schiller durch Flucht. Mit dem bürgerlichen Trauerspiel »Kabale und Liebe« knüpfte er 1784 an den Erfolg der »Räuber« an, mit seinem »Don Carlos« wandte er sich 1787 der Form der klassischen Tragödie zu. Der Geldnot hoffte Schiller in Weimar zu entfliehen, wo er u.a. mit C. M. *Wieland* und J. G. von *Herder* zusammentraf sowie *Goethe* kennenlernte. Seine Studien zur Geschichte (»Geschichte des Abfalls der Vereinigten Niederlande« 1788, »Die Geschichte des Dreißigjährigen Krieges« 1791/1792) brachten ihm 1789 eine Professur in Jena ein, die er 1791 jedoch wegen eines Lungenleidens aufgeben musste. Dank eines Stipendiums konnte Schiller seine historischen und philosophischen Studien, besonders der Werke Kants, weiterverfolgen und seine bedeutenden Schriften zur Ästhetik verfassen (»Über Anmut und Würde« 1793, »Über die ästhetische Erziehung des Menschen« 1795).

Schillers letzte Schaffensjahre standen im Zeichen der Freundschaft mit Goethe und gemeinsamen Projekten (»Xenien«, »Musenalmanach«). Für den Almanach von 1798 schrieben beide einige ihrer schönsten Balladen, darunter Schillers »Die Kraniche des Ibykus« und »Der Ring des Polykrates«. Auch widmete sich Schiller wieder verstärkt der Gedankenlyrik (»Das Lied von der Glocke«) und schuf seine großen klassischen Tragödien (»Wallenstein-Trilogie« 1800, »Maria Stuart« 1801, »Die Jungfrau von Orleans« 1802 u.a.). Der »Wilhelm Tell« (1804) war Schillers letztes vollendetes Drama.

Friedrich von Schiller, Umschlagbild einer Ausgabe des »Wilhelm Tell« (1922), nach einem Gemälde von A. Graff

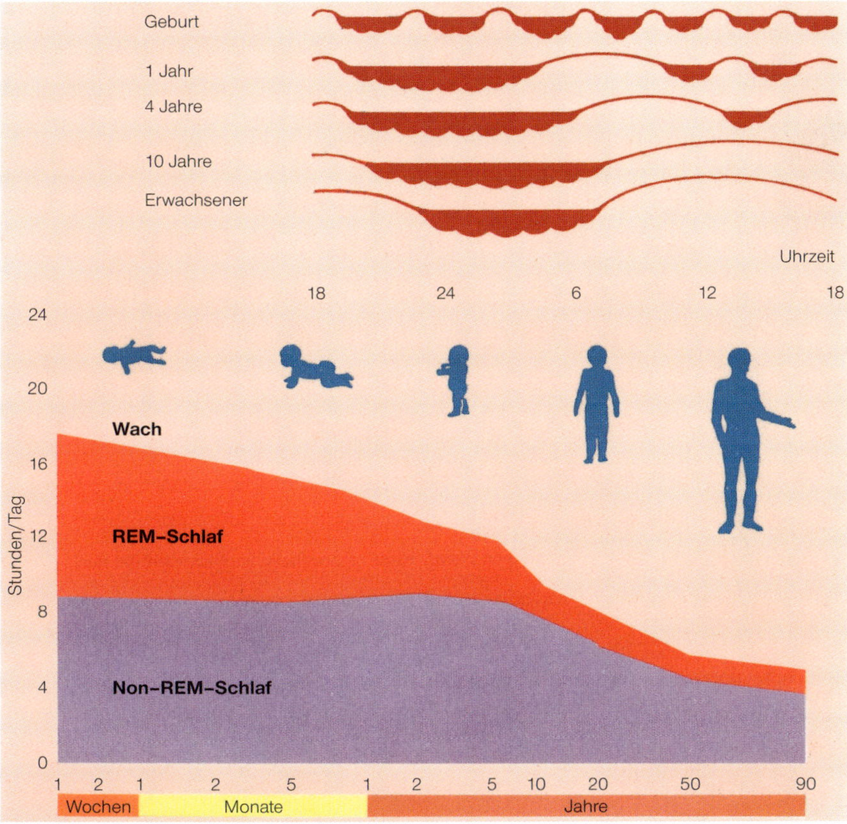

Im Schlaf durchläuft der Mensch verschiedene Phasen, die sich in ihrer Hirnstromaktivität unterscheiden. Die Hirnströme lassen sich mit einem Elektroenzephalogramm (EEG) aufzeichnen. Die Phase mit der höchsten Hirnaktivität ist die REM-Phase, in der die schnellen Augenbewegungen hinter geschlossenen Lidern typisch sind (REM = englisch »rapid eye movements«). Die Phase tritt 3- bis 5-mal pro Nacht auf, in ihr träumt der Mensch. Mit zunehmendem Alter ändert sich der Schlafrhythmus, die Schlafdauer und die Dauer der REM-Phase nehmen ab.

Schilling [der], bis 2002 die Währungseinheit in Österreich: 1 Schilling = 100 Groschen.

Schimmelpilze [Pl.], Pilze aus verschiedenen Pilzgruppen, die feste (z. B. Brot) oder flüssige (z. B. Obstsaft) Nährböden mit einem als *Schimmel* bezeichneten Belag überziehen und dadurch ungenießbar machen. Sie können Vergiftungen und Allergien hervorrufen. Es gibt aber auch Schimmelpilze, die zur Herstellung von Antibiotika und zur Käsebereitung verwendet werden.

Schimpanse [der], ein bis 1,70 m großer → Menschenaffe.

Schinkel, Karl Friedrich, * 1781, † 1841; deutscher Architekt und Maler. Er prägte mit seinen Bauwerken den Klassizismus in Preußen. Schinkel arbeitete v. a. als Baumeister, entwarf aber auch Bühnenbilder und Möbel. Zu seinen bedeutendsten Werken zählen die Neue Wache, das Schauspielhaus und das Alte Museum in Berlin.

Schirokko [der], ein warmer, oft stürmischer Wind im Mittelmeerraum.

Schisma [das], Kirchenspaltung, z. B. die Loslösung der orthodoxen Kirche von der römisch-katholischen Kirche.

Schisport [der] → Skisport.

Schizophrenie [die], der Oberbegriff für verschiedene Formen einer psychischen Erkrankung, die zur Spaltung und zum Zerfall der Persönlichkeit, zu Wahnvorstellungen und Sinnestäuschungen führen kann. Die Ursachen sind nicht genau bekannt.

Schlaf [der], eine lebensnotwendige Erholungsphase für den Körper und das Gehirn. Die dafür notwendige Zeit ist in den verschiedenen Lebensaltern unterschiedlich. Während des Schlafens wechseln Phasen des Tiefschlafs mit Phasen ab, in denen der Mensch nur einen leichten Schlaf hat. Während eines Viertels der gesamten Schlafdauer träumt der Mensch.

Schlafwandeln [das] → Nachtwandeln.

Schlagader [die] → Arterie, → Blutkreislauf.

Schlaganfall [der], eine plötzliche schwere Durchblutungsstörung des Gehirns, hervorgerufen z.B. durch Verstopfung *(Thrombose)* eines Blutgefäßes im Gehirn oder durch sein Zerreißen (meist infolge Bluthochdruck). Der Schlaganfall führt zu dauernden oder vorübergehenden Lähmungserscheinungen und oft auch zum Sprachverlust.

Schlaginstrumente [Pl.], Musikinstrumente, bei denen der Ton durch Schlagen mit Stäben, Hämmern, Klöppeln oder Ähnlichem erzeugt wird, vor allem Rhythmusinstrumente. Zu den Schlaginstrumenten gehören z.B. Xylophon, Becken, Triangel, Pauke, Trommel und Bongo.

Schlagzeile [die], die besonders hervorgehobene Überschrift des Hauptberichts auf der Titelseite einer Zeitung.

Schlangen [Pl.], lang gestreckte Reptilien ohne Gliedmaßen, die mit rund 2500 Arten vorwiegend in wärmeren Gebieten der Erde leben. Sie streifen ihre Haut in einem Stück mehrmals im Jahr ab. Sie sind taub und können schlecht sehen, reagieren jedoch empfindlich auf Bodenerschütterungen, z.B. Schritte. Mit ihrer zweizipfligen (»gespaltenen«) Zunge nehmen Schlangen Duftstoffe auf und leiten sie in das in der Mundhöhle gelegene Riechorgan weiter. Sie haben durch dehnbare Bänder verbundene Kiefer und können darum ihre Beute in einem Stück verschlingen. Viele Schlangen sind wegen ihrer Giftzähne gefürchtet *(Giftschlangen)*, während → Riesenschlangen ihr Opfer erdrosseln und unzerkleinert verschlingen. Die meisten Schlangen legen Eier, nur wenige sind lebend gebärend.

Schlangen: Die Boa Constrictor gehört zu den Riesenschlangen. Sie wird auch Abgottschlange oder Königsschlange genannt und lebt von Mexiko bis ins südliche Südamerika.

Schlehe [die], ein 2–3 m hoher Strauch mit Dornen und blauschwarzen Früchten, der häufig an Waldrändern zu finden ist. Die dunkelblaue, meist bereifte Frucht ist essbar, aber sauer. Die Schlehe ist die Wildform unserer Pflaume.

Schlesien, eine Landschaft beiderseits der Oder, im Südwesten von den Sudeten begrenzt, ehemals eine preußische Provinz. 1945 wurde Schlesien größtenteils unter polnische Verwaltung gestellt, 1990 kam das Gebiet völkerrechtlich endgültig an Polen. Hauptstadt ist *Breslau*. Schlesien ist ein bedeutendes Bergbaugebiet.

Schleswig-Holstein, nördlichstes deutsches Bundesland, zwischen der Nordsee und der Ostsee. Es ist 15 763,18 km^2 groß und hat 2,8 Mio. Einwohner, Hauptstadt ist *Kiel*. Schleswig-Holstein ist ein überwiegend flaches Land und lebt vor allem von der Landwirtschaft. Außerdem spielen Fischerei und Tourismus (Nord- und Ostseeküste) eine bedeutende Rolle. In seiner wechselvollen Geschichte gehörte das Land zu Dänemark, Österreich und Preußen. 1920 kam Nordschleswig an Dänemark. Schleswig-Holstein wurde 1946 ein selbstständiges Land und als solches später deutsches Bundesland.

Schleudersitz [der], ein Sitz für Flugzeugbesatzungen, mit dem sich Piloten im Notfall aus dem Flugzeug hinausschleudern können.

Schleuse [die], ein Bauwerk, mit dessen Hilfe Schiffe die verschieden hohen Wasserspiegel *(Haltungen)* in Flüssen und Kanälen überwinden können.

Schleuse an der Themse in Oxfordshire, Großbritannien

Sie fahren in die sogenannte *Schleusenkammer,* die mit Toren abgeriegelt wird. In der abgesperrten Schleusenkammer wird der Wasserspiegel, je nach Bedarf, gehoben oder gesenkt.

Schliemann, Heinrich, * 1822, † 1890; deutscher Kaufmann und Archäologe. Schliemann erwarb als Kaufmann ein großes Vermögen und finanzierte damit seine Ausgrabungen, zu denen ihn die Dichtungen Homers angeregt hatten. Er bewies durch seine Entdeckungen (u.a. Troja 1871, Mykene 1874), dass der große griechische Dichter vor 2000 Jahren die Lage der klassischen Stätten sehr genau beschrieben hat.

Schluckimpfung [die], eine Impfung, bei der der Impfstoff auf Zucker geträufelt wird. Schluckimpfungen gibt es z.B. gegen Kinderlähmung.

Schlüsselblume [die], *Primel,* Frühlingsblume mit rosettenförmig angeordneten Blättern und auf langem Schaft meist doldig stehenden Blüten. Zu den Schlüsselblumengewächsen gehören u.a. *Pfennigkraut* und *Alpenveilchen.*

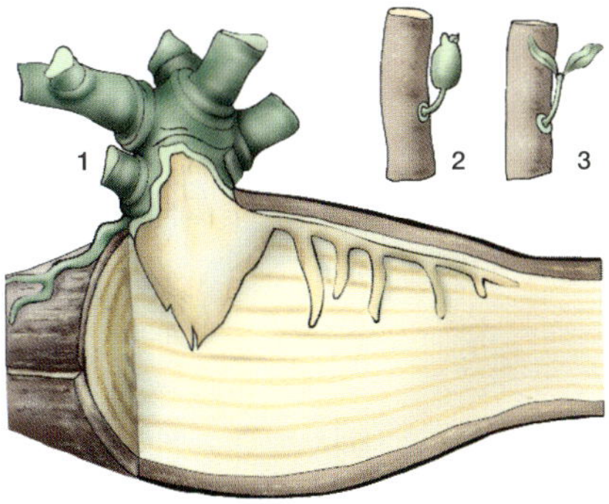

Schmarotzer: Auch einige Pflanzen sind Schmarotzer, zum Beispiel die Mistel. Sie bildet eine Saugwurzel, die in die Rinde des Wirtsbaumes eindringt: 1 ältere Pflanze auf Wirt, 2 Keimung der Scheinbeere, 3 jüngere Keimpflanze

Schmarotzer [Pl.], *Parasiten,* Lebewesen (Tiere oder Pflanzen), die ihre Nahrung teilweise oder vollständig von anderen Lebewesen (»Wirten«) beziehen. Sie leben auf oder in dem Körper der »Wirtsorganismen«. Auf dem Körper der Wirte lebende Schmarotzer sind z.B. Flöhe, Läuse, Milben und bestimmte Pilze. Im Wirtsinnern lebende Schmarotzer können Eingeweidewürmer, Bakterien und ebenfalls Pilze sein. Schmarotzer können je nach Art für den Wirt harmlos sein, können aber auch zu Schäden und schließlich zum Tod führen.

Schmeling, Max, * 1905, † 2005; deutscher Boxsportler. Er war 1930–1932 der einzige deutsche Profi-Weltmeister im Schwergewicht. Insgesamt bestritt er 70 Kämpfe, von denen er 56 gewann und war damit der erfolgreichste deutsche Boxer.

Schmelzpunkt [der] → Aggregatzustand.

Schmerz [der], eine unangenehme Empfindung, die durch einen bestimmten Reiz (z.B. Verletzung) ausgelöst wird. Sie wird von den Nerven zum Schmerzzentrum des Gehirns geleitet. Einige Organe sind nicht schmerzempfindlich.

Schmetterlinge [Pl.], Insekten, die mit etwa 150 000 Arten weltweit verbreitet sind. Sie erreichen Körpergrößen zwischen 1 mm und 10 cm und Spannweiten zwischen 2 mm (Zwergmotten) und 30 cm (tropische Falter). Die Flügel sind mit Schuppen bedeckt, und die Mundwerkzeuge sind zu Saugrüsseln umgestaltet, mit denen sie Flüssigkeiten wie Baum-, Blüten-, Fruchtsäfte und Wasser saugen. Die Larven der Schmetterlinge (Raupen) bilden nach der Verpuppung und dem Ruhestadium den er-

Schmetterlinge: Viele Arten sind zu außergewöhnlichen Flugleistungen fähig und unternehmen weite Wanderungen z. B. vom Mittelmeer bis nach Norddeutschland.

wachsenen Falter. Zu den bekanntesten heimischen Schmetterlingen gehören u. a. *Kohlweißling, Tagpfauenauge* und *Zitronenfalter.*

Schmidt, Helmut, * 1918; deutscher Politiker (SPD). Nach verschiedenen Ministerämtern (Finanzminister, Verteidigungsminister) war Schmidt 1974–1982 Bundeskanzler. Seit 1983 ist er Mitherausgeber der Wochenzeitung »Die Zeit«.

schmieden, Metalle in erhitztem oder kaltem Zustand mit Hämmern oder Schmiedemaschinen formen.

Schmuggel [der], die heimliche Einfuhr oder Ausfuhr von zollpflichtigen Waren, ohne Zoll zu bezahlen.

Schnaken [Pl.], langbeinige Mücken, deren Larven sich in Wasser, feuchten Wiesen oder faulendem Holz entwickeln.

Schnecken [Pl.], Weichtiere, die im Meer, im Watt, im Süßwasser, aber auch auf dem Land leben. Ihr Körper wird von einer breiten Kriechsohle, dem *Fuß*, gebildet und in der Mitte vom *Mantel* bedeckt, der den Eingeweidesack umschließt und die Kalkschale *(Schneckenhaus)* abscheidet. *Nacktschnecken* sind ganz ohne Haus oder haben nur Reste einer Schale. Sie bewegen sich mit einem muskulösen Kriechfuß an der Bauchseite fort. Ihre Nahrung besteht aus Pflanzen.

Schnee [der], ein fester Niederschlag in Gestalt einzelner oder zu Schneeflocken vereinigter Eiskristalle, die bei Temperaturen unter 0 °C aus kondensiertem Wasserdampf entstanden sind.

Schneegrenze [die], Untergrenze der dauernd von Schnee bedeckten Gebiete. Sie ist abhängig von der geographischen Breite. Sie liegt z. B. in Spitzbergen bei 400 m, in den Alpen bei 2600 bis 3200 m, im Himalaya bei 4900 bis 6000 m.

Schneekoppe [die], höchster Berg des Riesengebirges, 1602 m.

schneller Brüter, ein Reaktor, bei dem das spaltbare Material Plutonium durch schnelle Neutronen gespalten wird. Da sich die Technologie noch im Teststadium befindet und die hohe Giftigkeit des Plutoniums über die üblichen Gefahren von Kernreaktoren hinausgeht, ist der schnelle Brüter besonders umstritten.

Schnitzler, Arthur, * 1862, † 1931; österreichischer Schriftsteller und Arzt. Er schrieb, von der Psychoanalyse beeinflusst, Dramen und Erzählungen über die Wiener Gesellschaft: »Liebelei«, »Reigen«, »Fräulein Else«.

Schock [der], in der Medizin ein Kreislaufversagen, zu dem es aufgrund unzureichender Blut- und Sauerstoffversorgung lebenswichtiger Organe (z. B. Herz, Gehirn) kommt. Zu einem Schock können beispielsweise ein starker Blutverlust oder eine allergische Reaktion führen. Merkmale eines Schocks sind u. a. Blässe, Schweißausbrüche, Abfallen des Blutdrucks; der Kranke benötigt dringend ärztliche Hilfe. Häufig ist auch der seelische Schock, der durch große seelische Belastungen und durch Schreck ausgelöst wird.

Schöffen [Pl.], ehrenamtliche Laienrichter, die für vier Jahre berufen werden. Schöffen haben keine juristische Ausbildung.

Schokolade [die], ein Nahrungsmittel aus Kakaomasse und Zucker, oft mit Zusatz von Kakaobutter, Gewürzen, Milchbestandteilen, Kaffee, Nüssen u. a. Der Nährwert der Schokolade ist durch den hohen Fett- und Zuckergehalt groß.

Scholl, Geschwister: Hans, * 1918, † 1943, und Sophie, * 1921, † 1943; deutsche Studenten und Widerstandskämpfer. Die Geschwister Scholl waren Mitglieder der Widerstandsbewegung »Weiße Rose«, sie wurden beim Verteilen von Flugblättern gegen die nationalsozialistische Diktatur verhaftet, zum Tode verurteilt und am 22. 2. 1943 hingerichtet. → Auch »Genauer betrachtet«.

Scholle [die], ein Plattfisch der europäischen Küstenmeere. Die Augen liegen auf einer Körperseite.

Schönberg, Arnold, * 1874, † 1951; österreichischer Komponist. Schönberg entwickelte zwischen 1921 und 1924 die → Zwölftonmusik. Er komponierte vor allem Kammer- und Orchestermusik.

Schopenhauer, Arthur, * 1788, † 1860; deutscher Philosoph. Er war Vertreter einer pessimistischen Weltanschauung, nach der Leben gleichbedeutend mit Leiden ist. Sein Hauptwerk ist »Die Welt als Wille und Vorstellung«.

Schöpfung [die], in der Religion die Erschaffung der Welt durch das Wort Gottes.

Schottland, der nördliche Teil Großbritanniens, einschließlich der Hebriden, Orkney- und Shetlandinseln. Dem Bergland (»Highlands«), das bis 1343 Meter ansteigt, mit seinen Mooren und Heiden schließt sich im Süden eine Senke (»Lowlands«) an, die in ein Hügelland übergeht. Hauptstadt ist *Edinburgh*. Bis zu seiner Vereinigung mit England 1707 war Schottland ein eigenes Königreich.

Schreibmaschine [die], eine Büromaschine, mit der man schreiben kann. Die erste Schreibmaschine wurde 1864 gebaut. Die mechanischen Schreibmaschinen, bei denen beim Niederdrücken von Tasten Typenhebel durch ein Farbband Zeichen auf Papierbögen schlagen, wurden zunächst durch elektrische, dann durch elektronische Schreibmaschinen ersetzt. Heute ist in den Büros der Personalcomputer an die Stelle der Schreibmaschine getreten.

Genauer betrachtet …
Sophie Scholl

Die Tochter aus einem christlich-liberalen Ulmer Elternhaus stand anfänglich der NS-Bewegung und ihrem Gesellschaftsideal nahe, wurde jedoch später überzeugtes Mitglied der studentischen Widerstandsbewegung »Weiße Rose«. In deutschlandweit verbreiteten Flugblättern forderte die Weiße Rose jeden Deutschen dazu auf, auf seine Art passiven Widerstand gegen die NS-Diktatur zu leisten. Sie appellierte an die Verantwortung jedes Einzelnen für den Zustand des Staates. Sophie Scholl selbst stützte sich auf ihren christlichen Glauben. Der Mensch soll nach ihrer Überzeugung durch Gottes Wille frei, unabhängig und selbstständig in der staatlichen Gemeinschaft leben. Nachdem sie bei der Deponierung von Flugblättern beobachtet worden waren, wurden Sophie Scholl, ihr Bruder Hans und Christoph Probst, ein weiteres Mitglied der Weißen Rose, nach einem Urteil des sogenannten Volksgerichtshofs am 22. 2. 1943 vom nationalsozialistischen Regime hingerichtet. Die Geschwister Scholl und die anderen Aktiven der Weißen Rose leisteten unter Lebensgefahr Widerstand gegen den Nationalsozialismus und setzten sich für Werte und Rechte ein, die heute für uns ein schützenswertes Gut und im Grundgesetz verankert sind, wie die Menschenwürde und die Freiheit der Person.

Was ist … Schrift

Als Schrift wird jedes System von Zeichen bezeichnet, mit dem man gesprochene Sprache sichtbar und lesbar machen kann. Vorstufen der Schrift sind Zeichen, die der Erinnerung dienten und kein System bildeten, z. B. steinzeitliche Felsmalereien. Wenn solche Zeichen systematisch in einer Bilderkette und einheitlich innerhalb einer bestimmten Gruppe gebraucht werden, spricht man von *Bilderschrift;* sie kann sich zur *Silbenschrift* weiterentwickeln. Bei der als nächsten Stufe entstehenden *Buchstabenschrift* hat jeder Laut im Idealfall ein eigenes Zeichen. Buchstabenschriften sind heute am weitesten verbreitet; daneben werden im Alltag aber auch Symbole verwendet, die überall auf der Welt verstanden werden *(Piktogramme).*

Schrift und Sprache: Sprechen, lesen und schreiben gehören im Alltagsverständnis zusammen, Schrift und Sprache werden von uns als Einheit betrachtet. Dennoch müssen beide streng auseinandergehalten werden. Zwischen einer Sprache und der Schrift, in der sie geschrieben wird, besteht keine natürliche Beziehung, denn im Prinzip kann jede Sprache mit jeder Schrift geschrieben werden. So wird z. B. das Maltesische, eine ursprünglich arabische Sprache, mit lateinischen Buchstaben geschrieben. Auch haben sich Schriften in der Vergangenheit immer langsamer gewandelt als Sprache. »Alte« Schriften wurden aus religiösen Gründen oder aus Prestige noch lange gelehrt und benutzt, die Keilschrift z. B. fast 3000 Jahre lang. Griechische Buchstaben dienen dem Neugriechischen immer noch als Schrift. Dagegen ist Latein heute eine »tote« Sprache, doch werden zahlreiche Sprachen immer noch in lateinischen Buchstaben geschrieben.

Von der Bilderschrift zum Alphabet: Die älteste bekannte Schrift ist die Bilderschrift der Sumerer aus dem 4. Jahrtausend v. Chr. Aus ihr entwickelte sich die sumerisch-babylonische *Keilschrift,* die ihren Namen nach den meist in Ton geritzten keilförmigen Zeichen erhielt. Ähnlich war die Entwicklung bei den ägyptischen *Hieroglyphen,* die sich um 3000 v. Chr. als Schriftsystem nachweisen lassen. Die meisten Schriften verloren mit der Zeit ihren abbildenden Charakter, die Bildzeichen wurden allmählich durch Wort- oder Silbenzeichen ersetzt. Die Zeichen der chinesischen Schrift stehen noch heute für Begriffe, im Japanischen wurden dagegen chinesische Schriftzeichen mit phonetischen Zeichen kombiniert. Im 2. Jahrtausend v. Chr. entstand im Vorderen Orient mit dem semitischen (phönizischen) Alphabet die Buchstabenschrift. Darin entspricht im Wesentlichen ein Zeichen einem Laut; es bezeichnete allerdings nur Konsonanten. Um 800 v. Chr. übernahmen die Griechen diese Buchstaben und fügten Zeichen für die Vokallaute hinzu. Aus der griechischen Schrift entwickelten die Römer dann über das Etruskische das lateinische Alphabet. Sämtliche heute gebräuchlichen Buchstabenschriften – auch die indische Schrift – gehen auf dieses semitische Uralphabet zurück.

Schröder, Gerhard, *1944; deutscher Politiker (SPD). Schröder war 1990–1998 Ministerpräsident von Niedersachsen, 1994–1998 SPD-Landesvorsitzender. 1999–2004 Vorsitzender der SPD und 1998–2005 Bundeskanzler.

Schubert, Franz, *1797, †1828; österreichischer Komponist. Obwohl er ein Vertreter der »Wiener Klassik« ist, trägt seine Musik bereits die Züge einer beginnenden Romantik. Er komponierte über 600 Lieder und Balladen, u. a. »Heideröslein« und »Der Erlkönig«, daneben Sinfonien, Orchesterwerke, Kammer- (»Forellenquintett«) und Klaviermusik.

Schule [die], staatliche oder private Bildungseinrichtung zur Vermittlung von Wissen an Kinder und Jugendliche. Im Mittelalter gab es Kloster- und Domschulen, in denen Ordensleute unterrichteten, später kamen Stadtschulen und Universitäten hinzu. Im 17. Jh. wurden die verstreuten Schulen zu einem allgemeinen Schulwesen ausgebaut und durch die Bemühungen von J. H. *Pestalozzi* wurde der Besuch der Volksschule zur Grundausbildung der Bevölkerung. Heute unterscheidet man in Deutschland nach ihrem Ausbildungsziel 2 Gruppen: die allgemeinbildenden und berufsbildenden Schulen (mit einer Fülle von unterschiedlichen Schultypen). Auch → Bildungswesen.

Schulpflicht [die], die in vielen Ländern eingeführte Pflicht, in einem bestimmten Alter eine Schule zu besuchen. In Deutschland beginnt die Schulpflicht nach Vollendung des 6. Lebensjahres. Die Vollzeit-Schulpflicht endet nach 9 oder 10 Jahren.

Michael Schumacher

Schumacher, Michael, * 1969; deutscher Rennfahrer. Insgesamt holte er sieben Weltmeistertitel: 1994 (als erster Deutscher) auf Benetton-Ford, 1995 auf Benetton-Renault und 2000–2004 auf Ferrari. 2004 erhielt er die Auszeichnung »Sportler des Jahrhunderts«.

Schumann, Robert, * 1810, † 1856; deutscher Komponist, einer der Hauptvertreter der Romantik. Seine bedeutendsten Werke sind Lieder und Klavierkompositionen, die von seiner Frau Clara, geborene *Wieck* (* 1819, † 1896), einer Pianistin, hervorragend interpretiert wurden. Daneben schuf er 4 Sinfonien und andere Orchesterwerke sowie Kammermusik.

Schwalben: Die Rauchschwalbe kam vermutlich zu ihrem Namen, weil sie gelegentlich in Rauchfängen nistet.

Schutzimpfung [die] → Impfung.

Schwaben [Pl.], ein nach den *Sweben,* einem Teilstamm der Alemannen, benanntes altes deutsches Herzogtum. Es umfasste die deutschsprachige Schweiz, das Elsass, Südbaden, Württemberg und das bayerische Schwaben. Heute bezeichnet man die Bewohner Baden-Württembergs und Westbayerns als Schwaben.

Schwäbische Alb [die], ein südwestdeutsches Mittelgebirge in Baden-Württemberg. Die höchste Erhebung ist der *Lemberg* mit 1015 m.

Schwalben [Pl.], weltweit verbreitete Singvögel. Sie haben schmale Flügel und einen gegabelten Schwanz. Schwalben sind gewandte Flieger, die sich von Insekten ernähren. Bei uns ist die *Rauchschwalbe* verbreitet, die ihr oben offenes Nest aus Schlammklümpchen in Ställen und Scheunen an Balken klebt. Sie ist blauschwarz und hat eine rotbraune Stirn und Kehle. Außerdem gibt es bei uns die *Mehlschwalbe,* die ihr Nest häufig unter Dachvorsprüngen baut. Sie hat ein stahlblaues Gefieder und ist unterseits weiß.

Schwämme [Pl.], sehr einfach gebaute Vielzeller, von denen die meisten im Meer leben und am Grund festsitzen. Ihr Körper wird aus zahlreichen Kammern beziehungsweise Hohlräumen gebildet, die mit Geißelzellen ausgekleidet sind. Ihr Stützskelett besteht aus kohlensaurem Kalk, Kieselsäure oder einer hornähnlichen Substanz. Hornschwämme haben ein weiches, elastisches Skelett, das früher als Badeschwamm große Bedeutung hatte. Die bewimperten Larven sind frei beweglich, schwimmen umher, setzen sich später fest und wachsen zu neuen Schwämmen heran.

Schwäne [Pl.], Gänsevögel mit besonders langem Hals, kurzen Beinen und prachtvollem Gefieder. Schwanenpaare bleiben ihr Leben lang zusammen. Sie bauen ihre Nester im Schilf und ziehen ihre Jungen gemeinsam auf. Die Tiere ernähren sich vorwiegend von Pflanzen.

Schwangerschaft [die], die Zeit von der Befruchtung des Eis bis zur Geburt. Die Schwangerschaft dauert im Durchschnitt 280 Tage (gerechnet von der letzten Menstruation). Durch die Verschmelzung der weiblichen Eizelle und der männlichen Samenzelle entsteht eine Keimzelle, die sich in den nächsten 120 Stunden mehrmals teilt, bis sich ein Zellverband von 32 Zellen gebildet hat, der sich in der Schleimhaut der Gebärmutter einnistet. Hier wird der Keim *(Embryo)* mit Nährstoffen und Sauerstoff aus dem mütterlichen Blut versorgt. Nach 4 Wochen ist der Embryo etwa 0,5 cm groß. Einige Organe (z. B. Herz) haben begonnen sich auszubilden, und nach 9 Wochen sind alle Organe angelegt. Nach 14 Wochen kann man Gesichtszüge, Arme und Beine erkennen, der Fetus ist jetzt etwa 12 cm lang. Bis zur 20. Woche der Schwangerschaft ist der *Fetus* auf 20 cm angewachsen und ab etwa der 28. Woche beginnt er mit kräftigen Bewegungen, die die Mutter deutlich spürt. Bald dreht er sich mit dem Kopf in Richtung Geburtskanal. Nach 34 Wochen liegt das Kind mit dem Kopf nach unten. Der Embryo schwimmt während der Schwangerschaft im Fruchtwasser, das ihn vor Stößen schützt. Nun bildet sich um das Kind noch eine fetthaltige Schutzschicht. Nach 38 Wochen ist das Kind zur → Geburt bereit. Es ist jetzt 48–53 cm groß und hat ein Gewicht

Schwäne: Der auch in hiesigen Parks anzutreffende schwarze Trauerschwan stammt ursprünglich aus Australien.

Schwämme: Tubenschwamm in der Karibik

von rund 3200 g erreicht. Allgemein kann man die Schwangerschaft am Ausbleiben der Menstruation bemerken; doch ist dies kein sicheres Zeichen, da die Menstruation auch aus anderen Gründen ausbleiben kann. Man kann eine Schwangerschaft jedoch durch bestimmte Tests relativ früh erkennen. Eine Schwangerschaft ruft von Beginn an im Körper der Frau große Veränderungen hervor, so kann es gerade in den ersten 3–4 Monaten zu Unwohlsein kommen. Die ständige Betreuung der schwangeren Frau durch einen Arzt hat die Gefahren und Risiken einer Schwangerschaft für Mutter und Kind deutlich verringert.

Schwangerschaftsabbruch [der], *Abtreibung*, der vorzeitige Abbruch der Schwangerschaft, z. B. durch die Einleitung einer Fehlgeburt. Diese Eingriffe dürfen nur von einem Arzt durchgeführt werden. Bis zum Ende der 7. Woche kann ein Schwangerschaftsabbruch auch durch eine *Abtreibungspille* herbeigeführt werden. In Deutschland ist nach einem Gesetz von 1995 eine Fristenregelung mit Beratungspflicht gültig. Danach bleibt eine Abtreibung in den ersten 12 Wochen der Schwangerschaft straffrei, wenn die Schwangere sich vorher bei einer der anerkannten Stellen beraten lässt. Die Beratung soll das Recht des ungeborenen Kindes auf Leben bewusst machen. Straffrei ist ein Schwangerschaftsabbruch auch, wenn folgende Rechtfertigungsgründe *(Indikationen)* vorliegen: 1. schwerwiegende Gefahr für Gesundheit und Leben der Mutter; darun-

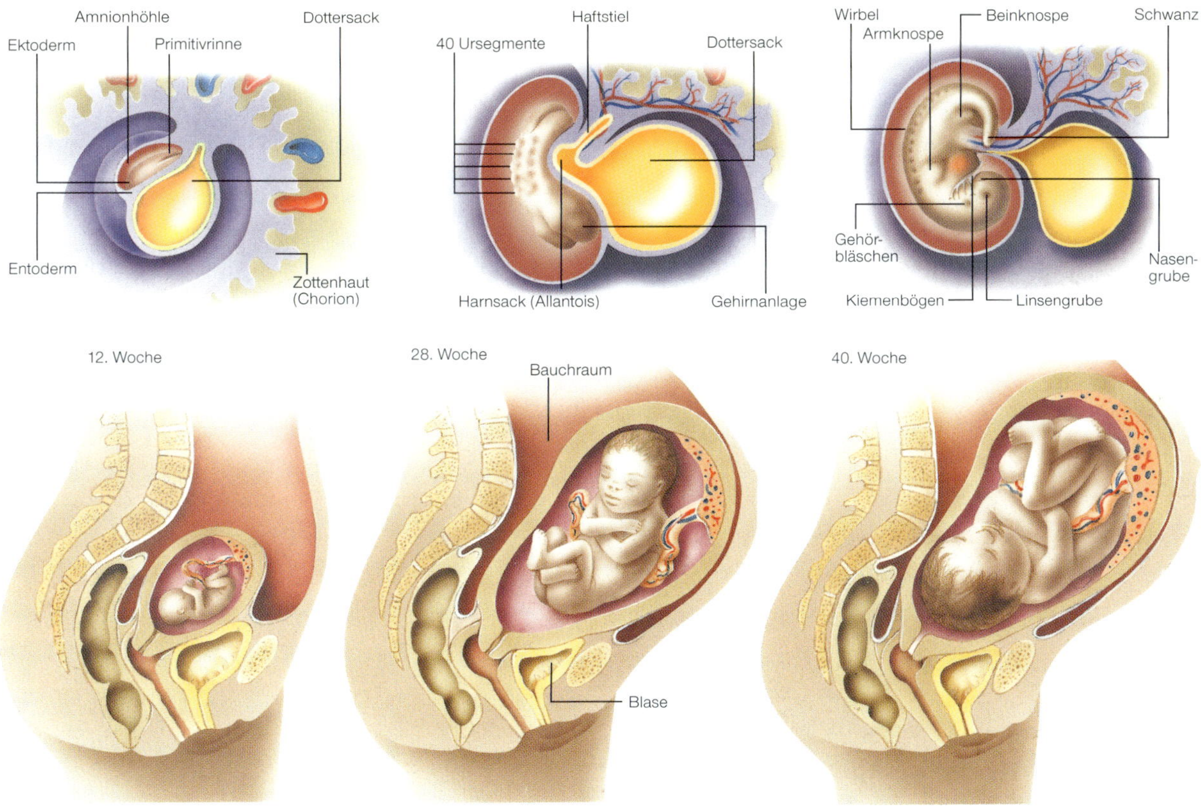

Schwangerschaft: Die Grafik veranschaulicht verschiedene Entwicklungsstadien des Kindes während der Schwangerschaft. Obere Reihe von links nach rechts: Embryo Ende der 2. Woche; Embryo Anfang der 4. Woche; Embryo Ende der 4. Woche; untere Reihe von links nach rechts: Fetus Ende der 12. Woche; Fetus Ende der 28. Woche; Fetus Ende der 40. Woche, in die Geburtslage gedreht

Neben Schwarzen Löchern wie diesem existieren auch »braune Zwerge« und »Pulsare«, die ähnlich wie schwarze Löcher entstehen.

ter kann auch eine zu erwartende Behinderung des ungeborenen Kindes fallen. 2. Schwangerschaft als Folge einer Vergewaltigung.

Schwangerschaftstest, verschiedene Verfahren zur Feststellung einer Schwangerschaft durch immunologischen Nachweis des speziell mit der Einnistung des befruchteten Eies gebildeten Hormons (Choriongonadotropin, HCG) im Urin der Frau.

Schwanzlurche [Pl.], eine artenreiche Tiergruppe der Amphibien, zu der die *Salamander, Olme* und *Molche* gehören. Die langgestreckten Tiere mit einem gut entwickelten Schwanz leben vor allem in den Feuchtgebieten der Nordhalbkugel. Einige Wasserformen sind zeitlebens mit Kiemen ausgestattet.

Schwarze, *Afrikaner, Afroamerikaner,* der Hauptteil der dunkelhäutigen Bevölkerung Afrikas südlich der Sahara. Schwarze kamen durch Sklavenhandel in großer Zahl in die Südstaaten der USA, nach Westindien und Südamerika. Im Gegensatz zu europäischen Völkern haben die Schwarzen ihren Siedlungsraum nie freiwillig verlassen.

schwarzes Loch, in der Astronomie die Bezeichnung für ein Objekt, das eine so große Schwerkraft hat, dass nicht einmal elektromagnetische Strahlung (wie Lichtwellen) es verlassen kann. Es kann u. a. das Ergebnis der Sternentwicklung eines massereichen Sterns sein. Es gibt zahlreiche Hinweise für die Existenz schwarzer Löcher. Auch → Astronomie.

Schwarzes Meer, ein Nebenmeer in Osteuropa, das durch den Bosporus, das Marmarameer und die Dardanellen mit dem Mittelmeer verbunden ist. Es ist rund 410 000 km² groß und bis 2245 m tief.

Schwarzwald [der], ein Mittelgebirge in Süddeutschland, das im *Feldberg* 1493 m hoch ist. Im Schwarzwald entspringen viele Flüsse, er ist reich an Bergseen. Die dichten Nadelwälder, die die Höhen des Schwarzwaldes bedecken, haben dem Gebirge seinen Namen gegeben.

Ländersteckbrief
Schweden

Fläche:	410 934 km²
Einwohner:	9,0 Millionen = 22 je km²
Hauptstadt:	Stockholm
Religion:	evangelisch-lutherische Staatskirche
Amtssprache:	Schwedisch
Währung:	1 Schwedische Krone = 100 Öre

Schweden: An der Westküste des Landes spielt die Fischerei eine bedeutende Rolle.

Schweden, Staat in Nordeuropa.

Landesnatur: Den nördlichen Teil (*Norrland*) bestimmt die von großen Wäldern, Fjellheiden und Kahlflächen bedeckte Ostabdachung des skandinavischen Gebirges (*Kebnekajse* 2117 m). Auf der Breite von Stockholm folgt die mittelschwedische Senke (*Svealand*), die den Übergang bildet zum südschwedischen Bergland (*Götaland*). Das Klima hat kontinentalen Charakter mit schneereichen, kalten Wintern und warmen Sommern.

Bevölkerung: Die Bevölkerung besteht fast ausschließlich aus Schweden, daneben auch Finnen und im Norden Samen, und konzentriert sich im Süden; 85% gehören der evangelisch-lutherischen Kirche an.

Wirtschaft: Angebaut werden v.a. Hafer, Weizen, Gerste, Kartoffeln und Zuckerrüben; daneben wird Milchvieh-, Schweine- und Rentierzucht betrieben. An Bodenschätzen finden sich große Eisenerz- sowie Kupfer-, Zink-, Silber-, Uran- und Bleierzlager. Auf Bergbau und Forstwirtschaft basiert die stark ausgebaute Metall-, Holz- und Papierindustrie. Daneben sind der Maschinen-, Schiff- und Fahrzeugbau sowie die Elektro-, chemische und Nahrungsmittelindustrie besonders entwickelt. Die elektrische Energie wird zu 46% aus Wasserkraft und zu 47% aus Kernkraft gewonnen. – Das Verkehrsnetz ist nur in Mittel- und Südschweden engmaschig. Die Küstenschifffahrt ist bedeutend. Haupthäfen sind Göteborg, Stockholm, Helsingborg, Malmö und Luleå; die größten Flughäfen haben Stockholm, Göteborg und Malmö.

Geschichte: In vorgeschichtlicher Zeit waren Süd- und Mittelschweden von Germanen besiedelt. Im 9. und 10. Jh. war Schweden Ausgangsland zahlreicher Wikingerzüge. Allmählich bildete sich eine staatliche Ordnung heraus. Der schwedische König *Albrecht III.* unterlag 1384 der Königin *Margarete I. von Dänemark*. Die Folge war die Vereinigung Schwedens mit Dänemark und Norwegen *(Kalmarer Union)*. Erst unter *Gustav Wasa* 1523 wurde Schweden wieder selbstständig. Nach der Einführung der Reformation wurde das Land unter *Gustav II. Adolf* und im Dreißigjährigen Krieg europäische Großmacht und erwarb zahlreiche neue Territorien, die im 2. Nordischen Krieg (1700 bis 1721) wieder verloren wurden. Die Beteiligung *Gustavs IV. Adolf* (1792–1809) am Krieg gegen Napoleon I. führte zum Verlust Vorpommerns, Stralsunds und Finnlands.

Mit *Karl XIV. Johan* (1818–1844) begann die Herrschaft des Hauses *Bernadotte* (bis heute). Unter seiner Führung gewann Schweden 1814 Norwegen, das bis 1905 in Personalunion angegliedert blieb. Im Ersten und Zweiten Weltkrieg blieb Schweden neutral. Danach entwickelte sich das Land zu einem modernen Wohlfahrtsstaat, in dem die Sozialdemokratische Partei zur bestimmenden politischen Kraft wurde. 1995 trat Schweden der EU bei. Seit 2006 regiert eine bürgerliche Mehrheitsregierung unter Führung von F. *Reinfeldt*. Staatsoberhaupt ist seit 1973 König *Carl XVI. Gustav*.

Schwefel [der], ein chemisches Element mit dem Zeichen S. Schwefel ist ein gelber, spröder Stoff, der in der Natur im freien Zustand in großen Lagern vor allem in Sizilien, Nordamerika, Mexiko, Russland und Japan vorkommt. Schwefel wird als Schädlingsbe-

Albert Schweitzer: Das undatierte Foto zeigt Schweitzer im Urwaldhospital in Lambaréné.

kämpfungsmittel, zur Herstellung von Feuerwerkskörpern, Streichhölzern, Hautsalben und Abführmitteln benutzt.

Schwefeldioxid [das], ein farbloses, stechend riechendes, besonders giftiges Gas (SO_2), das bei der Verbrennung von Schwefel entsteht. Schwefeldioxid fällt vor allem bei der Verbrennung von Kohle und Erdöl in Kraftwerken an, aber auch durch die Verbrennung von Benzin in Automotoren. In der Atmosphäre bildet es mit Wasser schwefelige Säure und fällt dann als → saurer Regen wieder auf die Erde.

Schweine [Pl.], Paarhufer mit einem gedrungenen Körper, rüsselartiger Schnauze und kräftigen Eckzähnen. Schweine leben in Rudeln besonders in feuchten Wäldern und sind Allesfresser. Zu ihnen gehören u. a. *Wildschwein, Flussschwein, Warzenschwein.* Das *Hausschwein* ist eine Zuchtform des Wildschweins.

Schweiß [der], eine von den Schweißdrüsen abgesonderte, leicht trübe und farblose Flüssigkeit. Sie enthält mehrere Salze (u. a. Kochsalz) und für den Geruch verantwortliche flüchtige Fettsäuren. Das Schwitzen dient besonders dem Temperaturausgleich durch Ableitung von Wärme und Abkühlung. Die normale Schweißabsonderung des Menschen beträgt 0,5 l je Tag. Sie kann in den Tropen bis auf 10 l je Tag steigen.

Schweitzer, Albert, * 1875, † 1965; Theologe, Musiker, Philosoph und Missionsarzt. Als fertiger Theologe begann er noch ein Medizinstudium, um den Helfern in Afrika helfen zu können. Seine Philosophie gipfelt in einer weltbejahenden Ethik tätiger Nächstenliebe. Für seine Arbeit erhielt er 1952 den Friedensnobelpreis. Auch → »Genauer betrachtet«.

Genauer betrachtet …
Albert Schweitzer

1913 ging Albert Schweitzer als Missionsarzt nach Afrika und baute aus eigenen Mitteln und mit Spenden, um die er durch Schriften, Bücher, Vortrags- und Konzertreisen warb, in Lambaréné ein Tropenkrankenhaus mit Leprastation auf, in dem er fast 50 Jahre tätig war. Das heutige Albert-Schweitzer-Hospital in Lambaréné ist ein allgemeines Krankenhaus mit unterschiedlichen Abteilungen, unter anderem für innere Medizin, Chirurgie, Geburtshilfe sowie einer Lepra- und einer psychiatrischen Station. Seit dem Jahr 1981 ist ihm ein Forschungslabor angeschlossen, das sich vorwiegend auf die Erforschung und Behandlung von Malaria konzentriert. Im Krankenhaus arbeiten sechs bis sieben Ärzte aus Europa und Afrika zusammen mit etwa 120 afrikanischen Angestellten. Mit der Summe seiner Leistungen ist das weiterhin privat geführte, von Hilfsvereinen in verschiedenen Ländern finanzierte Krankenhaus für die medizinische Grundversorgung der Region verantwortlich, wozu es zusätzlich vom Staat Gabun subventioniert wird.

Ländersteckbrief
Schweiz

Fläche:	41 285 km²
Einwohner:	7,3 Millionen = 176 je km²
Hauptstadt:	Bern
Religion:	römisch-katholische Kirche, evangelisch-reformierte Kirche
Amtssprache:	Deutsch, Französisch, Italienisch, Rätoromanisch
Währung:	1 Schweizer Franken = 100 Rappen/Centimes

Schweiz, Staat in Mitteleuropa.

Landesnatur: Die Schweiz besteht aus den drei Landschaftseinheiten Alpen (60% der Fläche), Mittelland (30%) und Jura (10%). Die *Alpen* haben eine Durchschnittshöhe von 1800–2500 m (Ostalpen: Rätikon, Silvretta, Albula, Bernina; Westalpen: Glarner, Urner, Vierwaldstätter, Berner und Freiburger Alpen im Norden sowie Adula-, Tessiner- und Walliser Alpen im Süden). Nach Nordwesten schließen sich die *Voralpen* an, die in das tiefergelegene *Mittelland* übergehen. Dieser 40–60 km breite Landstrich zwischen Genfer See und Bodensee ist der fruchtbarste und zugleich der dichtestbesiedelte Landesteil. Der bis 1679 m hohe *Schweizer Jura* ist ein größtenteils gefaltetes Mittelgebirge. – Das mitteleuropäische Klima ist auf den Jurahöhen rauer als im Mittelland, während es am Genfer See und im Tessin bereits mediterranen Charakter hat.

Bevölkerung: 80% der Bevölkerung sind Schweizer Bürger und 20% Ausländer, davon über 25% Italiener und 23% Serben. Die Bevölkerung ist zu etwa gleichen Teilen evangelisch und katholisch; 64% haben Deutsch als Muttersprache, 19% Französisch, 7% Italienisch und 0,5% Rätoromanisch.

Wirtschaft: Der Schwerpunkt der Landwirtschaft liegt auf der Viehzucht (87% des landwirtschaftlichen Produktionswerts), v. a. auf der Milchwirtschaft. Die reichen Wasserkräfte liefern 60% des elektrischen Stroms. Die vielseitige Industrieproduktion, in der arbeitsintensive Veredlungs- und Qualitätsarbeiten überwiegen, erfolgt größtenteils in Klein- und Mittelbetrieben. Die wichtigsten Zweige sind Apparatebau, Textil-, Schuh-, Metall-, chemische, Uhren-, Nahrungsmittel-, holzverarbeitende u. a. Industrie. Rund ¼ aller Beschäftigten sind Ausländer. Finanzwirtschaft und Tourismus haben erhebliche wirtschaftliche Bedeutung. – Die Schweiz hat ein dichtes Straßennetz mit zahlreichen Passstraßen über die Alpen und ein voll elektrifiziertes Eisenbahnnetz. Der Rhein ist ein wichtiger Binnenschifffahrtsweg; Haupthafen: Basel. Größter Flughafen ist Zürich-Kloten.

Schweiz: Das Land ist für seinen guten Käse bekannt. In einer traditionellen Käserei wird der Käse in seiner Reifephase täglich gedreht.

Geschichte: Der keltische Volksstamm der *Helvetier* wanderte um 100 v. Chr. zwischen Jura und Alpen ein und wurde 58 v. Chr. von Cäsar unterworfen; 15 v. Chr. wurden auch die in den Ostalpen lebenden *Rätier* von Rom unterworfen. Um 445 eroberten die Burgunder von Südwesten her das Wallis und das Gebiet bis zur Aare; im Tessin und in Graubünden konnte sich die bisherige Bevölkerung halten, während das übrige Land von den *Alemannen* besiedelt wurde. Im 6. Jh. wurde das heutige Staatsgebiet dem Fränkischen Reich angegliedert; 843 kam die Ostschweiz an das Deutsche Reich, im 11. Jh. auch die Westschweiz; Territorialherrschaften bildeten sich. Gleichzeitig erkämpften sich die Länder Uri und Schwyz sowie einzelne Städte die Reichsfreiheit.

Die Eidgenossenschaft entstand durch den Zusammenschluss der 3 *Urkantone* Uri, Schwyz und Unterwalden 1291 (»Ewiger Bund«). Der Ewige Bund wurde 1332 um Luzern, 1351 um Zürich, 1352 um Glarus und Zug und 1353 um Bern vergrößert. 1389 mussten die Habsburger die Unabhängigkeit der Eidgenossenschaft anerkennen, die ihr Territorium allmählich erweiterte. Die endgültige Loslösung vom Deutschen Reich wurde im *Westfälischen Frieden* 1648 bestätigt. Mit dem Beitritt von Basel und Schaffhausen 1501 und Appenzell 1513 wurde der Bund zur Eidgenossenschaft der *Dreizehn Orte*. Die Reformation wurde von Zürich aus durch H. *Zwingli*, von Genf aus durch J. *Calvin* eingeführt. 1798 entstand die *Helvetische Republik*. 1803 wurde die Schweiz ein Staatenbund von 19 souveränen *Kantonen*. Auf dem Wiener Kongress von 1814/1815 erlangte die Schweiz die Anerkennung dauernder Neutralität. Es bestanden jetzt 22 Kantone; nach dem *Sonderbundskrieg* (1847) wurde die Schweiz durch die liberale Verfassung 1848 in einen Bundesstaat umgewandelt.

Im Ersten und Zweiten Weltkrieg bewahrte die Schweiz strenge Neutralität. 1971 wurde auf Bundesebene das Wahl- und Stimmrecht für Frauen eingeführt, 1978 durch Volksabstimmung die Gründung eines neuen Kantons Jura aus Teilen des Kantons Bern beschlossen. Durch die seit Mitte der 1990er Jahre ge-

Genauer betrachtet … Schweiz

Kanton/*Halbkanton	Hauptstadt
Aargau	Aarau
*Appenzell-Außerrhoden**	Herisau
*Appenzell-Innerrhoden**	Appenzell
*Basel-Land**	Liestal
*Basel-Stadt**	Basel
Bern	Bern
Freiburg	Freiburg
Genf	Genf
Glarus	Glarus
Graubünden	Chur
Jura	Delémont
Luzern	Luzern
Neuenburg	Neuenburg
*Nidwalden**	Stans
*Obwalden**	Sarnen
Sankt Gallen	Sankt Gallen
Schaffhausen	Schaffhausen
Schwyz	Schwyz
Solothurn	Solothurn
Tessin	Bellinzona
Thurgau	Frauenfeld
Uri	Altdorf
Waadt	Lausanne
Wallis	Sitten
Zug	Zug
Zürich	Zürich

führten Debatten über *nachrichtenlose Vermögen* und *Raubgold* (aus dem Besitz deutscher Juden, von den Nationalsozialisten in die Schweiz transferiert) geriet das außenpolitische Verhalten der Schweiz während des Zweiten Weltkriegs in die internationale Diskussion. 2000 trat die neue Bundesverfassung in Kraft, 2002 wurde die Schweiz Mitglied der UNO. Bei den Nationalratswahlen 2003 gewann die nationalkonservative Schweizerische Volkspartei (SVP) die meisten Mandate. Daraufhin wurde die parteipolitische Zusammensetzung der Regierung nach 44 Jahren den neuen parlamentarischen Kräfteverhältnissen angeglichen. Die SVP erhielt zu Lasten der Christlichdemokratischen Volkspartei einen weiteren Kabinettsposten. Die Schweiz ist nicht Mitglied der EU, gehört aber dem Europarat und der EFTA an. Für 2007 wurde M. *Calmy-Rey* (SP) zur Bundespräsidentin gewählt. Auch → »Genauer betrachtet«.

Schwerelosigkeit [die], *Gewichtslosigkeit,* ein Zustand, der beim antriebslosen Weltraumflug (oder auch beim freien Fall zur Erdoberfläche) auftritt und bei dem alle Körper gewichtslos werden. Wenn die Körper nicht festgeschnallt sind, schweben sie frei in der Kabine des Weltraumfahrzeugs.

Schwerin, Hauptstadt von Mecklenburg-Vorpommern, kreisfreie Stadt am Ufer des Schweriner Sees, 98 000 Einwohner.

Schwerindustrie [die], alle Industrien, die Güter herstellen, die nicht unmittelbar dem Verbrauch dienen: z. B. Bergbau, Eisen- und Stahlindustrie, Zementwerke, Schwerchemie.

Schwerkraft [die], Erdanziehungskraft, die Kraft, die alle Körper zum Erdmittelpunkt zieht, ein Sonderfall der → Gravitation.

Schwermetalle [Pl.], alle Metalle mit hoher Dichte wie z. B. Blei, Cadmium, Kupfer, Zink. Viele von ihnen, etwa Blei und Quecksilber, sind giftig. Da sie in Form ihrer löslichen Salze in Böden, Gewässern und in der Luft vorkommen, können sie über die Nahrungskette auch in den menschlichen Körper gelangen und Gesundheitsschäden hervorrufen.

Schwert: Diese Schwerter sind aus der Zeit von 1250–850 v. Chr., der Bronzezeit. Ausgestellt sind sie im Naturhistorischen Museum in Wien.

Schwerpunkt [der], der Punkt eines Körpers, in dem man sich dessen gesamte Masse vereinigt denken kann. Ein im Schwerpunkt unterstützter Körper bleibt im Gleichgewicht. Man ermittelt den Schwerpunkt, wenn man den Körper an zwei verschiedenen Punkten aufhängt und das Lot fällt. Der Schnittpunkt der Lote ist der Schwerpunkt.

Schwert [das], eine alte Hieb- und Stichwaffe mit gerader, breiter Klinge. Vor dem Griff befindet sich eine schützende Querstange.

Schwimmblase [die], ein Hohlorgan vieler Knochenfische, das mit Gas gefüllt ist. Durch die verschieden starke Füllung der Schwimmblase kann der Fisch sein spezifisches Gewicht der Wassertiefe anpassen.

Schwimmen [das], Fortbewegung im Wasser durch gezielte Arm- und Beinbewegungen. Das Sportschwimmen besteht aus Schnelligkeitswettbewerben über verschieden lange Strecken. Zum Schwimmsport gerechnet werden auch Wasserball, Kunst- und Turmspringen, Kunstschwimmen und der Tauchsport. Aus einer Vielzahl verschiedener Schwimmstile haben sich beim Sportschwimmen vier Stilarten herausgebildet: das *Kraulschwimmen* (die schnellste Schwimmart), das *Rückenschwimmen,* das *Brustschwimmen* und das *Delphinschwimmen (Butterfly).* Beim Lagenschwimmen wird nacheinander je eine Strecke in einer der vier Stilarten geschwommen, beim Freistil können die Stilarten beliebig angewendet werden.

Schwindsucht [die], eine alte Bezeichnung für die → Tuberkulose.

Schwingkreis [der], aus einer Spule und einem Kondensator bestehende Schaltung zur Erzeugung elektrischer Schwingungen. Schwingkreise funktionieren nach dem Prinzip der ständigen Umwandlung von elektrischer Energie in magnetische Wellen und umgekehrt. Sie finden Verwendung in Rundfunksendern und -empfängern. In Rundfunksendern dienen sie zur Erzeugung von Schwingungen und zur Abstimmung auf die gewünschte Frequenz. In Rundfunkempfängern sieben sie die gewünschte Frequenz aus den vielen von der Antenne aufgenommenen Frequenzen heraus.

Schwimmen: Beim Rückenkraul werden die Arme abwechselnd über den Kopf nach hinten geführt.

Science-Fiction: Kultstatus genießt die Serie »Star Trek«, in der das Raumschiff Enterprise durch das Weltall reist und neue Welten erkundet. Szene aus dem Film »Star Trek III – Auf der Suche nach Mr. Spock«

Schwingung [die], regelmäßig wiederkehrende Abweichung eines Körpers oder Zustandes vom Ruhezustand als periodische Bewegung (z. B. bei einem Pendel, dem elektrischen Strom, einer Klaviersaite). Die zwischen zwei gleichen Zuständen (Phasen) liegende Zeit heißt *Periode* oder Schwingungsdauer, die Zahl der Schwingungen in der Sekunde wird *Frequenz* genannt, die größte Abweichung von der Ruhelage *Amplitude.*

Schwur [der] → Eid.

Schwyz, Hauptstadt des Kantons Schwyz, am Vierwaldstätter See, 14 000 Einwohner.

Science-Fiction ['saiəns 'fikʃən, die, engl.], romanartige Schilderung (Hörspiel, Film, Literatur) von Geschehnissen und Abenteuern, die auf möglichen oder fantastischen Folgen des wissenschaftlichen Fortschritts beruhen. Außerirdische Wesen, der Einsatz von Robotern und das Leben auf anderen Planeten stehen dabei im Vordergrund.

Scotland Yard ['skɔtlənd jaːd, der oder das, engl.], die Londoner Polizei, besonders die Kriminalpolizei; benannt nach ihrem früheren Hauptgebäude.

Scott, Robert Falcon, * 1868, † 1912; englischer Polarforscher. Scott erreichte am 18. 1. 1912, wenige Wochen nach *Amundsen,* den Südpol und kam mit seinen Gefährten auf dem Rückmarsch ums Leben.

Scout ['skaut, der, engl.], ein Späher, Pfadfinder.

SED, Abkürzung für → **S**ozialistische **E**inheitspartei **D**eutschlands.

Genauer betrachtet ... See

Die größten Seen der Erde sind:

Name (Land)	Fläche in km²
Kaspisches Meer (Aserbaidschan, Russland, Kasachstan, Turkmenistan, Iran)	386 500
Oberer See (USA, Kanada)	82 103
Victoriasee (Kenia, Tansania, Uganda)	69 484
Huronsee (USA, Kanada)	59 570
Michigansee (USA)	57 866
Aralsee (Usbekistan, Kasachstan)	33 640
Tanganjikasee (Burundi, Tansania, Sambia, Demokratische Republik Kongo)	32 893
Baikalsee (Russland)	31 499
Großer Bärensee (Kanada)	31 328
Malawisee (Malawi, Mosambik, Tansania)	28 878
Großer Sklavensee (Kanada)	28 570
Eriesee (USA, Kanada)	25 667
Winnipegsee (Kanada)	24 390
Ontariosee (Kanada)	19 011

Seeigel haben bewegliche Stachel unterschiedlicher Form, hier der Violette Seeigel.

Sediment [das], der Bodensatz, der sich in stehenden Flüssigkeiten absetzt. *Sedimentation* ist die Ablagerung von Verwitterungsprodukten der Erdkruste.

See [der], eine Bodenvertiefung, die mit Süß- oder Salzwasser gefüllt ist. Seen sind nicht mit dem Meer verbunden. Auch → »Genauer betrachtet«.

Seegang [der], die Bewegung des Meeres, die durch den Wind verursacht wird.

Seehunde [Pl.], Tiere, die zu den Robben zählen. Sie sind sehr gut an das Leben im Wasser angepasst und an den Küsten aller Meere verbreitet. Seehunde sind ausgezeichnete Schwimmer und Taucher, die mühelos Fische als Nahrung erbeuten. Zu den Seehunden gehören u. a. der *Gewöhnliche Seehund, Kegelrobben, Sattelrobben, Seeleoparden* und *See-Elefanten.*

Seeigel [Pl.], Stachelhäuter, deren Körper von einem Skelett aus Kalkplatten umgeben ist. Das Skelett trägt bewegliche Stacheln.

Seeland, die größte Insel Dänemarks, gegenüber der Südspitze Schwedens, 7448 km², 2,2 Mio. Einwohner. Auf Seeland liegt die dänische Hauptstadt *Kopenhagen.*

Seele [die], *Psyche,* ein Begriff, der in Religion, Philosophie und Psychologie unterschiedlich ausgelegt wird. Die Seele steht u. a. für den unsterblichen

Teil des Menschen, das Lebensprinzip an sich. Sie bezeichnet die sich in Denken, Fühlen und Handeln äußernde Lebenskraft, die Triebkräfte eines Menschen.

Seemeile [die], Kurzzeichen sm, ein Längenmaß in der Seefahrt: 1 sm = 1,852 km.

Seepferdchen [Pl.], bis 15 cm lange Fische, die im Mittelmeer, in der Nordsee und im Atlantik verbreitet sind. Seepferdchen stehen aufrecht im Wasser, haben einen winklig abgeknickten Kopf (der einem Pferdekopf ähnelt), keine Bauch- und Schwanzflossen, dafür einen zu einem Greiforgan umgebildeten Schwanz und ein langes Röhrenmaul, das wie eine Saugpumpe arbeitet. Bei dem ausgeprägten Balzspiel legen die Weibchen ihre Eier in Brutbeutel, die die Männchen an der Bauchseite tragen. Hier entwickeln sich die Jungen.

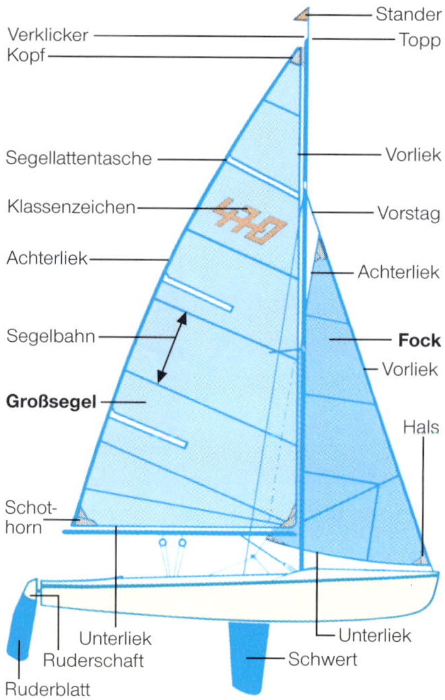

Segelsport: schematische Darstellung des Aufbaus eines Segelbootes, in diesem Fall eines Schwertbootes

Seerose [die], **1.** eine geschützte Wasserpflanze mit teilweise untergetauchten, schwimmenden oder über das Wasser ragenden großen Blättern. Die vorwiegend weißen oder gelblichen Blüten stehen meist einzeln über dem Wasser und erreichen bei einheimischen Arten bis zu 10 cm Durchmesser. Die Seerose tritt hauptsächlich in stehenden, aber auch in leicht fließenden Gewässern auf. Zu den exotischen Seerosen gehört der Lotos. **2.** *Seeanemonen,* mit den Korallen verwandte Hohltiere, die vor allem in tropischen Meeren vorkommen. Die bunt gefärbten Tiere sitzen meist am Meeresboden oder an Felsen fest. Sie bestehen aus einer Fußscheibe, einem elastischen Körper und vielen Fangarmen, die zum Beutefang (Fische, Krebse) dienen. Häufig leben sie in → Symbiose mit Einsiedlerkrebsen oder Clownfischen.

Die Seerose gilt auch als Heil- und Medizinpflanze.

Seesterne [Pl.], Stachelhäuter mit flachem, sternförmigem Körper mit meist 5 Armen zum Ergreifen von Beutetieren. Seesterne kommen in fast allen Weltmeeren vor.

Seezeichen [Pl.], *Schifffahrtszeichen,* gut sichtbare Zeichen im Meer und an den Küsten, die der Schifffahrt zur Ortsbestimmung oder zur Warnung dienen. Nachts machen sie sich durch Lichtzeichen oder Geräusche bemerkbar. Seezeichen sind in den Seekarten eingetragen. Zu den Seezeichen gehören z. B. Leuchttürme, Feuerschiffe oder Tonnen.

Segelflug [der], das Fliegen mit einem motorlosen Flugzeug unter Ausnutzung von aufwärts gerichteten Luftströmungen *(Aufwinden).* Segelflugzeuge sind sehr leicht und haben durch beste aerodynamische Formgebung einen geringen Luftwiderstand. Sie können nicht aus eigenem Antrieb starten und benötigen daher besondere Starthilfsmittel, wofür Motorschleppwinden oder Motorflugzeuge verwendet werden.

Segelschiff [das], ein Schiff, das mit Hilfe von Segeln durch den Druck des Windes getrieben wird. Heute sind Segelschiffe noch zusätzlich mit Hilfsmotor ausgestattet. Man unterscheidet die Segelschiffe nach ihrer Größe, Anzahl der Masten und nach der Art der Segel. Große Segelschiffe beherrschten bis um die Mitte des 19. Jh. die Meere und erbrachten im Entdeckungszeitalter große Fahrleistungen. Als Verkehrsmittel spielt das Segelschiff heute kaum noch eine Rolle. Es dient fast ausschließlich als Schulschiff für den seemännischen Nachwuchs.

Segelsport [der], ein Wassersport mit windgetriebenen Booten und Schiffen. Er wird als Freizeitbeschäftigung und bei Regatten als sportlicher Wettkampf betrieben. Es gibt Segelwettbewerbe auf Binnenseen sowie Küsten- und Hochseeregatten. Die beim Segelsport verwendeten Boote sind in zwei Grundformen (Kielboote und Schwertboote) und diese wieder in mehrere Klassen eingeteilt. *Kielboote* haben einen Ballastkiel, durch den sie kentersicher sind. *Schwertboote* (Jollen) haben ein aufholbares Schwert (Metall- oder Holzplatte), das die Abdrift verhindert.

Segelflugzeuge werden heute überwiegend in Kunststoffbauweise hergestellt.

Seide: Seidenspinner mit Puppenkokon aus Seide

Die Regatten im Binnen- und Küstengewässer-Segelsport werden meist auf Dreieckskursen durchgeführt. Gestartet wird meistens gegen den Wind. Segeln erfordert eine perfekte Beherrschung des Bootes.

Seghers, Anna, eigentlich Netty *Radványi*, * 1900, † 1983; deutsche Schriftstellerin. Sie musste 1933 emigrieren und lebte seit 1947 in Ostberlin. Ihr erster Roman »Der Aufstand der Fischer von St. Barbara« schildert den Klassenkampf; »Das siebte Kreuz« setzt sich mit den Zuständen im nationalsozialistischen Deutschland auseinander.

Segment [das, lat., »Abschnitt«], ein Teil einer Fläche, der durch den Abschnitt des Randes (z. B. eines Kreises) und die entsprechenden Sehnen begrenzt ist.

Sehne [die], **1.** in der Geometrie die Strecke, die zwei Punkte einer Kurve verbindet. **2.** bei Wirbeltieren ein Teil des Bindegewebes, das Muskeln und Knochen miteinander verbindet.

Seide [die], der von der Seidenraupe aus dem Inhalt ihrer Spinndrüsen ausgepresste Faden, mit dem sie sich zur Verpuppung eine Hülle (Kokon) spinnt. Von jedem *Kokon* können 400–800 m Rohseidenfäden gewonnen werden. Meist wickelt (haspelt) man 3–8 Kokons gleichzeitig ab und vereinigt (zwirnt) sie zu einem dickeren Faden. Auch das daraus hergestellte

Gewebe wird als Seide bezeichnet. In den Ursprungsländern der Seidengewinnung, China, Japan und Indien, werden schon seit Jahrtausenden Seidenraupen gezüchtet.

Seidenstraße [die], eine alte Handels- und Karawanenstraße (seit dem 2. Jh. v. Chr.). Sie verband China mit dem Mittelmeerhafen Antiochia (heute Antakya in Syrien). Auf der Seidenstraße wurde aus China u. a. Seide und Gold nach Europa gebracht. Eine Reise über die ganze Strecke dauerte fünf bis sechs Jahre.

Seife [die], ein Waschmittel, das aus Natrium- und Kaliumsalzen der höheren Fettsäuren besteht. Seifen werden durch Kochen von Fetten und Ölen mit Laugen gewonnen. Dabei entstehen Fettsäuren und Glyzerin. Die Fettsäuren werden vom Glyzerin getrennt und zu Seife verkocht. Verwendet man zum Kochen Kalilauge, entsteht *Schmierseife,* verwendet man Natronlauge, entsteht *Kernseife.* Seife wirkt darum reinigend, weil sie die Oberflächenspannung von Wasser stark herabsetzt und so in die kleinsten Zwischenräume dringen und den Schmutz ablösen kann.

Seilbahn [die], ein Transportmittel für Personen und Lasten, bei dem die Wagen oder Gondeln durch ein Zugseil fortbewegt werden. Mit Seilbahnen lassen sich große Höhenunterschiede oder ungünstige Gelände überwinden. Bei der *Drahtseilbahn (Seilschwebebahn)* ist ein Seil zwischen der Berg- und Talstation und meist zusätzlich noch über Zwischenstützen gespannt, an dem die Wagen hängen. Sie sind mit Klemmen daran befestigt. Laufen die Wagen dagegen auf Schienen, so spricht man von einer *Standseilbahn.*

Seilbahnen: In Skigebieten, wie hier in Österreich, bringen Seilbahnen die Skifahrer auf den Berg.

Seine [sɛːn, die], Fluss in Frankreich, 776 km lang. Die Seine entspringt auf dem Plateau von Langres bei Dijon, fließt durch Paris und mündet bei Le Havre in den Ärmelkanal.

Seismograph [der], *Seismograf,* Gerät zur Messung und zum Aufzeichnen von Erdbebenschwingungen. Die von einem Seismographen aufgezeichneten Kurven heißen *Seismogramme.* Sie geben Auskunft über die Stärke eines Bebens.

Sekretion [die], die Absonderung von meist flüssigen Stoffen *(Sekreten)* durch Drüsen des Körpers, z. B. Schweiß, Speichel, Hormone.

Sekte, heute meist abwertende Bezeichnung für eine Gemeinschaft, die sich innerhalb einer Konfession um eine Sonderlehre gesammelt und mit der Verwerfung der gemeinsamen Glaubensgrundlage auch die äußere Trennung vollzogen hat. Auch → Jugendreligionen sowie ZEIT-Beitrag → »Sekten: Die Allesversprecher«, Seite 182–185.

Sektion [die], eine einzelne Abteilung einer Behörde oder Organisation.

Sektor [der], **1.** von zwei Halbmessern (Radien) begrenzter Ausschnitt einer Kreisfläche. **2.** ein Teil eines Ganzen.

sekundär, zweitrangig, untergeordnet; Gegensatz: *primär.*

Sekundarstufe [die], die zweite Stufe im deutschen Bildungswesen. Sie umfasst als Sekundarstufe I die Klassen 5–10 und als Sekundarstufe II die Klassen 11–13.

Sekunde [die], Kurzzeichen s, eine Einheit der Zeit, der 60. Teil einer Minute.

Selbstbefriedigung [die], *Onanie, Ipsation,* → Masturbation.

Selbstlaut [der] → Vokal.

Selektion [die], Auswahl, Aussonderung; in der Biologie die natürliche Auslese (→ Evolution).

Selen [das], ein chemisches Element mit dem Zeichen Se. Selen ist ein Stoff mit teilweise metallischen und nichtmetallischen Eigenschaften. Die Verbindungen des Selens entsprechen in ihren chemischen Eigenschaften im Wesentlichen denen des Schwefels. Selen wird vor allem zur Herstellung von Fotozellen benutzt.

Semantik, Teilgebiet der Linguistik, die Lehre von der Bedeutung der Zeichen. In der Logik ist Semantik allgemeine Bezeichnung für die Theorie der Wahrheit logischer Sätze.

Semester [das], das Studienhalbjahr an Hochschulen: Sommersemester (SS), Wintersemester (WS).

Semikolon [das], Strichpunkt, → Zeichensetzung (Tabelle).

Seminar [das], eine wissenschaftliche Abteilung an Hochschulen, auch einzelne Lehrveranstaltungen.

Semiotik, die Lehre von den Zeichen und ihrer Verwendung.

Semiten [Pl.], von Noahs Sohn *Sem* abgeleitete Sammelbezeichnung für verschiedene Völker einer großen vorderasiatischen Sprachfamilie (semitische Sprachen). Sie leben in Südwestasien, Nord- und Nordostafrika.

Semper, Gottfried, * 1803, † 1879; deutscher Architekt und Kunsttheoretiker. Er suchte in seinen Werken die Einheit von Zweckmäßigkeit und Harmonie im Sinn des klassischen Schönheitsideals. Zu seinen Werken gehören das Opernhaus (1945 ausgebrannt, 1985 wiedereröffnet) und die Gemälde-Galerie in Dresden sowie das Burgtheater in Wien.

Senat [der, lat., »Rat der Alten«], **1.** im alten Rom der Rat der Ältesten. Er hatte großen Einfluss auf die politischen Entscheidungen. **2.** eine Abteilung deutscher Gerichte. **3.** das oberste Organ der Selbstverwaltung an den Hochschulen. **4.** in manchen Staaten, z. B. in den USA, ein Teil des Parlaments.

Sender [der], eine Einrichtung zur Erzeugung, Modulation, Verstärkung und zum Aussenden von elektromagnetischen Schwingungen zur Übermittlung von Ton und Bild bei Rundfunk und Fernsehen.

Seneca, Lucius Annaeus, der Jüngere, *um 4 v. Chr., † 65 n. Chr.; römischer Philosoph und Dichter. Er war ab 48 n. Chr. der Erzieher des späteren Kaisers *Nero*, wurde aber 65 n. Chr. von ihm zum Selbstmord genötigt, da man ihm vorwarf, an einem Komplott gegen den Kaiser beteiligt gewesen zu sein. Seneca vertrat die *stoische Philosophie* und verfasste auch Tragödien.

Senegal [der], ein Fluss in Westafrika, 1430 km lang, entsteht bei Bafoulabe durch Vereinigung von *Bafing* und *Bakoye*. Der Senegal mündet in den Atlantik.

Ländersteckbrief
Senegal

Fläche:	196 722 km^2
Einwohner:	11,9 Millionen = 61 je km^2
Hauptstadt:	Dakar
Religion:	Islam
Amtssprache:	Französisch
Währung:	CFA-Franc

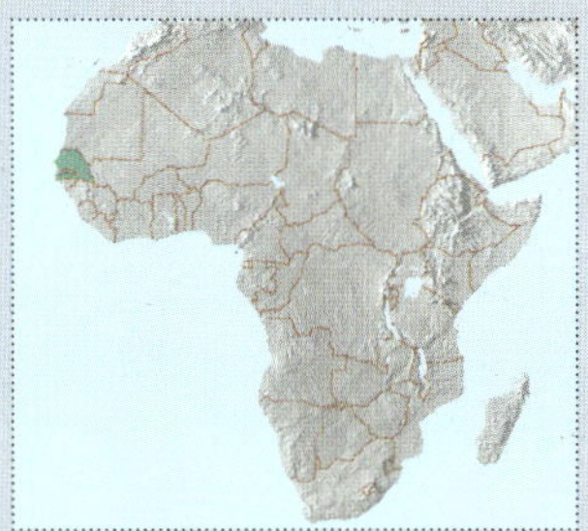

Heiraten auf Befehl: Der Führer der koreanischen Mun-Sekte und seine Frau bei einer Massenhochzeit von Mun-Jüngern

Sekten

Die Allesversprecher

Von Liane v. Billerbeck

Was für eine Erscheinung! Ein hell glänzender Schweif am Nachthimmel, tagelang war er zu sehen, im Sommer des Jahres 1997. Es handelte sich um ein astronomisches Phänomen, ein Komet zog dort oben seine Bahn: Hale-Bopp. Ein berauschend schöner Anblick. Für 39 Menschen in den USA aber endete er mit dem Tod – denn sie sahen in dem hell leuchtenden Himmelskörper mehr als nur ein kosmisches Schauspiel. Sie glaubten, dass im Schweif des Kometen ein Raumschiff kommen und sie abholen würde in eine bessere Welt. Ein Mann namens Marshall Herff Applewhite hatte ihnen diese Idee in den Kopf gesetzt. Und sie gehorchten bereitwillig seinen Befehlen. »Wir müssen unsere irdischen Körper jetzt verlassen. Im All wartet ein besseres Leben!«, hatte er gepredigt. Und weil sie ihm blind folgten, haben sich die 39 Frauen und Männer, die ihm glaubten, mit einem vergifteten Pudding getötet.

Gefährliche Verheißungen

Heaven's Gate (Himmelstor) hieß die Vereinigung, der sie angehörten und die Marshall Herff Applewhite anführte – eine Sekte, die, wie viele andere Sekten auch, ihren Mitgliedern den Zugang zur Wahrheit und zu einem besseren Leben verheißen hatte. Nicht immer nimmt dies ein so schreckliches Ende wie bei Heaven's Gate. Doch auch andere Sekten sind gefährlich – und beuten ihre Mitglieder oft schamlos aus. Zu den bekanntesten zählt Scientology.

Was aber genau ist eine Sekte? Der Begriff hat eine lange Geschichte: Die einen führen ihn auf das lateinische Wort *sequi* zurück – das heißt nachfolgen. Sekten haben ihren Namen nach dieser Lesart, weil ihre Anhänger einem Führer nachfolgen. Andere leiten das Wort von *secare* her – das bedeutet abtrennen. In früheren Jahrhunderten nannte man jene Gruppen Sekten, die sich von der großen Kirche trennten, weil sie etwas anderes glaubten als das, was die Kirche ihnen vorschreiben wollte.

Sehnsucht nach Geborgenheit

Schaut man sich heutige Sekten an, sind beide Wortbedeutungen zutreffend: Sekten haben ein großes Interesse daran, eine abgeschlossene Gruppe zu sein, und sie predigen einen Glauben, der von dem der offiziellen Kirchen abweicht. Will man dazugehören, darf man mit der restlichen Welt oft keinen Kontakt haben, muss sich von ihr abtrennen. Einen Führer haben Sekten auch häufig. Und die Mitglieder sollen alles glauben, was er sagt. Sektenführer locken die Menschen dabei mit großartigen Heilsversprechen. So wie Marshall Herff Applewhite von Heaven's Gate.

Dass Menschen bei Sekten landen, hat daher viel mit der Hoffnung auf ein erfüllteres oder auch einfach auf ein ganz anderes Leben zu tun. Wer einsam ist oder nicht weiß, wie es weitergehen soll, wer krank ist oder Angst vor etwas hat und auf die richtige Weise angesprochen wird, dem können die Versprechungen von Sekten schnell anziehend erscheinen. Dort werden die Neuen oft überschwänglich empfangen. Man nennt das »love bombing« – mit Liebe überschütten. Die Sektenanfänger haben das Gefühl, endlich einmal Leute gefunden zu haben, die wirklich nett sind und sie aufrichtig gern mögen!

In Wirklichkeit werden aber ausgeklügelte psychologische Methoden angewandt, um Menschen empfänglich zu machen, sie dann fest in die Gruppe einzubinden, ihre Persönlichkeit Schritt für Schritt zu verändern und die frisch gebackenen Sektenjünger dann selbst auf Werbetour zu schicken. Es geht dabei um Geld und Macht. Macht über Menschen. Macht über Länder. Es gibt sogar Sekten, die wollen die ganze Welt beherrschen. Um ihre wirklichen Ziele zu verstecken, nennen sich manche Sekten auch Kirchen. Das führt viele Menschen in die Irre.

Mächtiger Fürsprecher: Der Schauspieler Tom Cruise ist Mitglied der Scientology-Sekte

Denn eine Kirche hat mit Religion zu tun – und die Religionsfreiheit ist von unserer Verfassung geschützt. Doch Sekten tun oft nur so, als seien sie eine Kirche. In den USA lohnt sich das besonders: Dort müssen Kirchen keine Steuern zahlen.

Einer der bekanntesten Sektenführer, L. Ron Hubbard, der die Sekte Scientology gegründet hat, soll einmal gesagt haben: »Wenn man wirklich eine Million Dollar verdienen will, ist es am besten, seine eigene Religion zu gründen.« Und obwohl er selbst wusste, dass Scientology keine Religion ist, wird der Öffentlichkeit genau das weisgemacht. Wer Scientology kritisiert, kann sicher sein, dass sich die Sekte auf die Religionsfreiheit berufen wird. Ihre Vertreter regen sich wahnsinnig auf, wenn jemand behauptet, die Gruppe wolle nur Geld verdienen und ihre Mitglieder unterdrücken. Dabei gibt es bei Scientology sogar einen Geheimdienst, der über die Sektenmitglieder Informationen sammelt und meldet, wenn jemand nicht mehr dazugehören will.

Gefangen und überwacht

Wer viel Geld bezahlt, der kann bei Sekten Kurse besuchen und bekommt dann fantasievolle Titel verliehen, die aus Science-Fiction-Filmen stammen könnten. Wer etwa bei Scientology »Operierender Thetan« Stufe III wird, der soll Herrscher über »Raum, Zeit, Materie und Energie« werden. Klingt verrückt. Oder wie ein Spiel. Wer aber nichts anderes mehr zu hören bekommt, weil er keine anderen Leute mehr trifft, der glaubt irgendwann daran.

Ein Mann aus Österreich zum Beispiel hatte 28 Jahre lang an die merkwürdigen Lehren von Scientology geglaubt. Doch dann erkrankte er schwer an Krebs und merkte, dass all die Versprechen, er sei immun gegen solche Krankheiten geworden, Lügen waren. Viele Menschen in Sekten merken das sehr spät – oder nie. Wenn sie zweifeln, reden die anderen in der Sekte auf sie ein, schreien sie an und überwachen sie.

Am schlimmsten trifft es die Kinder, die schon in Sekten geboren werden. Bei Thakar Singh stöpselt man ihnen das linke Ohr mit Wachs zu, angeblich, damit sie nur noch den göttlichen Ton ihres Führers hören können. Tatsächlich fügt man ihnen damit schwere gesundheitliche Schäden zu. Sektenkinder haben es besonders schwer,

Lafayette Ronald Hubbard (1911 bis 1986), der Gründer von Scientology

Guru im Rolls-Royce: Der umstrittene indische Sektenführer Bhagwan Shree Rajneesh im Kreise seiner Anhänger (1984)

sich frei zu entwickeln. Am schlimmsten wird es, wenn sie aus der Sekte weglaufen wollen, weil sie dort geschlagen werden oder nicht wie andere Kinder spielen dürfen. Denn wenn sie das wirklich wollen, dann müssen sie sich ja sogar von ihren Eltern trennen!

Verbieten oder nicht?

Oft stecken Sekten auch hinter bestimmten Parteien – und deren Wähler wissen das gar nicht. Auf manchen Wahlscheinen in Deutschland etwa tauchte schon die sogenannte Naturgesetzpartei auf, deren Plakate einen bunten Regenbogen zeigten. Dahinter verbarg sich die Sekte Transzendentale Meditation. Sie behauptete, wenn nur genügend Menschen aus dem Schneidersitz heraus schweben könnten (sie nannten das »yogisches Fliegen«), dann würde es auf der Welt keine Gewalt mehr geben. Immer wieder wurden Vorschläge gemacht, Sekten zu verbieten, weil sie Menschen in seelische und finanzielle Not bringen. Auch im Deutschen Bundestag hat man sich deshalb schon mit den Sekten befasst. Doch wer in einer Demokratie (wo jeder Bürger ein Recht auf seine eigene Meinung hat) etwas verbieten will, der muss der fraglichen Gruppe nachweisen, dass sie ihre Mitglieder um Geld betrügt, einsperrt oder krank macht.

Das ist schwierig, gerade weil die Sekten so darauf bedacht sind, für sich zu bleiben. Oft haben sie auch mächtige Fürsprecher, darunter Berühmtheiten, Künstler oder Filmstars. Das beeindruckt manchmal auch Politiker oder Richter, und die können sich dann weniger leicht zu einem Verbot durchringen. Insofern hilft nur eines, um einer Sekte nicht auf den Leim zu gehen: selbstständig zu denken und kritische Fragen zu stellen – denn genau das wollen fast alle Sekten ihren Mitgliedern austreiben.

Senegal: Typische Agrarprodukte sind die für den Export wichtigen Erdnüsse oder wie hier Cashewnüsse.

Senegal, Staat in Westafrika.

Landesnatur: Senegal ist ein flaches Senkungsgebiet, das landeinwärts wenig ansteigt. Bei Cap Vert bilden vulkanische Gesteine eine Steilküste. Die Feuchtsavanne im Süden geht zur Trocken- und Dornsavanne im Norden über.

Bevölkerung: Die Bevölkerung gehört überwiegend islamischen Sudanvölkern an. Daneben gibt es rund 200 000 Nichtafrikaner.

Wirtschaft: Erdnüsse und Baumwolle sind die wichtigsten Agrarprodukte. Von großer Bedeutung, auch für den Export, ist der Fischfang. Die Viehzucht hat v. a. im Norden Bedeutung. Als bedeutender Bodenschatz kommt Phosphat vor. Die im Ausbau begriffene Industrie liefert neben Agrarprodukten, Kunstdünger und Zement auch Fertigwaren. – Dakar ist der zweitgrößte Seehafen in Westafrika und zugleich Knotenpunkt im interkontinentalen Luftverkehr.

Geschichte: Im Mittelalter gehörte Senegal zunächst zum Königreich Ghana, dann zu Mali. Im Rahmen der europäischen Kolonisation verblieb Senegal bei Französisch-Westafrika, zuletzt als autonome Republik. 1960 erlangte das Land die volle Unabhängigkeit. 1982 wurde zusammen mit Gambia die Konföderation Senegambia gebildet (bis 1989). Staatspräsident ist seit 2000 A. *Wade*.

Senf [der], eine Pflanze aus der Gattung der Kreuzblütler, besonders im Mittelmeergebiet verbreitet. Aus den pulverisierten Samen einiger Arten lässt sich Speisesenf bereiten.

Seoul [se'ul], *Soul,* Hauptstadt von Südkorea, 11,0 Mio. Einwohner.

Separatismus [der], politische, geistige oder religiöse Absonderung. Unter Separatismus versteht man auch die Absicht einzelner Gruppen oder Gebiete, einen Teil eines Staatsgebietes aus dem Staatsganzen zu lösen. Dabei handelt es sich meist um nationale Minderheiten, die einen eigenen Staat gründen oder sich einem anderen Staat anschließen wollen.

Sepsis [die] → Blutvergiftung.

Ländersteckbrief
Serbien

Fläche:	88 361 km²
Einwohner:	9,4 Millionen = 127 je km²
Hauptstadt:	Belgrad
Religion:	serbisch-orthodoxe Kirche, römisch-katholische Kirche, Islam
Amtssprache:	Serbisch
Währung:	1 Neuer Dinar = 100 Para

Serbien, Staat in Südosteuropa.

Landesnatur: Im Norden erstreckt sich die fruchtbare Tiefebene des Pannonischen Tieflands mit den Flüssen Save, Donau und Theiß. Daran schließt sich im Süden die Hügellandschaft der Šumadija an, die im Osten in das Serbische Erzgebirge übergeht. Der südliche Landesteil wird geprägt von der Morava-Beckenzone, einem meist bewaldeten Bergland. Es herrscht gemäßigt kontinentales Klima.

Bevölkerung: Die Bevölkerung setzt sich aus 83% Serben zusammen. In Kosovo stellen die Albaner mit 90% die Mehrheit, in der Vojvodina sind 19% der Einwohner Ungarn. Über 90% der serbischen Bevölkerung gehören dem serbisch-orthodoxen Glauben an, 5% sind Muslime (vor allem Albaner).

Wirtschaft: Serbien verfügt über umfangreiche Bodenschätze (Kupfer, Blei, Zink, Braun- und Steinkohle, in der Vojvodina Erdöl und Erdgas). Die wichtigsten Industriezweige sind die Fahrzeug-, Elektro-, chemische, Nahrungs- und Genussmittelindustrie. In der Landwirtschaft sind die Viehhaltung sowie der Anbau von Mais, Weizen, Kartoffeln, Sonnenblumen, Tabak, Wein und Obst von Bedeutung. – Internationale Flughäfen haben Belgrad, Niš und Priština.

Geschichte: Nach 1180 konnte sich Serbien aus der Abhängigkeit von Byzanz lösen. 1217 wurde es Königreich; unter *Stephan Dušan* entstand ein *Großserbisches Reich*. Nach der Schlacht auf dem Amselfeld 1389 geriet Serbien unter osmanischen Einfluss (seit 1459 Provinz des Osmanischen Reiches). Volle Unabhängigkeit erlangte es erst wieder 1878. 1882 wurde Serbien Königreich. In der Folgezeit kam es zu Spannungen in den serbisch-österreichischen Beziehungen. In den Balkankriegen gewann Serbien Makedonien (1913). Das Attentat auf den österreichischen Thronfolger *Franz Ferdinand* in Sarajevo ließ den Konflikt mit Österreich eskalieren und wurde Anlass zum Ausbruch des Ersten Weltkriegs. 1918 wurde Serbien ein Teil des *Königreich der Serben, Kroaten und Slowenen*, das 1929 in → Jugoslawien umbenannt wurde. Nachdem der sozialistische jugoslawische Staat in blutigen Wirren zerfallen war, proklamierte Serbien 1992 zusammen mit Montenegro die neue »Bundesrepublik Jugoslawien«, die 2003 zur Staatengemeinschaft »Serbien und Montenegro« wurde. 2006 erklärte Montenegro seine Unabhängigkeit und Serbien trat die Rechtsnachfolge der aufgelösten Staatengemeinschaft an. Serbischer Ministerpräsident ist V. *Koštunica*.

Serbien: Belgrad, das kulturelle Zentrum des Landes, hat zwei Universitäten und ist Sitz des Patriarchen der serbisch-orthodoxen Kirche.

Serenade [die], Bezeichnung für ein Musikstück für Singstimmen oder Instrumente, oft mit Blasinstrumenten, das den Charakter eines Ständchens oder einer Abendmusik hat.

Serengeti [die], eine Kurzgrassteppe in Ostafrika (Tansania), sie liegt 1500–1800 m hoch. Hier befindet sich der Serengeti-Nationalpark, eines der wildreichsten Gebiete Afrikas, durch das alljährlich riesige Herden ziehen.

Serum [das, Pl. Sera oder Seren], der wässrige Bestandteil des Blutes. Es enthält keine Blutkörperchen und keine Gerinnungsstoffe mehr, aber Mineralstoffe und Schutzsubstanzen gegen Krankheitserreger.

Server ['sə:və, der, engl.], ein zentraler Rechner in einem Computernetzwerk, der bestimmte Dienste – wie Modemzugang, Datenbanken, Internetdienste – anderen im Netzwerk angeschlossenen Rechnern (Clients) zur Verfügung stellen kann. Im *Internet* nennt man einen Server auch *Host.*

Servern ['səvən], **1.** Fluss in Wales und im Südwesten Englands, 339 km, entspringt in den Cambrian Mountains, mündet in den Bristolkanal. **2.** Fluss in der kanadischen Provinz Ontario, 982 km, entspringt östlich vom Winnipegsee, mündet in die Hudsonbai.

Sesam [der], ein bis zu 1 m hohes tropisches Kraut mit lanzettförmigen Blättern. Die Kapselfrucht ist in vier Kammern geteilt und enthält viele abgeflachte Samen, aus denen Sesamöl (z. B. für die Seifenherstellung) gewonnen wird.

Seuche [die] → Epidemie.

Sevilla [sɛ'vilja], eine südspanische Stadt, am Guadalquivir, 710 000 Einwohner. Die Stadt ist reich an Kunst- und Bauwerken aus der maurischen Zeit. Sie war von 712–1248 unter arabischer Herrschaft.

Sex [der, lat. sexus, »Geschlecht«], Kurzwort für die menschliche Sexualität. Siehe auch ZEIT-Beitrag → »Sex: Sex und Schokoriegel, Seite 190–193.

Sextant [der], ein astronomisches Gerät zur Messung der Winkelabstände der Gestirne vom Horizont. Er dient in der Schifffahrt zur Orts- und Zeitbestimmung. Das Bild des anvisierten Sternes erscheint in zwei Spiegeln, deren Bilder miteinander zur Deckung gebracht werden müssen. Der Winkel kann auf einer Skala abgelesen werden.

Sexualität, *Geschlechtlichkeit*, alle Vorgänge, die dazu dienen, eine geschlechtliche Fortpflanzung zu ermöglichen. Beim Menschen ist die Sexualität ein wesentlicher und erfüllender Teil seiner Persönlichkeit, seines gesamten Lebens. Dabei ist Sexualität an kein Alter gebunden.

Ländersteckbrief
Seychellen

Fläche:	455 km^2
Einwohner:	81 000 = 178 je km^2
Hauptstadt:	Victoria
Religion:	römisch-katholische Kirche
Amtssprache:	Kreolisch, Englisch, Französisch
Währung:	1 Seychellen-Rupie = 100 Cents

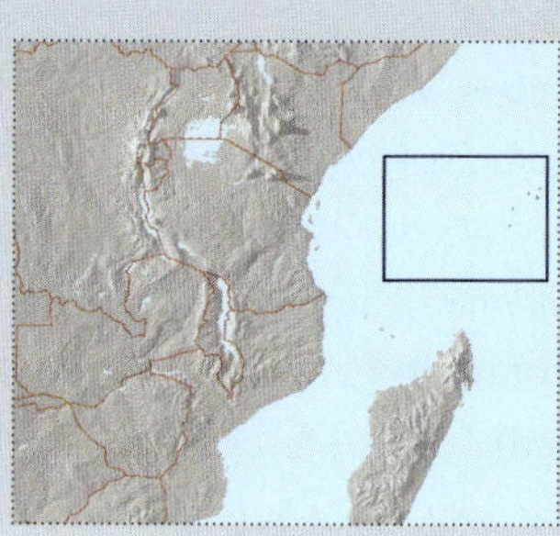

Seychellen, Staat im Indischen Ozean.

Der Inselstaat im Indischen Ozean besteht aus teils gebirgigen vulkanischen Inseln, teils flachen Koralleninseln. Das tropisch-maritime Klima wird vom Nordwestmonsun bestimmt. – Die vorwiegend katholischen Bewohner (zu 89% Kreolen) sind Nachkommen von afrikanischen Sklaven und französischen Siedlern. – Die wichtigsten Wirtschaftszweige sind Tourismus und Fischfang, außerdem Kopragewinnung und Gemüseanbau.

Geschichte: Die Seychellen wurden von Portugiesen im 16. Jh. entdeckt; 1743 kamen sie in französischen Besitz. 1814 wurden die Inseln Großbritannien zugesprochen, seit 1903 sind sie mit anderen Inseln Kronkolonie. 1976 wurden die Seychellen unabhängige Republik; Staats- und Regierungschef ist seit 2004 J. *Michel.* Er wurde 2006 im Amt bestätigt.

Sezession [die], Abspaltung, Trennung.

Sezessionskrieg [der], der nordamerikanische Bürgerkrieg von 1861–1865. Als Abraham *Lincoln,* ein erklärter Gegner der Sklavenhaltung, zum Präsidenten der USA gewählt wurde, erklärten die Südstaaten ihren Austritt aus den Vereinigten Staaten. In dem erbittert geführten Krieg siegten die nördlichen Industriestaaten über die Südstaaten (»Sklavenstaaten«) mit ihrer vorwiegend in der Landwirtschaft tätigen Bevölkerung und zwangen sie zur Aufhebung der Sklaverei und Rückkehr in die USA.

sezieren, zergliedern, zerteilen, auch eine Leiche zur Untersuchung der Todesursache öffnen.

Wer war …

William Shakespeare

Der englische Dichter William Shakespeare (getauft 1564, † 1616) gilt als einer der größten Dramatiker der Weltliteratur. Shakespeare setzte durch meisterhafte Sprachbeherrschung, die psychologische Darstellung der Charaktere und durch die Fähigkeit zur bühnenwirksamen Darstellung menschlicher und historischer Konflikte Maßstäbe. Da es bis heute keine verlässlichen Daten über das Leben Shakespeares gibt, ist über ihn als Person nur wenig bekannt: Er war Sohn des Handwerkers und Bürgermeisters John Shakespeare und der Gutsbesitzertochter Mary Arden. Er heiratete 18-jährig Anne Hathaway (* 1556, † 1623) und wurde 1592 zum ersten Mal als Schauspieler in London genannt. Um 1610 ging er nach Stratford-on-Avon, seinen Geburtsort, zurück, wo er sein Vermögen am *Globe-Theater* anlegte und bis zu seinem Tod wohnte.

William Shakespeare ist der weltweit meistgespielte Theaterdichter.

In seinem dramatischen Werk setzt sich Shakespeare mit den politischen und gesellschaftlichen Strömungen seiner Zeit auseinander. Es lässt sich in Königsdramen, Komödien, Problemstücke (Komödien mit tragischen Zügen), Romanzen und Tragödien gliedern. Sind seine frühen Komödien wie z. B. »Ein Sommernachtstraum« oder »Die lustigen Weiber von Windsor« noch übermütig und witzig, so zeigen spätere wie »Viel Lärm um nichts« schon tragische Ansätze. In Stücken wie »Das Wintermärchen« oder »Der Sturm« ist Rettung nur noch zufällig oder durch übernatürliche Mächte möglich. In seinen Königsdramen, z. B. »Richard III.«, beschäftigt sich Shakespeare mit dem Verlust moralischer Grundsätze bei den Herrschenden und fragt, inwieweit ihre Macht gerechtfertigt ist. In seinen Tragödien zeigt er den Menschen, der selbstverantwortlich handeln soll, aber zum Scheitern verurteilt ist, wobei dieses Scheitern gesellschaftlich wie charakterlich begründet sein kann (»Othello«, »Hamlet«, »König Lear«, »Macbeth«, »Romeo und Julia«). Auch Shakespeares Sonette sind von formvollendeter und sprachgewaltiger Fülle im Ausdruck von Empfindungen und Erfahrungen.

Dove-Werbung. Mit halbnackten Frauen lässt sich angeblich alles besser verkaufen: Autos, Versicherungen – und Hautcreme

Sex

Sex und Schokoriegel

Von Sigrid Neudecker

Überall wo man hinschaut, sieht man heute Sex. Und alles heutzutage ist sexy. Auf unzähligen Zeitschriftencovern steht, wer sexy ist, wer mit wem Sex hat und wie der Sex noch viel besser wird. Auf vielen Werbeplakaten sieht man Menschen, die schon fast nichts mehr anhaben.

Vor lauter Sex beginnt einem richtig der Kopf zu schwirren. Gleichzeitig aber fangen manche Erwachsenene an, sehr eigenartig herumzudrucksen, wenn man sie nach Sex fragt. Es ist ihnen unglaublich peinlich, und sie wechseln das Thema. Das ist das Eigenartige am Sex heutzutage. In fast jedem Werbespot im Fernsehen steckt eine sexuelle Anspielung (all diese Frauen, die fast nichts anhaben), doch so richtig über das Thema reden können oder wollen auch nicht alle.

Es ist aber auch schwierig. Das Wort Sex muss heute für so vieles herhalten, dass man schon fast den Überblick verliert. Und leider nutzen viele Firmen es aus, dass das Thema immer noch Neugier erzeugt. Die glauben dann eben, wenn sie ihren Schokoriegel von einer Frau bewerben lassen, die ganz sexy dreinschaut, dann kaufen ihn mehr Leute. »*Sex sells*« heißt es dann, »Sex verkauft«.

Es soll verrucht klingen

Eigentlich kommt das Wort vom lateinischen *sexus,* was nichts anderes heißt als Geschlecht. Es ist aber auch eine Art Abkürzung für »Sexualität«, ein Wort, das ja eher an Wissenschaft und Aufklärungsunterricht erinnert und sich deshalb auf den Covern von Hochglanzmagazinen nicht so gut machen würde.

Mit jemandem »Sex zu haben« bedeutet, mit jemandem zu schlafen. Das wiederum klingt vielen zu harmlos, deshalb verwenden sie lieber das kurze, griffige, irgendwie verrucht klingende »Sex«. Das Wort allein ist also schon einmal voller zusätzlicher Bedeutungen.

Sexualität ist Privatsache

Sex oder Sexualität ist etwas sehr Persönliches. Bis vor einigen Jahren hat man eigentlich niemandem auf die Nase gebunden, dass man mit jemandem Sex hat, ganz zu schweigen davon, wie oder warum oder wann. Das war Privatsache. Bei (Ehe-)Paaren hat man sozusagen automatisch gewusst, dass sie miteinander schlafen, vor allem, wenn sie irgendwann Kinder bekommen haben. (Wie sonst hätten die Kinder entstehen sollen?) Aber das ist hinter verschlossenen Türen abgelaufen. Und Frau Meier hat auch nicht ihrer Nachbarin am nächsten Tag gleich brühwarm erzählt, dass sie mit ihrem Mann eine aufregende Nacht verbracht hat.

Und wenn sonst jemand mit jemand anderem geschlafen hat, hat er oder sie es schon gleich gar nicht herumerzählt. Das war nämlich nicht vorgesehen. Wenn es nach der katholischen Kirche geht, dürfen ohnehin nur Verheiratete miteinander Sex haben, und auch dann nur, wenn sie dabei Kinder zeugen wollen. Sex zum Vergnügen (obwohl es etwas sehr Vergnügliches ist) war in Wirklichkeit verboten. Wenn man also mit jemandem Geschlechtsverkehr hatte, mit dem man nicht verheiratet war, hat man darüber geschwiegen – und brav ein schlechtes Gewissen gehabt.

Für viele Menschen ist Sex immer noch etwas Schmutziges – was natürlich Blödsinn ist. Aber viele haben in ihrer Kindheit eingeredet bekommen, dass Geschlechtsorgane »pfui« seien – sogar die eigenen! –, und gerade Mädchen wurde früher immer gepredigt, dass man »das nicht tut«.

Deshalb fühlen sich viele Menschen auch heute noch ein bisschen unwohl, wenn sie über Sex sprechen sollen. Das ist man einfach nicht gewohnt. Früher hat es auch keinen Aufklärungsunterricht in der Schule gegeben, in dem einem

Einander zu küssen kann manchmal leichter sein, als über seine Gefühle zu sprechen

erklärt wurde, was Sex eigentlich ist. Da mussten dann die Eltern ihren Kindern klarmachen, wie eigentlich die kleinen Babys entstehen. Und das ist wohl keinem Vater und keiner Mutter leichtgefallen, den Kindern zu erzählen, was Papis Geschlechtsteil und Mamis Geschlechtsteil miteinander machen.

Seit wenigen Jahren ist es aber genau umgekehrt. Plötzlich gibt es immer mehr Leute, die einem frank und frei erzählen, mit wem sie im Bett waren. Und meistens auch noch, was genau sie dabei getan haben. Ob man das wissen will oder nicht. Im Internet schreiben viele Menschen in ihren Weblogs, mit wem sie was getrieben haben. Vielleicht um damit anzugeben? Vor Kurzem hat Angela Ermakova, ein britisches Fotomodell, in einem Buch genau geschildert, wie das damals war, als sie mit Boris Becker Sex hatte und dabei ihre Tochter Anna entstand. Und natürlich lesen das wieder alle Leute, weil es da eben diese Neugier gibt: Gerade weil man es viele Jahre lang nicht gewohnt war, von anderer Menschen Sexleben zu erfahren, stürzt man sich auf jede dieser Geschichten. Natürlich nutzen das auch viele zu ihren Zwecken aus.

Gas und Bremse gleichzeitig

Vor allem Schauspielerinnen und Sängerinnen, die mit ihrer Karriere nicht zufrieden sind, lassen sich dann einfach nackt für ein Magazin fotografieren. Oder sie werden von Fotografen »erwischt«, wenn sie gerade keine Unterwäsche anhaben. Dann drucken alle Zeitungen diese Fotos ab, und die Sternchen sind wieder in aller Munde. Britney Spears macht das regelmäßig so.

Wir leben also gerade in einer sehr zwiespältigen Zeit, in der viele Menschen ganz unverblümt Dinge aus ihrem Privatleben erzählen, was aber anderen Menschen, die das nicht so gewohnt sind, wiederum sehr unangenehm ist. Also Bremspedal und Gas gleichzeitig, irgendwie. Das Resultat ist, dass viele Menschen verwirrt sind, was denn jetzt eigentlich in Ordnung ist und was nicht. Redet man jetzt offen über Sex, oder sollte man das Thema lieber nur dort besprechen, wo es hingehört: im eigenen Schlafzimmer?

Das merkt man besonders gut in den USA. Weil Amerika so ein riesiges Land ist, gibt es dort noch ganz viele unterschiedliche Lebensanschauungen.

Sexsymbol: Marilyn Monroe auf dem Titelblatt des ersten »Playboy«-Magazins

Die Amerikaner regen sich ziemlich auf, wenn in den Filmen im Hauptabendprogramm zu viel Haut zu sehen ist

Einerseits existieren noch Bundesstaaten, in denen ein unverheiratetes Paar nicht einmal ein gemeinsames Hotelzimmer mieten darf. Andererseits ist dort eine TV-Sendung, in der junge Mädchen eigentlich nichts anderes machen, als ihre Brüste herzuzeigen, extrem erfolgreich. Einerseits gibt es Hip-Hop-Videos, in denen die Frauen schon fast gar keine Kleider mehr anhaben, andererseits regen sich die Amerikaner unwahrscheinlich auf, wenn im Hauptabendprogramm zu viel Haut zu sehen ist.

Janet Jacksons Brust

Im Februar 2004 gab es in Amerika einen riesigen Skandal. Justin Timberlake und Janet Jackson traten gemeinsam beim Super Bowl, dem großen Football-Endspiel, auf. Und als Justin ein bisschen an Janets Kostüm zupfte, löste sich ein Teil davon, und ihre Brust war zu sehen. Ohnehin nicht vollständig, weil sie einen kleinen Stern drauf hatte, aber es war genug für die konservativen Kreise in den USA, um einen unglaublichen Wirbel vom Zaun zu brechen. Irgendwie ist das alles im Moment also ein wenig durcheinander.

Natürlich ist es erfreulich, dass man endlich ein bisschen offener über Sex reden kann, ohne Herumdrucksen und Rotwerden. Andererseits nutzen das auch viele zu ihrem Vorteil aus, entweder weil sie Karriere machen oder weil sie ihre Produkte verkaufen wollen. Am besten ist wohl, wenn man alles ein bisschen entspannter sieht: Miteinander Sex zu haben ist wunderschön. Wenn man Probleme dabei hat, ist es gut, wenn man offen mit Menschen darüber reden kann, denen man vertraut. Aber man muss nicht allen Leuten davon erzählen, nur weil es heutzutage so Mode ist. Und das Wichtigste: Man sollte Schokoriegel kaufen, weil sie schmecken. Und nicht weil eine hübsche Frau oder ein schnuckeliger Typ dafür Werbung machen.

Shanghai, größte Stadt der Volksrepublik China, im Mündungsgebiet des Chang Jiang, 12,7 Mio. Einwohner (mit Vororten 17,1 Mio. Einwohner).

Shanghai: Der Stadtbezirk Pudong mit seiner beeindruckenden Skyline ist das neue Wirtschafts- und High-Tech-Zentrum der Metropole.

Shaw [ʃɔː], George Bernard, * 1856, † 1950; englisch-irischer Schriftsteller und Dramatiker. In seinen witzigen Dramen kritisiert er überkommene gesellschaftliche Verhaltensweisen und Vorurteile und lässt häufig den gesunden Menschenverstand triumphieren. Zu seinen Hauptwerken gehören u. a. »Candida«, »Pygmalion«, »Die heilige Johanna«. Shaw erhielt 1925 den Nobelpreis für Literatur.

Sheriff ['ʃɛrif, der, engl.], in den USA ein gewählter Polizeibeamter.

Sherlock Holmes ['ʃələk hɔumz], Detektivgestalt in Erzählungen des Schriftstellers C. *Doyle.* Er verkörpert einen Meisterdetektiv, der jedem Verbrecher auf die Spur kommt.

Shetlandinseln ['ʃɛtlənd-, Pl.], eine zu Großbritannien gehörende Inselgruppe vor der Nordostspitze Schottlands. Die Bewohner leben vor allem von Fischfang und Viehzucht (Schafe, Shetlandponys).

Shintoismus [der], Ur- und Volksreligion in Japan, die Naturphänomene (Flüsse, Seen, Pflanzen, Tiere) und Familienahnen verehrt. Danach gilt der japanische Kaiser als Nachfahre der Sonnengöttin Amaterasu. Bis 1945 war der Shintoismus Staatsreligion.

Shootingstar ['ʃuːtiŋ-], *Senkrechtstarter*, Person, die schnell bekannt geworden ist und eine steile Karriere gemacht hat.

Short Message Service [ʃɔːt 'mesidʒ 'səːvis, der, engl.] → SMS.

Showview ['ʃɔuvjuː, das, engl.] ein Verfahren zur Videoprogrammierung über in Programmzeitschriften ausgedruckte Ziffernfolgen.

Siam, ein Königreich in Hinterindien, heute heißt es Thailand.

Sibirien, der nördliche Teil von Asien, der zu Russland gehört. Sibirien reicht vom Ural bis zum Pazifischen Ozean und von der Eismeerküste bis zur mongolischen Grenze. Die Landschaft ist vorwiegend von Wald und Steppen bestimmt, das Land ist reich an Bodenschätzen. Verkehrsmäßig ist das weite Land durch die Transsibirische Eisenbahn erschlossen. In Sibirien herrscht ein extrem kontinentales Klima, d.h., auf kurze, warme Sommer folgen lange und kalte Winter. In Ostsibirien, im Ort Oimjakon, liegt der Kältepol der Nordhalbkugel (–67,7 °C).

Sicherung [die], ein Überlastungsschutz in einem elektrischen Stromkreis, der bei zu hoher Stromstärke

Shintoismus: Die Insel Itsukushima mit dem ins Wasser gebauten Torii beherbergt den bedeutendsten Shinto-Schrein Japans.

den Stromkreis unterbricht. Er besteht entweder aus einer Sicherungspatrone mit einem dünnen Schmelzdraht, der bei Überlastung durchbrennt, oder aus einem elektromagnetischen, bei Überspannung oder Kurzschluss auslösenden Unterbrecher.

Siebenbürgen, rumänisch *Transilvania,* rumänische Landschaft, im Osten und Süden von den Karpaten und im Westen vom Bihorgebirge umrahmt. Der Hauptort ist Cluj-Napoca. Im 12./13. Jh. wurden Deutsche *(Siebenbürger Sachsen)* ins Land gerufen.

Siebengebirge [das], nach 7 besonders hervorragenden Hügeln benanntes Bergland nordwestlich des Westerwaldes, am Rhein, südöstlich von Bonn. Am bekanntesten sind der *Petersberg* (331 m hoch) und der *Drachenfels* (321 m hoch).

Siebenjähriger Krieg, ein Krieg zwischen Preußen und Österreich um den Besitz von Schlesien (1756–1763). England unterstützte den Preußenkönig *Friedrich II.,* während Frankreich auf der Seite des mit Russland verbündeten Österreichs (unter *Maria Theresia*) stand. Auf beiden Seiten kämpften auch andere deutsche und ausländische Staaten, so dass der Siebenjährige Krieg sich zu einem Weltkrieg ausweitete. Nach dem Ausscheiden Russlands gelang es Preußen, 1763 im Frieden von Hubertusburg, den Besitz Schlesiens zu behaupten.

Siebenkampf [der] → Leichtathletik.

Siebenschläfer [der], volkstümlicher Name für ein braungraues Nagetier mit langem, buschigem Schwanz aus der Familie der Bilche, dessen Winterschlaf in der Regel sieben Monate dauert. Siebenschläfer leben vor allem in Laubwäldern, waldnahen Parks sowie in Obst- und Weingärten, wo sie sich von Knospen, Früchten, Beeren und Nüssen ernähren.

sieben Weltwunder [Pl.] → Weltwunder.

Siedepunkt [der], eine Temperaturgrenze, bei deren Überschreiten eine Flüssigkeit in Dampf übergeht. Auch → Aggregatzustand.

Genauer betrachtet …
SI-Einheiten

Internationale Abkürzungen für Maße und Gewichte sind:

Einheit	Einheitenzeichen	physikalische Größe
Meter	m	Länge
Kilogramm	kg	Masse
Sekunde	s	Zeit
Ampere	A	elektrische Stromstärke
Kelvin	K	thermodynamische Temperatur
Mol	mol	Stoffmenge
Candela	cd	Lichtstärke

Siegel [das], der Stempelabdruck in einer weichen Masse, die später hart wird, als Briefverschluss oder zur Beglaubigung einer Urkunde.

Siegfried, Gestalt der deutschen und nordischen Heldensage. Siegfried soll den Schatz der Nibelungen erkämpft haben. Sein Schicksal wird in dem → Nibelungenlied und der Edda geschildert.

SI-Einheiten [Pl.], Abkürzung für **S**ystème **I**nternational d'Unités (Internationales Einheitensystem); gültig seit Beschluss der 14. Generalkonferenz für Maße und Gewichte (vom 16. 10. 1971). Auch → »Genauer betrachtet«.

Siemens, Werner von, *1816, †1892; deutscher Industrieller und Elektrotechniker. Er gründete 1847 zusammen mit J. G. *Halske* eine Telegrafenbaufabrik, aus der das größte deutsche Unternehmen der elektrotechnischen Industrie, die *Siemens AG,* hervorging.

Ländersteckbrief
Sierra Leone

Fläche:	71 740 km²
Einwohner:	5,7 Millionen = 79 je km²
Hauptstadt:	Freetown
Religion:	Naturreligionen, Islam, Christentum
Amtssprache:	Englisch
Währung:	1 Leone = 100 Cents

Sierra Leone, Staat in Westafrika.

Das Land dehnt sich von einem feuchttropischen Schwemmlandstreifen an der Küste bis auf die von Savannen bewachsene Nordguineaschwelle aus (*Loma Mountains*, 1948 m). – Die Bevölkerung gehört v. a. zu den Sudanvölkern; 39% sind Muslime, 8% Christen, der Rest Anhänger traditioneller Religionen. – Die Landwirtschaft produziert Ölpalmprodukte, Kaffee, Kakao, Piassava und Kolanüsse für den Export. Hauptausfuhrgüter sind Diamanten (90% des Exports), Gold, Bauxit und Rutil. Haupthafen und internationaler Flughafen ist Freetown.

Geschichte: Um 1450 wurde Sierra Leone von Portugiesen entdeckt. 1808 wurde die Halbinsel um Freetown britische Kronkolonie, 1896 das gesamte Hinterland britisches Protektorat. 1961 wurde die Unabhängigkeit ausgerufen. Anfang der 1990er Jahre entwickelte sich ein blutiger Bürgerkrieg mit aus Liberia eingedrungenen Rebellen (Revolutionary United Front, RUF), der erst 2002 endgültig beendet werden konnte.

Signal [das], ein sichtbares oder hörbares Zeichen mit festgelegter Bedeutung. Zu den Signalen gehören beispielsweise im Straßenverkehr die Verkehrszeichen, im Schienenverkehr die Eisenbahnsignale, in der Schifffahrt Flaggen-, Blink- und Funksignale (u. a. die Notrufsignale Mayday und SOS) und eine Reihe von Warnsignalen (z. B. Nebelhorn), in der Luftfahrt Signale der Flugsicherung (u. a. Funkfeuer).

signieren, mit dem eigenen Namenszug versehen.

Sikhs [Pl.], *Shikhs,* Anhänger einer Religionsgemeinschaft in Nordindien, die Ende des 15. Jh. im Pandschab gegründet wurde. Beeinflusst wurde sie durch die Lehren des Islam und Hinduismus. Die Sikhs errichteten einen eigenen Staat, der 1849 von den Engländern unterworfen wurde. Heute leben die meisten von ihnen im indischen Unionsstaat Punjab. Sie fordern Autonomie bzw. Unabhängigkeit, was von Zeit zu Zeit zu oftmals gewalttätigen Unruhen führt.

Silber [das], ein chemisches Element mit dem Zeichen Ag. Silber ist ein weiß glänzendes, recht weiches, gut dehnbares Edelmetall, das vor allem in Mexiko, Nord- und Südamerika vorkommt. Es leitet elek-

Sikhs: Der Goldene Tempel, das Hauptheiligtum der Sikhs, liegt in einem künstlich geschaffenen See in Amritsar.

trischen Strom und Wärme am besten von allen Metallen. Es wird als Legierung mit Gold, Kupfer, Blei, Quecksilber und Zink vor allem zur Herstellung von Münzen, Schmuck und Geräten, in der Hauptsache aber in Form des Silberbromids (AgBr) in der fotografischen Industrie verwendet. Silber ist an der Luft ziemlich beständig, wird aber von Schwefelwasserstoff unter Bildung von schwarzem Silbersulfid angegriffen (Anlaufen).

Silicium [das], *Silizium,* ein chemisches Element mit dem Zeichen Si. Silicium ist ein dunkelgraues, glänzendes, sprödes Halbmetall, das in der Natur nur in Form von Silikaten und als Siliciumdioxid vorkommt. Silicium ist nach Sauerstoff das häufigste Element in der Erdrinde.

Silo [der oder das], ein Großbehälter zum Speichern von Schüttgütern, insbesondere ein Behälter für die Lagerung und Vergärung von Viehfutter (Silage).

Ländersteckbrief Simbabwe

Fläche:	390 757 km²
Einwohner:	13,0 Millionen = 41 je km²
Hauptstadt:	Harare
Religion:	Christentum, Naturreligionen
Amtssprache:	Englisch
Währung:	1 Simbabwe-Dollar = 100 Cents

Simbabwe: Siedlung mit strohgedeckten Hütten

Simbabwe, Staat in Südafrika.

Landesnatur: Das Hochland (1100–1800 m) senkt sich nach Norden zum Sambesi, nach Süden zum Limpopo und nach Westen zur Kalahari. Im Osten erreicht es in den Inyangabergen mit 2596 m die größten Höhen. Das randtropische Klima hat im Hochland gemäßigte Temperaturen mit von West nach Ost zunehmenden Niederschlägen. Das Hochland wird vorwiegend von Savannen, die Niederungen von Trockenwäldern eingenommen.

Bevölkerung: Die Bewohner gehören vorwiegend zu den Bantuvölkern; rund 145 000 sind Weiße. Über die Hälfte der Bevölkerung sind Christen, der Rest v. a. Anhänger traditioneller Religionen.

Wirtschaft: Die Landwirtschaft liefert Tabak, Baumwolle, Zuckerrohr, Tee, Mais, Weizen und Südfrüchte für den Export. Von großer Bedeutung ist der Bergbau (Chrom, Gold, Asbest, Kohle, Platin, Nickel, Eisen u. a.). Die Industrie verarbeitet Bergbau- und Agrarprodukte und liefert Maschinen, Textilien, chemische Produkte und zahlreiche Verbrauchsgüter. Simbabwe befindet sich seit 2000 in einer politisch begründeten schweren wirtschaftlichen Krise.

Geschichte: Das Gebiet wurde 1889/1890 von der Britisch-Südafrikanischen Gesellschaft in Besitz genommen und 1895 *Rhodesien* genannt. Südrhodesien

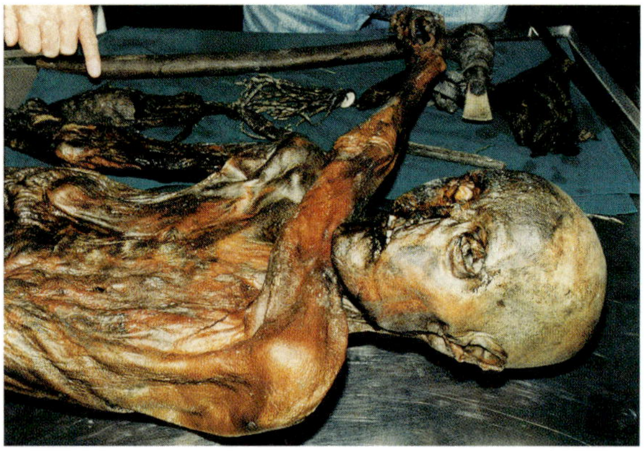

Similaun-Mann: Bei der auch als »Ötzi« bekannten Mumie fand man u. a. ein für die Bronzezeit typisches Randleistenbeil.

wurde 1923 britische Kolonie. Es bildete 1953–1963 zusammen mit Nordrhodesien (heute Sambia) und Nyasaland (heute Malawi) die Föderation *Rhodesien und Nyasaland*. Der Süden erklärte sich als Rhodesien 1965 einseitig für unabhängig und 1969 zur Republik. Es regierte eine weiße Minderheitsregierung unter I. *Smith*, gegen die schwarze Guerillaorganisationen kämpften. 1978/1979 gab es erstmals eine aus Vertretern der weißen Minderheit und der schwarzen Bevölkerungsmehrheit gebildete Regierung, die aber keine Anerkennung fand. Danach erhielt Rhodesien kurzzeitig wieder den Status einer britischen Kolonie. Schließlich ging die Macht 1980 auf die Schwarzafrikaner über, und das Land wurde als Simbabwe unabhängig.

Das Amt des Ministerpräsidenten (seit 1987 auch Staatspräsident) übernahm R. G. *Mugabe*. Seine Regierung ließ seit 2000 illegale Besetzungen weißen Farmlandes sowie Ausschreitungen gegen Oppositionelle zu, missachtete alle demokratischen Rechte und stürzte Simbabwe in eine schwere politische und wirtschaftliche Krise. 2003 erfolgte der Austritt aus dem Commonwealth.

Similaun-Mann, *»Ötzi«*, 1991 in einem Gletscher der Ötztaler Alpen gefundener mumifizierter Leichnam, rund 5300 Jahre alt.

SIM-Karte, Abkürzung für engl. ***S**ubscriber **Id**entification **M**odule*, Bezeichnung für die Chipkarte zur Identifizierung und Authentifizierung des Besitzers eines Mobiltelefons. Sie ermöglicht dem Benutzer in Verbindung mit einer vierstelligen Geheimzahl den Zugang zum Mobilfunknetz.

Simulator [der], eine elektronische Datenverarbeitungsanlage, mit deren Hilfe z. B. Vorgänge in Kernreaktoren oder Flugzustände und -bedingungen von Flugzeugen und bemannten Weltraumkapseln durchgespielt (simuliert) werden können.

simulieren, **1.** heucheln, sich verstellen, vortäuschen (besonders eine Krankheit). **2.** einen Vorgang wirklichkeitsgetreu nachahmen.

simultan, gemeinsam, zugleich, gleichzeitig.

Sinai, eine ägyptische Halbinsel nördlich des Roten Meeres, zwischen dem Golf von Suez und dem Golf von Aqaba. Sinai wurde 1967 von Israel erobert. Nach einem Friedensvertrag von 1979 wurde die Halbinsel bis 1982 schrittweise wieder geräumt.

Sindbad, *Sindbad der Seefahrer,* Held eines der bekanntesten Märchen aus »1001 Nacht«.

Sinfonie [die], *Symphonie,* ein Orchesterstück, das meist aus 4 abgeschlossenen Sätzen besteht: schneller Satz, langsamer Satz, Tonsatz, schneller Satz. Die Sinfonie wurde von Joseph *Haydn* entwickelt.

Sinai: Das griechisch-orthodoxe Katharinenkloster besteht seit dem 6. Jh. und gehört seit 2002 zum Weltkulturerbe.

Ländersteckbrief
Singapur

Fläche:	682 km^2
Einwohner:	4,4 Millionen = 6422 je km^2
Hauptstadt:	Singapur
Religion:	Daoismus, Buddhismus, Islam, Christentum, Hinduismus
Amtssprache:	Englisch, Malaiisch, Chinesisch, Tamil
Währung:	1 Singapur-Dollar = 100 Cents

Singapur, Staat in Südostasien.

Die 573 km^2 große Hauptinsel Singapur ist durch einen Eisenbahn- und Straßendamm mit dem Festland verbunden. Zum Staatsgebiet gehören noch rund 50 kleinere Küsteninseln. Das Klima ist tropisch heiß und feucht.

Die Bevölkerung besteht aus 77% Chinesen, 14% Malaien, 9% Indern und Pakistanern. Rund die Hälfte der Bewohner sind Buddhisten oder Daoisten, 15% Muslime und 15% Christen.

Singapur ist ein bedeutendes Handels-, Finanz-, Dienstleistungs- und Technologiezentrum. Es ist das größte Erdölraffineriezentrum Südostasiens. Die wichtigsten Industriezweige sind Maschinen-, elektronische und chemische Industrie. Nur rund 1% der Landesfläche wird landwirtschaftlich genutzt. – Singapur liegt im Schnittpunkt internationaler Schifffahrtswege (größter Handelshafen der Welt) und Flugrouten und hat sich dadurch zum bedeutenden Verkehrszentrum Südostasiens entwickelt.

Geschichte: Singapur wurde von der Ostindienkompanie 1819 gegründet und 1851 Britisch-Indien unterstellt. 1867–1941 war Singapur Teil der Kronkolonie *Straits Settlement.* 1942–1945 hielten die Japaner Singapur besetzt, das seit 1946 britische Kronkolonie mit Selbstverwaltung war. Am 31. 8. 1963 folgte die Unabhängigkeitserklärung und am 16. 9. 1963 der Zusammenschluss mit *Malaya* und Britisch-Borneo zur Föderation Malaysia, aus der Singapur 1965 wieder austrat. Premierminister war 1959–1990 *Lee Kuan Yew.* Nachfolger wurden *Goh Chok Tong* (1990–2004) und Lee Hsien Loong (seit 2004).

Single [siŋgl, engl.], **1.** [die], kleine Schallplatte mit jeweils nur einem Titel auf der Vorder- und Rückseite. **2.** [der], allein lebende Person.

Singular [der], *Einzahl,* in der Grammatik die Form eines Wortes, die zum Ausdruck bringt, dass *eine* Person oder Sache oder *ein* Begriff in einer sprachlichen Mitteilung gemeint ist; Gegensatz: *Plural.*

Singvögel [Pl.], Sperlingsvögel, deren Kehlkopf besonders ausgebildet ist und das Singen ermöglicht.

Singapur: Mit seinem dem Umschlag nach größten Hafen der Welt und der stark exportorientierten Industrie ist der Kleinstaat ein Symbol für den wirtschaftlichen Aufstieg Asiens im Rahmen der Globalisierung.

Singvögel: Die Grafik zeigt einige Vögel, die in Mitteleuropa verbreitet sind.

Singvögel sind mit über 4000 Arten weltweit verbreitet. Zu ihnen gehören u.a. Lerchen, Schwalben, Meisen und Finken.

Sinnesorgane [Pl.], Organe, die Menschen und Tiere in die Lage versetzen, äußere Einflüsse aus der Umwelt und innere Zustände wahrzunehmen. Sie sind durch Nerven mit den entsprechenden Wahrnehmungszentren im Gehirn verbunden. Die Sinnesorgane des Menschen sind die Augen (Sehen), Ohren (Hören), Nase (Riechen), Zunge (Schmecken), Innenohren (Gleichgewicht), Haut (Tasten) sowie der Temperatursinn und der Schmerzsinn.

Sintflut [die], nach der Überlieferung des Alten Testaments die große Überschwemmung, durch die Gott die sündige Menschheit bestrafte. Nur Noah, seine Angehörigen und die Tiere, die er mit in die Arche nehmen durfte, wurden gerettet.

Sinti [Pl.], ein Name, den sich in Deutschland lebende Zigeuner geben.

Sioux [su:z oder 'siuks, Pl.], früher *Dakota,* Gruppe von Indianerstämmen in den USA (noch etwa 40 000). Sie leben heute in mehreren Reservationen in North und South Dakota. Auch → Indianer.

Sirenen [Pl.], in der griechischen Sage Meerjungfrauen mit Vogelleib, die durch ihren betörenden Gesang Seefahrer auf Klippen lockten und töteten.

Sisyphos, *Sisyphus,* ein Held der griechischen Sage, König von Korinth. Weil er Zeus verraten hatte, musste er in der

Die Sioux leben heute in mehreren Reservationen in den US-amerikanischen Bundesstaaten North und South Dakota.

Unterwelt einen Felsblock immer wieder einen Berghang hinaufwälzen. Oben angekommen, rollte er immer wieder hinab. Danach nennt man eine vergebliche Mühe *Sisyphosarbeit.*

Sitting Bull, eigentlich *Tatanka Yotanka*, * um 1831, † 1890; Sioux-Häuptling. Er war Führer des letzten indianischen Freiheitskampfs 1869–1876. 1890 wurde er bei seiner Gefangennahme erschossen.

Sizilien, größte italienische Insel im Mittelmeer, zwischen Italien und Afrika, im Südwesten der italienischen »Stiefelspitze«, 25 705 km^2, 4,9 Mio. Einwohner. Hauptstadt der Insel ist *Palermo.* Sizilien ist vorwiegend gebirgig. Im Osten erhebt sich der Vulkan *Ätna* (3350 m).

Skagerrak [der oder das], der Meeresteil zwischen Nordsee und Ostsee, zwischen Norwegen und Dänemark; 110 bis 150 km breit, bis 700 m tief.

Skala [die], Stufenfolge, Gradeinteilung, mit Zahlen oder Buchstaben versehene Teilung an Messgeräten zum Ablesen von Messwerten.

Skalp [der], eine als Trophäe mitsamt dem Haar abgetrennte Kopfhaut eines getöteten Feindes.

Skandal [der], ein Ärgernis, empörendes Ereignis.

Skandinavien, die gebirgige Halbinsel im Norden Europas, vom Nordmeer, der Nordsee, der Ostsee und dem Bottnischen Meerbusen umgeben. Skandinavien umfasst die Staaten Norwegen und Schweden sowie den nordwestlichen Teil von Finnland.

Skateboard ['skɛitbɔːd, das, engl.], ein Sportgerät, das aus einem 60–70 cm langen Brett auf 4 federnd gelagerten Rollen besteht. Durch Gewichtsverlagerung des Daraufstehenden lässt es sich steuern.

Skelett [das], das Stützgerüst des Körpers von Tieren und Menschen. Bei niederen Tieren hat es die Form eines äußeren Haut- oder Schalenskeletts (z. B. bei Krebsen, Insekten), bei höheren Tieren ist es ein inneres Stützorgan, das aus vielen miteinander verbundenen Knochen besteht. Die Knochen sind durch Gelenke miteinander verbunden, sie bieten die Ansatzpunkte für Muskeln. Das Skelett des Menschen besteht aus über 200 einzelnen Knochen und setzt sich aus dem Schädel, der Wirbelsäule mit dem Brustkorb, dem Schultergürtel mit den Armen sowie dem Becken mit den Beinen zusammen.

Skinhead ['skinhed, engl.], ein Typ der Jugendkultur mit meist harten äußeren Erscheinungsmerkmalen (kahl geschorener Kopf, Bomberjacke, schwere Schnürstiefel) und starker Tendenz zu gewalttätigem Sozialverhalten; entstanden aus dem englischen Arbeitermilieu Ende der 1960er Jahre, seit Ende der 1970er Jahre auch in Deutschland mit zunächst deutlicher rechtsradikaler Prägung; heute politisch eingeordnet von linksgerichtet (sogenannte Red-Skins) über unpolitisch (sogenannte Oi-Skins) bis hin zu rechtsextremistisch (sogenannte Nazi-Skins).

Skisport [der], *Schisport,* ein Wintersport auf Skiern, der in zwei Gruppen eingeteilt wird: nordischer Skisport mit *Langlauf, Biathlon, Sprunglauf, nordischer Kombination, Skifliegen, Skispringen und Snowboarding;* alpiner Skisport mit *Abfahrtslauf, Slalom, Riesenslalom, Super-Riesenslalom (Super-G)* und *alpiner Kombination.* Der Skisport hat sich aus der Benutzung von Schneeschuhen und Skiern verschiedener Arten zur Jagd und auch als Fortbewegungsmittel entwickelt. Auch → »Genauer betrachtet«.

Sklaven [Pl., lat., »Unfreie«], Menschen, die anderen Menschen wie eine Ware gehören und über die ihre Besitzer unbeschränkt (auch über Leben und Tod) verfügen können. Im Altertum verkaufte man die Kriegsgefangenen und machte sie zu Sklaven. Im Wirtschaftsleben Ägyptens, Griechenlands, Roms, Babyloniens u. a. alter Kulturstaaten spielte die Sklaverei eine große Rolle. Im Mittelalter trat in Europa die mildere Form der *Leibeigenschaft* an ihre Stelle. Als im 16. Jh. in Amerika die Baumwoll- und Zuckerrohrplantagen entstanden und man dafür billige Arbeitskräfte suchte, nahm die Sklaverei einen neuen Aufschwung.

Skisport: Bevorzugte Sprunghaltung beim Skispringen ist heute der V-Stil.

Genauer betrachtet … Skisport

Der Skisport ist uralt. Zum modernen Sport machten ihn die Norweger um 1845. In der Telemark, einer südnorwegischen Provinz, sah man den »Slalom«, eine Fahrt über eine Strecke ohne Hindernisse, den »Kneikelom« eine Fahrt über Bodenknicks, Baumstrünke, Zäune und Mauern, den »Hoppelom«, eine Fahrt über natürliche oder künstlich aufgerichtete Wälle, und den »Villom«, eine wilde Abfahrt über Steilhänge. Die Telemärker führten während der Fahrt auch einige »Kunststücke« aus, wie zum Beispiel ein gefülltes Bierglas beim Slalom unverschüttet über die Strecke zu bringen und am Ziel auszutrinken. Dies fand keinen Eingang in den modernen Sport, wohl aber der »Telemarkaufsprung«, eine Landetechnik beim Skispringen.

Mit Afrikanern entstand ein reger Sklavenhandel. In den USA führte das Sklavenproblem zum → Sezessionskrieg. Obwohl heute die Sklaverei durch internationale Abkommen verboten ist, wurden und werden mitunter in Staaten, die unter einer Gewaltherrschaft stehen, Menschen wie Sklaven behandelt, in Konzentrationslager gebracht und zur Zwangsarbeit verpflichtet. Siehe auch ZEIT-Beitrag → »Sklaverei: Die Ware Mensch«, Seite 204–207.

Skonto [der oder das], ein Preisnachlass bei Barzahlung oder bei Zahlung innerhalb einer kurzen Frist.

Skopje, die Hauptstadt von Makedonien, 467 000 Einwohner.

Skorbut [der], eine heute seltene Erkrankung an Vitamin-C-Mangel mit Zahnausfall, Schleimhautblutungen, Blutarmut, Kräfteverfall. Früher wurden häufig Seefahrer, die nicht genügend frisches Obst und Gemüse bekamen, von Skorbut befallen.

Skorpione [Pl.], Spinnentiere, die in Südeuropa und tropischen Gebieten verbreitet sind. Skorpione haben krebsartige Kieferfühler und einen langen, gegliederten Hinterleib mit einem beweglichen Giftstachel, mit dem sie ihre Beute stechen und lähmen. Der Giftstachel der größeren Arten (bis zu 18 cm lang) ist auch für Menschen gefährlich.

Skulptur [die], ein Werk der Bildhauerkunst.

Skunk [der] → Stinktier.

Slalom [der oder das], ein Schnelligkeitswettbewerb im alpinen Skisport, bei dem abgesteckte Tore durchfahren werden müssen. Auch → Skisport.

Slang [slæŋ, der, engl.], *Jargon,* eine sehr lässige Umgangssprache.

Slawen [Pl.], eine Völkergruppe in Ost- und Südosteuropa mit einer eigenen Sprachgruppe. Man unterscheidet 3 Hauptgruppen: *Ostslawen* (Großrussen, Weißrussen, Ukrainer), *Westslawen* (Polen, Tschechen, Slowaken, Sorben, Kaschuben) und *Südslawen* (Serben, Kroaten, Slowenen und Bulgaren).

Slogan ['slɔugən, der, engl.], Schlagwort, ein einprägsamer Werbespruch.

Skorpione: Die Jungtiere klettern sofort nach dem Schlüpfen auf den Rücken des Muttertiers und werden dort bis nach der ersten Häutung mitgetragen.

Ländersteckbrief
Slowakei

Fläche:	49 035 km²
Einwohner:	5,4 Millionen = 110 je km²
Hauptstadt:	Bratislava
Religion:	römisch-katholische Kirche
Amtssprache:	Slowakisch
Währung:	1 Slowakische Krone = 100 Heller

Slowakei, Staat in Mitteleuropa.

Landesnatur: Der Westen und Osten wird vorwiegend von Hügelland mit breiten Flusstälern eingenommen; im Norden erhebt sich in der *Hohen Tatra* (2655 m) waldreiches Hochgebirge; im Südwesten hat die Slowakei Anteil an der fruchtbaren Pannonischen Tiefebene. Es herrscht gemäßigt kontinentales Klima.

Bevölkerung: Die Bevölkerung besteht aus 86% Slowaken und 10% Ungarn, ferner Roma, Tschechen, Ukrainer u. a. 69% gehören der römisch-katholischen Kirche an.

Wirtschaft: In den Tälern wird Ackerbau, in Hochlagen Viehwirtschaft betrieben. An Bodenschätzen werden Braunkohlen-, Eisenerz-, Erdöl- und Erdgasvorkommen genutzt. Die wichtigsten Industriezweige sind Maschinenbau, Textil-, Holz-, Hütten- und chemische Industrie. Die Stromerzeugung beruht zu über 50% auf der Kernenergie.

Fortsetzung → Seite 208

Menschen als Ware: Einkauf von Sklaven an der afrikanischen Westküste. Anonyme Radierung von 1820

Sklaverei

Die Ware Mensch

Von Thomas Böwer

Obwohl wir es kaum glauben können: Sklaverei (abgeleitet vom lateinischen Wort *slavus* für »Unfreier, Leibeigner«) ist kein Unrecht aus einer längst vergangenen Zeit. Sklaverei gibt es heute immer noch. Schätzungen zufolge leben mehr als 27 Millionen Menschen auf der Welt als Sklaven – das entspricht der Einwohnerzahl Kanadas. Und die Dunkelziffern sind noch viel höher: 2007 etwa wurde über Sklaven-Gerichtsverfahren in China berichtet. Hunderte von Menschen waren dort verschleppt und zur Arbeit in Ziegeleien gezwungen worden.

Auch in Mauretanien ist die Sklaverei noch immer nicht abgeschafft: Erst am 8. August 2007 verabschiedete das dortige Parlament ein Gesetz, das das Halten von Sklavenarbeitern mit Gefängnisstrafen zwischen fünf und zehn Jahren ahndet – und das, obwohl die Sklaverei 1981 offiziell aufgehoben worden war. Allerdings sah ein Gesetz damals statt Strafen für die Sklavenhalter eine Entschädigung wegen ihres Verlustes an Sklaven vor!

Ein Besitz wie Rind und Esel

Sogar in der Schweiz gab es bis Mitte des 20. Jahrhunderts sogenannte Verdingskinder. Waisenkinder wurden durch »Verträge« mit Bauern zu schwerer körperlicher Arbeit verpflichtet. Diese »Schweizer Sklavengeschichten« werden erst jetzt aufgearbeitet. Dabei wussten die meisten Behörden vom »Verdingen« und wie unmenschlich die Kinder von ihren Herren behandelt wurden. Zehntausende erlitten dieses Schicksal.

Und was sagt die Bibel? »Du sollst nicht begehren nach dem Hause deines Nächsten; du sollst nicht begehren nach dem Weibe deines Nächsten, nach seinem Sklaven oder seiner Sklavin, nach seinem Rinde oder seinem Esel, nach irgendetwas, was dein Nächster hat.«

Arbeitskräfte für die Plantagen

Nach christlicher Lehre galt also: Der Sklave war nicht frei. Er war einfach ein Besitz wie Rind und Esel. Schon in der Antike war die Sklaverei weit verbreitet. Mesopotamien, Ägypten, Griechenland, Rom – die meisten dieser antiken Kulturen wären ohne Sklaven nicht denkbar gewesen. So standen in der Blütezeit Roms 20 000 römischen Bürgern 400 000 Sklaven gegenüber, die in allen Lebensbereichen Arbeit ohne Lohn verrichteten. Überlieferungen zufolge gab es verschiedene Möglichkeiten, in die Sklaverei zu geraten. Unterschieden wurden dabei: die Schuldsklaverei, die juristisch erzwungene Sklaverei, die Geburt in die Sklaverei, der Menschenraub oder die Versklavung nach verlorenen Kriegen.

Die wohl berüchtigtste Phase in der Geschichte der Sklavenarbeit begann mit der Entdeckung Amerikas, der »Neuen Welt«. Europäer nahmen Millionen von Afrikanern gefangen, um sie an die Plantagen in Brasilien, in der Karibik und in den Südstaaten der USA zu verkaufen. Rund 400 Jahre währte dieser Handel von Menschen mit Menschen. Besonders im 17. Jahrhundert wurden billige Arbeitskräfte für die Zuckerrohr-, Baumwoll- und Tabakplantagen auf dem amerikanischen Kontinent gebraucht. Dass diese Menschen Rechte hatten, eine eigene Würde, dass sie keine Sachen waren, kümmerte die Menschenhändler nicht.

Im 18. Jahrhundert veränderte sich die Stimmung in Europa, und erste Proteste gegen die Sklaverei wurden laut. Der Sklavenaufstand auf Saint-Domingue (das heutige Haiti) in den Jahren von 1791 bis 1803, religiös motivierte Gruppen wie die Quäker, die den Sklavenhandel ablehnten, sowie die Bewegung der Abolitionisten (von Englisch *abolition* = »Abschaffung, Aufhebung«) leiteten die Abschaffung der Sklaverei ein. Dänemark verbot den Handel mit Men-

Unerträgliches Elend an Bord eines Sklavenschiffes. Holzstich aus dem Jahr 1860

schen 1722, England schloss sich 1805 an. Die Aufhebung der Sklaverei in den Südstaaten der USA nach dem Sezessionskrieg (1865) markierte das Ende der institutionell legitimierten Menschenwirtschaft in den Industrienationen. Ende des 19. Jahrhunderts wurde der Sklavenhandel schließlich auch auf dem afrikanischen Kontinent formell verboten.

Der atlantische Handel mit Sklaven funktionierte so: Die Sklavenhändler tauschten an der afrikanischen Küste europäische Manufakturwaren (Werkzeuge, Waffen und Textilien) oder auch Tiere gegen Sklaven und transportierten diese nach Amerika, wo sie auf Plantagen und in Bergwerken arbeiten mussten. Die Händler kauften dann die Erzeugnisse dieser Plantagen und Minen und verkauften sie in Europa mit großem Gewinn weiter. Ein Sklave, den man in Afrika für Tauschartikel erwerben konnte, erbrachte in Amerika das Zehnfache seines Kaufpreises – indem er etwa unbezahlt auf einer Zuckerrohrplantage schuftete. Der Zucker konnte schließlich in Europa wiederum für ein Vielfaches verkauft werden. Das Geschäft mit Menschen lohnte sich. Am Senegal-Fluss etwa bekamen die Portugiesen 1446 für ein altes Pferd 25 bis 30 Sklaven, 1460 am Gambia-Fluss zwölf Sklaven für ein Pferd und am Kongo 22 Sklaven für einen Hund.

Verkauft auf dem Sklavenmarkt

Versklavte Afrikaner wurden nach Stück berechnet. Ein »Stück« war zwischen 30 und 35 Jahre alt, fünf Fuß 11 Zoll groß (das sind rund 180 Zentimeter) und hatte ohne körperlichen Defekt zu sein. Für einen Heranwachsenden, der noch nicht so stark war wie ein Erwachsener, gab es Preisnachlass.

Nach der Überfahrt mit eigens umgerüsteten Sklavenschiffen kamen die Verschleppten, sofern sie die Reise überlebten, auf die Plantagen in Amerika, vor allem aber nach Westindien (so nannte man damals die Karibischen Inseln). Die holländische Insel Curacayo vor der Küste von Venezuela wurde zum bedeutendsten Sklavenmarkt der Welt. Aber auch New York entwickelte sich in diesen Tagen zu einem bedeutenden Handelsplatz für Menschenware. Auf der Wall Street gab es einen ausgedehnten, prosperierenden Sklavenmarkt.

Zwischen 1500 und 1850 wurden etwa zwölf Millionen Menschen nach Amerika verschleppt, davon vier Millionen nach Brasilien. Nicht eingerechnet ist die Zahl derjenigen Sklaven, die auf

Sklaven auf einer Baumwollplantage im Süden der USA, um 1860

Der berühmte Film »Vom Winde verweht« spielt im amerikanischen Bürgerkrieg. Die Lage der Sklaven in den Südstaaten wird darin romantischer dargestellt, als sie war

den innerafrikanischen Transporten und bei der Wartezeit in den Sklavenforts an der Westküste starben. Neu gekaufte Sklaven wurden gebrandmarkt. Auf die Haut wurde ein mit Öl getränktes Papier gelegt, auf das dann das Brenneisen gedrückt wurde. Die Haut schwoll an, der Buchstabe wurde sichtbar und verschwand nicht mehr.

Brandzeichen wie für Vieh

Jede Gesellschaft hatte ihren eigenen Stempel und bevorzugte eine bestimmte Körperstelle für das Brandmal. Die westindische Handelsgesellschaft der Holländer wählte die Brust und hielt sich noch etwas darauf zugute, dass sie bei Frauen nicht ganz so stark aufdrückten.

Nach dem Verbot 1807 wurde der atlantische Sklavenhandel uninteressant und schließlich ganz aufgegeben. Als letzter beteiligter Staat schaffte Brasilien 1888 die Sklaverei ab. Ein erheblicher Anteil der heutigen Bevölkerung Brasiliens, Haitis und anderer Inseln der Karibik und der Vereinigten Staaten von Amerika sind afrikanischer Abstammung – Nachfahren der Sklaven von einst.

In Deutschland gab es, zumindest unter diesem Namen, keine Sklaverei. Die leibeigenen Bauern des Mittelalters aber waren de facto nichts Besseres als Sklaven, auch wenn sie nicht so genannt wurden: Sie waren ein Besitz und hatten kaum eigene Rechte.

Im Nationalsozialismus (1933 bis 1945) wurden Millionen von Menschen aus Russland, der Ukraine und anderen Ländern nach Deutschland deportiert und zur Arbeit gezwungen. Unzählige Menschen kamen dabei ums Leben, zu Tode geschunden in den Fabriken. Erst vor wenigen Jahren wurden die Überlebenden entschädigt – von der Bundesregierung und den Unternehmen, die damals von der Zwangsarbeit profitierten.

Geschichte: Im 6. Jh. drängten slawische Stämme in das Gebiet. Im 7. Jh. war die Slowakei Teil des Samo-Reiches, im 9. Jh. Teil des *Großmährischen Reiches*. 907 (bzw. 1025) bis 1918 gehörte die Slowakei zu Ungarn, danach zur → Tschechoslowakei. 1939 wurde die Slowakei formell unabhängig, tatsächlich aber ein deutscher Satellitenstaat. Seit 1945 war sie wieder Teil der Tschechoslowakei. Nach dem Ende der kommunistischen Herrschaft in der Tschechoslowakei belebten sich die Autonomiebestrebungen. Am 1. 1. 1993 erlangte die Slowakei unter Führung von V. *Mečiar* die volle Unabhängigkeit. 1998 wurde M. *Dzurinda* Ministerpräsident. Er reformierte die Wirtschaft und erreichte 2004 die NATO- und EU-Mitgliedschaft. Sein Nachfolger wurde 2006 R. *Fico*.

Slowenien: Im Westen des Veldeser Sees (Blejsko jezero) liegt auf einer Insel die Wallfahrtskirche »St. Maria im See« aus dem 17. Jh.

Ländersteckbrief
Slowenien

Fläche:	20 273 km²
Einwohner:	2,0 Millionen = 97 je km²
Hauptstadt:	Ljubljana
Religion:	römisch-katholische Kirche
Amtssprache:	Slowenisch
Währung:	1 Tolar = 100 Stotin

Slowenien, Staat in Mitteleuropa.

Landesnatur: Waldreiches Bergland überwiegt (Julische Alpen, Karawanken) im Norden; nach Südosten schließen sich Hügelländer mit den breiten Flusstälern von Save und Drau an; südlich von Triest hat Slowenien einen kleinen Anteil an der Adriaküste.

Bevölkerung: Die Bevölkerung besteht aus rund 84% Slowenen, ferner Kroaten, Serben, Ungarn und Makedonier. 58% sind katholisch.

Wirtschaft: Die Landwirtschaft umfasst Rinderzucht im Norden, Ackerbau im Südosten. Von Bedeutung ist die Holzwirtschaft. Wichtigste Industriezweige sind Maschinenbau, Metall- und chemische Industrie. Der Bergbau liefert geringe Mengen an Braunkohle, Erzen und Erdöl. Der Tourismus hat wachsende Bedeutung. – Wichtigster Seehafen ist Koper, Flughäfen in Ljubljana und Maribor.

Geschichte: Im 6. Jh. wanderten die Slowenen in die Region ein, die seit 1282 schrittweise habsburgisch wurde. Im 19. Jh. entfaltete sich ein Nationalbewusstsein. 1918 erfolgte der Zusammenschluss mit Serben und Kroaten (seit 1929 → Jugoslawien). 1991 erklärte Slowenien unter Führung von M. *Kučan* seine Unabhängigkeit. 2004 wurde es Mitglied von NATO und

EU. Staatspräsident ist seit 2002 J. *Drnovšek*, Ministerpräsident seit 2004 J. *Jansa*.

Slum [slʌm, der, engl.], Bezeichnung für das Elendsviertel einer Großstadt.

Smaragd [der], ein seltener grüner Edelstein, dessen fehlerfreie Stücke sehr wertvoll sind. Auch → Edelsteine.

Smetana, Bedřich (Friedrich), * 1824, † 1884; tschechischer Komponist. Smetana hat in seinen Werken die Volksmusik seiner Heimat verarbeitet. Mit seiner komischen Oper »Die verkaufte Braut« und mit der sinfonischen Dichtung »Mein Vaterland« (darin »Die Moldau«) errang er Welterfolge.

Smileys [smailis, Pl., engl.], vor allem im Internet verwendete Zeichenverbindungen, die etwas über den Benutzer ausdrücken sollen. Smileys sind um 90° nach links gekippt; biegt man den Kopf nach links, sieht man ein stilisiertes Gesicht. Der häufigste Smiley :-) zeigt ein freundliches Lächeln. Auch → »Genauer betrachtet«.

Smith [smiθ], Adam, * 1723, † 1790; schottischer Nationalökonom und Philosoph. Er war Begründer der *klassischen Nationalökonomie*. Als Quelle des natürlichen Reichtums sah er nicht den Geldvorrat, sondern die geleistete Arbeit des Volkes. Smiths Hauptwerk trägt den Titel »Der Wohlstand der Nationen«.

Smog [der, engl., aus smoke und fog, »Rauch« und »Nebel«], Luftverschmutzung durch Rauch und Abgase, besonders bei Wetterlagen, die das Aufsteigen der Abgase verhindern (wie z. B. bei Nebel). Ist die Schadstoffkonzentration sehr hoch, kann der Smog, besonders auf die Atemwege, gesundheitsschädigend wirken. Werden bestimmte Grenzwerte überschritten, wird Smog-Alarm ausgelöst. Dann kann ein Fahrverbot für Autos ohne Katalysator erlassen werden. Auch → Umweltschutz.

SMS [der], Abkürzung für **S**hort **M**essage **S**ervice, ein Angebot im Mobilfunk, Kurznachrichten zwischen Mobiltelefonen, vor allem Handys, zu senden und zu empfangen. Zum Senden der Nachricht muss der Schreiber den Text über die alphanumerische Tastatur des Handys eingeben. Über den SMS können bei einigen Mobilfunk-Anbietern auch E-Mails verschickt und empfangen sowie Mitteilungen an Faxnummern gesendet werden.

Snob [snɔb, der, engl.], blasierter Mensch, Vornehmtuer, Angeber.

Snowboard ['snəubɔːd, das, engl., »Schneebrett«], ein dem Skateboard ähnliches Wintersportgerät (1,50–1,80 m lang und tailliert), mit dem man zu Tal »surfen« kann.

Soap Opera [səup 'ɔpərə], »Seifenoper«, englische Bezeichnung für eine täglich oder wöchentlich ausgestrahlte Fernsehserie mit fortlaufender, einfach strukturierter Handlung und festen Charakteren.

Genauer betrachtet …

Smileys

:-) Benutzer ist freundlich.
:-(Benutzer ist traurig.
8-) Benutzer trägt eine Sonnenbrille.
R-) Benutzer trägt eine zerbrochene Brille.
@:-) Benutzer trägt einen Turban.
:+) Benutzer hat eine große Nase.
(-) Benutzer braucht einen Haarschnitt.
:-? Benutzer raucht Pfeife.
%-) Benutzer saß zu lange vor dem Monitor.
:*) Benutzer ist betrunken.
-:-) Benutzer ist ein Punkrocker.
-:-(Wahre Punks lächeln nicht.
***<|:o)>** der Nikolaus
n:o ein Baby
P-) ein Pirat

Soda [die oder das], ein Natriumsalz, das meist synthetisch aus Kochsalz gewonnen wird. Wegen seiner fettlösenden Wirkung wird es als Reinigungsmittel und als Grundstoff der chemischen Industrie verwendet.

Sodom und Gomorrha, im Alten Testament zwei Städte am Toten Meer, die wegen der Sündhaftigkeit ihrer Bewohner von Gott durch einen Feuer- und Schwefelregen zerstört wurden.

Sofia, Hauptstadt Bulgariens, 1,1 Mio. Einwohner.

Software [die] → Computer.

Sog [der], durch strömende Gase oder Flüssigkeiten erzeugter Unterdruck, z. B. hinter einem Kraftfahrzeug, Flugzeug oder Schiff.

Sojabohne [die], ein einjähriger Schmetterlingsblütler, der vor allem in Ostasien und Nordamerika angebaut wird. Die Samen der Sojabohne enthalten neben geringen Mengen an Stärke wertvolle Eiweißstoffe und beträchtliche Mengen eines hochwertigen Öls. Für die menschliche Ernährung werden sie vielseitig verwendet, beispielsweise zur Herstellung von Fleisch- und Milchersatzprodukten wie Sojakäse (japanisch *Tofu*) und Sojamilch.

Wer war … Sokrates

Der griechische Philosoph Sokrates (*470 v. Chr., † 399 v. Chr.) gehört mit *Platon* und *Aristoteles* zu den drei größten griechischen Denkern und leitete die klassische Zeit der antiken Philosophie ein. Seine Kernaussage »Ich weiß, dass ich nichts weiß« wurde zu einem der bekanntesten Sätze in der Philosophie.

Sokrates lebte arm und bedürfnislos in Athen und lehrte ohne Entgelt auf den Straßen und in den Gymnasien Athens. Er vertrat die Auffassung, dass Einsicht und Wissen zusammenhängen, da einsichtiges Handeln vom Wissen abhinge und kein Mensch gegen besseres Wissen uneinsichtig handeln würde. Sokrates hielt Tugend also für lehrbar. Im philosophischen Gespräch wollte er durch eindringliches Fragen den Gesprächspartner zur kritischen Selbstreflexion veranlassen und so die Menschen vom Scheinwissen zu echtem Wissen zu führen. Diese Methode brachte ihm viele Feinde ein. 399 v. Chr. wurde Sokrates wegen des Vorwurfs, er verderbe mit seiner Philosophie die Jugend, zum Tod durch den Giftbecher verurteilt. Zu seinen bedeutendsten Schülern gehörte Platon, dessen Dialoge »Apologie«, »Kriton« und »Phaidon« die Gedanken des Lehrers wiedergeben, da Sokrates selbst keine Schriften verfasst hatte.

Sokrates' Wirken wurde vor allem durch seinen Schüler Platon überliefert.

Solarenergie → Seite 212.

Solarium [das], eine Anlage, bei der man unter künstlicher Höhensonnenbestrahlung sonnenbaden kann.

Solarzelle [die] → Solarenergie, Wind- und Wasserkraft.

Solidarität [die], Gemeinschaftssinn, Zusammengehörigkeitsgefühl, wechselseitige Verbundenheit.

solide, haltbar, zuverlässig.

Solingen, Industriestadt im Bergischen Land, an der Wupper, 165 000 Einwohner. Seit dem Mittelalter ist Solingen ein Zentrum der Schneidwaren- und Besteckherstellung.

Solo [das], ein Musikstück für eine Singstimme oder ein Instrument, mit oder ohne Begleitung.

Solon, *um 640 v. Chr., †um 560 v. Chr.; athenischer Gesetzgeber. Er wurde 594 v. Chr. Archon, ein hoher Beamter und schuf eine Verfassung gegen die Missstände der aristokratischen Herrschaft. Später wurde er zu den Sieben Weisen gezählt.

Solothurn, Hauptstadt des schweizerischen Kantons Solothurn, 15 000 Einwohner.

Solschenizyn, Alexander Issajewitsch, * 1918; russischer Schriftsteller. Solschenizyn setzt sich in seinen Werken mit der Unterdrückung in der kommunistischen Gesellschaft auseinander, z. B. »Ein Tag im Leben des Iwan Denissowitsch«, »Krebsstation«, »Der Archipel GULAG«. 1945–1956 verbrachte er in Haft und Verbannung in Kasachstan. 1970 erhielt er den Nobelpreis für Literatur, 1974 wurde er wegen seiner Kritik aus der UdSSR ausgewiesen und lebte seit 1976 in den USA. 1990 wurde Solschenizyn rehabilitiert. Nach zwanzig im Exil verbrachten Jahren kehrte der Schriftsteller 1994 in seine russische Heimat zurück.

Somalia: Die Versorgung der Bevölkerung mit sauberem Trinkwasser stellt noch immer ein großes Problem dar.

Ländersteckbrief
Somalia

Fläche:	637 657 km²
Einwohner:	8,5 Millionen = 13 je km²
Hauptstadt:	Mogadischu
Religion:	Islam
Amtssprache:	Somali
Währung:	1 Somalia-Schilling = 100 Centesimi

Somalia, Staat in Ostafrika.

Die Somalitafel geht nach Südosten in ein flaches Tiefland über. Nach Norden steigt sie auf Höhen von über 2000 m an und fällt dann steil zum Golf von Aden ab. Die Nordküste von Somalia gehört zu den heißesten Gegenden Afrikas. Die Trockensavanne im Südwesten geht nach Nordosten in Dornsavanne und an der Nordküste in Halbwüste über.

Die Bevölkerung gehört überwiegend dem Volk der *Somali* an; daneben gibt es rund 100 000 Bantu und 30 000 Araber. Der Islam ist Staatsreligion. Somalia gehört zu den ärmsten Ländern der Welt. Die Viehwirtschaft wird vorwiegend nomadisch betrieben. Exportiert werden Schlachtvieh, Fleischkonserven, Häute und Felle. Der Bananenexport (Anbau durch künstliche Bewässerung) macht 40% des Gesamtexports aus.

Geschichte: Das Land der im 16. Jh. islamisierten Somali wurde zwischen 1887 und 1891 unter England, Italien und Frankreich aufgeteilt. *Italienisch-Somaliland* und *Britisch-Somaliland* erhielten 1960 die Unabhängigkeit. Beide vereinigten sich 1960 zur *Republik Somalia*. Der seit 1969 amtierende Staatschef General M. S. *Barre* wurde nach blutigen Kämpfen 1991 gestürzt. Auch danach hielten die Bürgerkriegswirren an. Es kam zu einer Hungerkatastrophe. Die UNO stationierte bis 1995 Friedenstruppen, ohne eine Befriedung Somalias zu erreichen. 2000 wurde eine provisorische Nationalversammlung gebildet. Die Wahl eines Staatspräsidenten *(Abdullah Yusuf Ahmed)* 2004 führte nicht zu einer politischen Stabilisierung. Seit 2006 griff zunehmend Äthiopien in die innersomalischen Konflikte ein.

Mehr wissen …

Solarenergie, Wind- und Wasserkraft

Zu den erneuerbaren Energiequellen, die wir sozusagen von der Natur geschenkt bekommen, gehört neben der Wind-, Wasser- und Erdwärme- auch die Solar- oder Sonnenenergie. All diese Energiequellen zeichnen sich durch ihre Unerschöpflichkeit und Sauberkeit aus, weil weder Brennstoffe abgebaut werden müssen noch eine Verbrennung stattfindet. Ihr Anteil an der Energieversorgung nimmt daher zu.

Das Licht der Sonne ist nicht nur hell, sondern enthält auch Energie, also die Fähigkeit, Arbeit zu verrichten. Wir können das direkt durch die Wärme verspüren, die durch das Sonnenlicht erzeugt wird. Es bringt die Luftmoleküle, aber auch die Atome in bestrahlten Gegenständen in Bewegung. Wie die Energie des Sonnenlichtes genutzt werden kann, zeigen uns die Pflanzen. Sie können in der Photosynthese mit Hilfe des Sonnenlichtes Zucker aufbauen, der ihnen dann als Energiequelle dient. Für den Menschen bieten sich zwei Methoden an, um die Sonnenenergie in größerem Stile zu nutzen: die direkte Stromerzeugung mit Solarzellen und die Erwärmung z.B. von Wasser mit Sonnenkollektoren. In beiden Fällen ist aber eine ausreichende Sonnenscheindauer Voraussetzung. Steht die Sonne wie im Norden sehr schräg oder ist es häufig bewölkt, reicht die gewonnene Energie nicht unbedingt aus, um diese Methoden lohnend einzusetzen.

Die der Sonne folgenden Planspiegel eines Sonnenofens lenken die Sonnenstrahlen auf einen Parabolspiegel, in dessen Brennpunkt man eine Brennkammer aufstellt. Dieses Sonnenenergie-Kraftwerk steht in Australien.

Solarzellen:

Schon im letzten Jahrhundert wurde der photoelektrische Effekt entdeckt, d.h. das Phänomen, dass Sonnenlicht in einem bestimmten Stoff einen Stromfluss auslösen kann. Durch die Energie des Sonnenlichtes werden Elektronen aus den Hüllen von Atomen freigesetzt. Die wandernden Elektronen kann man mit Stromfluss gleichsetzen. In der Solarzelle wird dieser Effekt noch verstärkt, indem man Halbleiter einsetzt. Dies sind Stoffe, die eigentlich den Strom kaum oder gar nicht leiten können, aber mit Stoffen verunreinigt sind, die sie halbleitend machen. Vor allem hauchdünne Siliciumschichten sind dazu geeignet. Dringt Licht in die dünne Schicht durch, werden in dem Halbleiter Elektronen in Bewegung gebracht, so dass ein Strom fließt. So ist es möglich, 15% der Sonnenenergie, die auf die Solarzelle treffen, in elektrischen Strom umzuwandeln.

Diese Methode der Stromerzeugung wurde für die Raumfahrt entwickelt. Satelliten und Raumstationen werden mit riesigen Solarzellenpaddeln ausgerüstet, die die Energieversorgung gewährleisten. Im täglichen Leben kennen wir Solarzellen schon länger in Taschenrechnern oder Armbanduhren. Da Solarzellen noch recht teuer sind, werden sie bisher seltener zur Erzeugung größerer Strommengen eingesetzt.

Sonnenkollektoren:

Außer in elektrischen Strom kann Sonnenenergie in Kollektoren (Sammlern) auch in Wärme umgewandelt werden. Sie sind recht einfach aufgebaut. Durch einen flachen Kasten, der mit einer Glasscheibe abgedeckt ist, schlängelt sich ein schwarz angestrichenes Rohr. Die schwarze Farbe nimmt das Sonnenlicht, das durch die Scheibe dringt, auf, so dass sich das Rohr erwärmt. Die Scheibe sorgt dafür, dass sich diese Wärme nicht wieder in die Luft verflüchtigt. Leitet man Wasser durch das Rohr, wird es erwärmt und kann z.B. für die Heizung oder zum Duschen verwendet werden. Derartige Sonnenkollektoren findet man inzwischen häufig auf Dächern vor allem in südlicheren Gegenden. Im großen Stil wird die Methode in *Solarkraftwerken* angewendet. Viele Hundert Spiegel lenken das Sonnenlicht auf einen Punkt, an dem es dann mehrere Hundert Grad heiß wird. Dort kann man Wasser verdampfen und mit Dampfmaschinen Strom erzeugen.

Andere Energiequellen:

Die Nutzung des Windes zur Verrichtung von Arbeit ist schon recht alt. Windmühlen trieben Getreidemühlen an oder Bewässerungspumpen. Heute wird Windenergie vor allem in Küstenregionen, wo es immer recht windig ist, zur Stromerzeugung genutzt. Große Windräder oder Propeller treiben – vom Wind in Bewegung gebracht – stromerzeugende Generatoren (Dynamos) an.

Ebenfalls schon alt ist die Nutzung der Wasserkraft. Flüsse werden aufgestaut und das Strömen des Wassers in Kraft oder Strom umgewandelt. Heute gibt es hohe Staudämme, die riesige Seen aufgestaut haben. Am Fuße dieser Dämme stehen Wasserkraftwerke, deren Turbinen durch das herabströmende Wasser angetrieben werden. Die Wasserbewegungen beim Tidenwechsel von Ebbe und Flut werden in Gezeitenkraftwerken in Strom umgewandelt.

In vulkanisch aktiven Gebieten wie z.B. auf Island ist der Untergrund oft so warm, dass diese Erdwärme ebenfalls genutzt werden kann. Dazu wird Wasser mit Rohrleitungen in die Tiefe gepumpt und erhitzt wieder gefördert. Das heiße Wasser wird vor allem zu Heizzwecken oder zur Warmwasserbereitung verwendet.

Die erneuerbaren Energiequellen leisten in manchen Gegenden bereits einen großen Anteil an der Energiegewinnung. Da bei der Verbrennung fossiler Brennstoffe wie Öl, Gas oder Kohle Kohlendioxid frei wird, das als »Treibhausgas« für die Erwärmung der Atmosphäre verantwortlich ist, muss dieser Anteil in Zukunft noch weiter erhöht werden.

Sommer [der] → Jahreszeiten.

Sommerzeit [die], die Uhrzeit während der Sommermonate, die gegenüber der eigentlichen Zeit (Zonenzeit) um eine Stunde vorverlegt ist, um das Tageslicht besser zu nutzen. Die meisten europäischen Länder haben die Sommerzeit eingeführt. In Deutschland wird die Zeit im Sommer seit 1980 vorgestellt.

Sonate [die], ein Musikstück für ein oder zwei Instrumente, das aus drei oder vier Sätzen besteht.

Sonde [die], in der Medizin Röhrchen oder Stäbchen zur Untersuchung von Wunden und Körperöffnungen.

Sonderschulen [Pl.], Schulen für die Erziehung und Ausbildung von Schülern mit geistigen, psychischen oder körperlichen Entwicklungsstörungen, z. B. Schulen für Blinde, Gehörlose, Taubblinde oder Lernbehinderte.

Sonne [die], zentraler Stern des Sonnensystems, von dem alle Planeten (auch die Erde) Wärme und Licht erhalten. Die Sonne hat einen Durchmesser von rund 1,4 Mio. km, die mittlere Entfernung von der Erde beträgt 149,6 Mio. km. Bezogen auf die Fixsterne dreht sich die Sonne in etwa 25 Tagen einmal um ihre Achse, in rund 365 Tagen umläuft die Erde die Sonne. Die Sonne ist ein glühender Gasball mit einer Temperatur an der Oberfläche von rund 5700 °C und im Innern von etwa 15 Mio. °C. Bei den hohen Temperaturen im Innern der Sonne wird durch Kernverschmelzung aus Wasserstoff Helium erzeugt. Dabei werden hohe Energiemengen frei. Große Gaswirbel auf der Sonne nennt man *Sonnenflecken,* die Explosionen glühender Gasmassen an der Sonnenoberfläche heißen *Protuberanzen.* Auch → Sonnensystem.

Sonnenblume [die], eine Blütenpflanze mit goldgelben Strahlenblüten, die bis zu 40 cm Durchmesser haben können. Die 1–3 m hohen Sonnenblumen werden häufig in Großkulturen angepflanzt, da ihre Samen ein wertvolles Öl enthalten.

Sonnenenergie [die] → Solarenergie, Wind- und Wasserkraft.

Sonnenfinsternis [die], eine Verdunkelung der Sonne, die entsteht, wenn der Mond zwischen Sonne und Erde tritt.

Sonnensystem → Seite 216.

Sonnentau [der], kleine, meist an sumpfigen Orten wachsende Pflanze mit weißen Blüten. Ihre Blätter sind mit langen, klebrigen Drüsenhaaren bedeckt, an denen Insekten festhaften. Durch Verdauungssäfte werden die Insekten zersetzt und letztlich von den Blättern aufgesaugt. Der Sonnentau gehört zu den fleischfressenden Pflanzen.

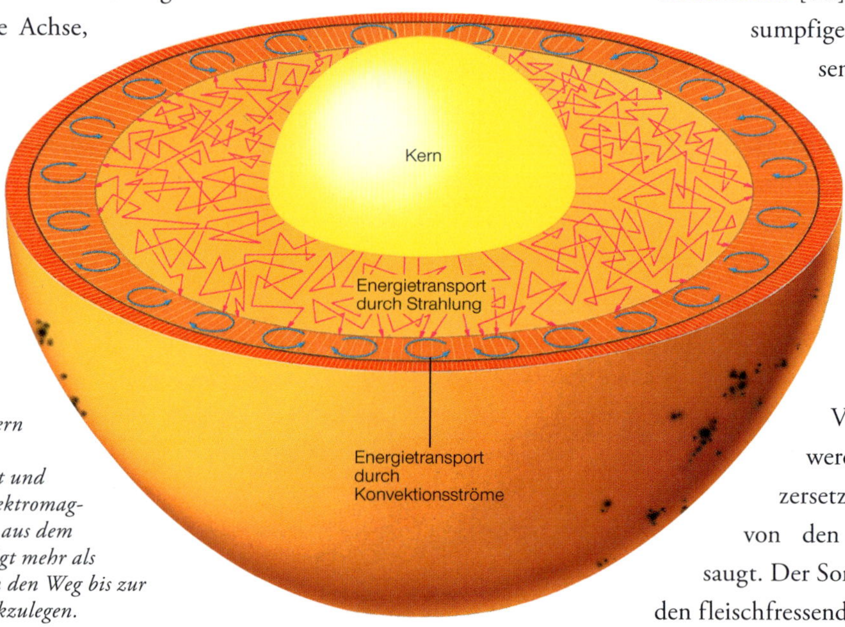

Sonne: Im Sonnenkern verschmelzen bei etwa 15 Mio. °C Wasserstoffatomkerne zu Heliumatomkernen. Die freigesetzte Kernenergie wird durch Strahlung und Konvektion (Strömung im Innern von Sternen) nach außen transportiert und abgestrahlt. Die elektromagnetische Strahlung aus dem Sonnenkern benötigt mehr als 100 000 Jahre, um den Weg bis zur Photosphäre zurückzulegen.

Totale Sonnenfinsternis am 29. 3. 2006, aufgenommen in Antalya, Türkei

Sonnenuhr [die], ein altes Gerät zur Zeitmessung, bestehend aus einem parallel zur Erdachse angeordneten Stab, der einen Schatten auf eine als Zifferblatt dienende Fläche wirft.

Sonnenwende [die], tiefster und höchster Stand der Sonne bei weitester Entfernung vom Äquator. Die *Sommersonnenwende* am 21. Juni bezeichnet auf der Nordhalbkugel den Tag, an dem die Sonne am längsten scheint. Am 21. Dezember, der *Wintersonnenwende,* hat die Sonne ihren tiefsten Punkt erreicht. Dieses ist der Tag mit der geringsten Sonnenscheindauer.

Sophokles, * um 496 v. Chr., um † 406 v. Chr.; griechischer Dichter. Von über 100 Stücken, die Sophokles schrieb, sind 7 Tragödien erhalten, von denen »Antigone« und »König Ödipus« am bekanntesten sind.

Sopran [der], die höchste Stimmlage.

Sortiment [das], eine Warenzusammenstellung, vielseitige Auswahl von Waren einer Art.

SOS, Abkürzung für englisch **s**ave **o**ur **s**ouls, »rettet unsere Seelen«, ein internationales Notsignal im Funkverkehr der Luftfahrt und Seefahrt. Das Notsignal im Funksprechverkehr lautet »Mayday«.

soufflieren [su'fliːrən, franz.], einem Vortragenden, der seinen Text nicht perfekt beherrscht, diesen leise vorsprechen. Im Theater ist das die Aufgabe eines *Souffleurs* beziehungsweise einer *Souffleuse.* Souffleure sitzen in einem für das Publikum unsichtbaren *Souffleurkasten* an der Bühnenrampe.

Soul Music [sɔul 'mjuzik], Bezeichnung für die afroamerikanische Popmusik mit eingängigem Rhythmus und gefühlvoller Gesangsweise. Sie entwickelte sich Mitte der 1950er Jahre durch Verschmelzung von Elementen aus Gospel, Blues und Rhythm & Blues.

Sowjetunion, *Union der Sozialistischen Sowjetrepubliken* (UdSSR), Name des von Lenin 1922 gegründeten und bis 1991 bestehenden kommunistischen Staates. Die ehemaligen Sowjetrepubliken wurden 1991 selbstständige Nationen. – Geschichte: → Russland

sozial, die Gemeinschaft betreffend, auf die Gesellschaft ausgerichtet, auch hilfsbereit, wohltätig; Gegensatz: *asozial.*

Sozialdemokratische Partei Deutschlands [die], Abkürzung SPD, eine politische Partei in Deutschland. Die SPD wurde 1869 von August *Bebel* und Wilhelm *Liebknecht* als *Sozialdemokratische Arbeiterpartei* gegründet und führt seit 1891 ihren jetzigen Namen. Um die Jahrhundertwende wurde sie die stärkste Partei Deutschlands. Im Juni 1933 wurde die SPD durch die Nationalsozialisten aufgelöst. Viele ihrer Mitglieder und Führer erlitten schwerste Verfolgungen. Nach 1945 kam es sehr schnell zur Wiedererrichtung der SPD in der Bundesrepublik, während sie in der DDR 1946 mit der kommunistischen Einheitspartei zusammengeschlossen wurde. Die 1989 wieder gegründete SPD der DDR schloss sich nach der Wiedervereinigung der bundesrepublikanischen SPD an. Die SPD bildete 1966–1969 die Regierung mit der CDU/CSU, 1969 bis 1982 mit der FDP, 1998–2005 mit Bündnis 90/Die Grünen. 2005 bildete die SPD eine große Koalition mit der CDU/CSU und blieb Regierungspartei.

Mehr wissen ...

Planeten und Galaxien: Das Sonnensystem

Vor etwa 5 Mrd. Jahren entstand unser Sonnensystem aus einem großen Gasnebel, der zum größten Teil aus Wasserstoff, zu einem viel geringeren Teil aus allen anderen Elementen bestand, die wir kennen, z. B. Sauerstoff. Den geringsten Teil machten die festen und schweren Elemente aus, wie z. B. Kohlenstoff und Eisen. Im Laufe von Jahrmillionen zog sich dieser Nebel ganz allmählich zusammen, verdichtete sich zu einer riesigen Kugel und begann sich zu drehen. Durch die Drehung flachte die Kugel immer mehr ab, bis das ganze Gebilde die Form einer in der Mitte dicken, nach außen sich verjüngenden Scheibe bekam. Im Zentrum dieser Scheibe war das Gas am stärksten verdichtet: so sehr, dass dort die Wasserstoffmoleküle begannen, zu Helium zu verschmelzen. Die Kernfusion, die wir heute von der Wasserstoffbombe kennen, hatte eingesetzt. Die Sonne war entstanden. Nun zogen sich auch die schwereren Elemente im Umkreis der Sonne zu kugelförmigen Körpern zusammen und bildeten die Planeten (Merkur, Venus, Erde, Mars, Jupiter, Saturn, Uranus und Neptun) und deren zahlreiche Monde.

Weil sich die ursprüngliche Gasscheibe gedreht hatte, befand sich auch das gerade entstandene Sonnensystem sofort in einer Drehbewegung: Die Planeten kreisen um die Sonne, und zwar in einer fast perfekten Ebene, der *Ekliptik*. Die starke Anziehungskraft der Sonne auf ihre Planeten und die Zentrifugalkraft, die durch die Kreisbahn der Planeten selbst entsteht, halten sich so sehr die Waage, dass das ganze System in sich über viele Milliarden Jahre stabil bleiben kann, wenn es nicht durch äußere Einflüsse gestört wird.

Die Sonne:

Die »Lebensdauer« des Sonnensystems wird nur durch die Sonne selbst begrenzt, die sich voraussichtlich in 8–12 Mrd. Jahren, wenn der größte Teil ihres Wasserstoffvorrates zu Helium verschmolzen ist, zu einem *roten Riesen* aufblähen wird. Dabei wird ihr Durchmesser so stark anwachsen, dass die inneren Planeten (Merkur, Venus und die Erde) von ihr verschlungen werden. Am Ende wird die Sonne in sich zusammenfallen. Ihr Licht wird verlöschen, im Sonnensystem wird es dunkel und kalt werden. Leben, wie wir es kennen, wird nicht mehr möglich sein.

Die inneren Planeten:

Merkur, Venus und Mars sind aufgrund ihrer Größe und Beschaffenheit der → Erde relativ ähnlich. Sie haben alle einen schweren Kern und eine feste Oberfläche. Ihre mittlere Dichte ist wesentlich größer als die des Wassers.

Auf dem sonnennächsten Planeten *Merkur* ist es sehr trocken und, wo die Sonne scheint, sehr heiß (bis etwa 430 °C), im Schatten dafür extrem kalt (etwa –200 °C). Da er keine Atmosphäre hat, ist seine Oberfläche von Kratern übersät, die *Meteoriten* (kleine Gesteinsbrocken) in ihn hineingerissen haben. Die *Venus* ist der Erde am ähnlichsten. Sie ist etwa genauso groß und hat eine Atmosphäre, die allerdings fast nur aus Kohlendioxid besteht. Dadurch ist es auf der Venus sehr heiß (circa 470 °C) und ungemütlich. Auf dem *Mars*, der etwa halb so groß wie die Erde ist, herrschen dagegen Temperaturen zwischen rund 20 °C (mittags am Äquator) und –130 °C (nachts an den Polen). Es gibt viele große Krater und Risse in der Oberfläche. Der Mars hat zwei Monde: *Phobos* und *Deimos*. Bei den 1877 entdeckten *Marskanälen* handelt es sich um eine optische Täuschung.

Die äußeren Planeten:

Die beiden Riesenplaneten *Jupiter* und *Saturn* bestehen zum größten Teil aus Wasserstoff und Helium und haben daher eine sehr geringe Dichte. Man kann bei ihnen, wie auch bei den kleineren, aber ähnlich beschaffenen Planeten *Uranus* und *Neptun*, nicht direkt eine Oberfläche ausmachen. Diese vier Planeten sind alle von großen Ringen umgeben, die vermutlich aus früheren Monden entstanden sind, und einer Vielzahl von Monden. Am bekanntesten sind die Saturnringe, die man schon mit einem kleinen Fernrohr beobachten kann. Jupiter ist wegen seiner Größe und seiner dichten Wolkendecke der hellste Planet. Seine vier größten und hellsten Monde *(Io, Europa, Kallisto, Ganymed)* kann man mit dem Feldstecher erkennen. Außerhalb der Neptunbahn befindet sich *Pluto*, auch aufgrund seiner stark elliptischen Bahn ein echter Außenseiter. Auch er ist der Erde vermutlich ähnlich, mit einem schweren Kern und einer festen Oberfläche. Er ist erst 1930 entdeckt worden, nachdem seine Existenz jedoch aufgrund von Unregelmäßigkeiten in der Bahn des Neptun vorhergesagt worden war. Pluto verlor seinen Planetenstatus 2006 und ist nun als Zwergplanet klassifiziert.

Asteroiden und Kometen:

Zwischen Mars und Jupiter befindet sich der Asteroidengürtel, ein Bereich, in dem viele Kleinstplaneten ihre Bahn ziehen. Ihre Größe reicht von einigen Metern bis zu einigen Hundert Kilometern im Durchmesser. Quer durch die Scheibe des Sonnensystems ziehen die Kometen ihre stark elliptischen Bahnen. Am bekanntesten unter ihnen ist der *Halley'sche Komet*, der alle 76 Jahre in Sonnennähe kommt und von der Erde aus beobachtet werden kann.

Die wichtigsten Daten der Planeten und der Sonne sind:

Name	Mittlere Entfernung zur Sonne	Umlaufzeit um die Sonne	Äquator-Durchmesser	Dichte	Monde	Ringsystem
Sonne	–	–	1 400 000 km	1,41 g/cm^3	0	–
Merkur	57 900 000 km	87,9 Tage	4 880 km	5,42 g/cm^3	0	nein
Venus	108 200 000 km	224,7 Tage	12 104 km	5,25 g/cm^3	0	nein
Erde	149 600 000 km	365,3 Tage	12 756 km	5,517 g/cm^3	1	nein
Mars	227 000 000 km	686,98 Tage	6 783 km	3,94 g/cm^3	2	nein
Jupiter	778 400 000 km	11,86 Jahre	143 800 km	1,314 g/cm^3	63	ja
Saturn	1 427 000 000 km	29,46 Jahre	120 000 km	0,69 g/cm^3	47	ja
Uranus	2 870 000 000 km	84,02 Jahre	52 300 km	1,19 g/cm^3	27	ja
Neptun	4 497 000 000 km	164,8 Jahre	49 500 km	1,59 g/cm^3	13	ja
*Pluto**	5 899 000 000 km	247,7 Jahre	2 200 km	1,5 g/cm^3	3	nein

*gilt seit 2006 als Zwergplanet

Sozialisation [die], der Lern- und Erziehungsprozess eines Menschen, der ihn zur Teilhabe am sozialen und kulturellen Leben in einer Gesellschaft befähigt. Dazu gehören der Erwerb der Fähigkeiten und Bewertungsmaßstäbe, die er beherrschen muss, um sich in seiner »sozialen Rolle« behaupten zu können. Als Sozialisation wird auch das Ergebnis der Beeinflussung des Menschen durch Erziehung und Umwelteinflüsse verstanden.

Sozialisierung [die], *Vergesellschaftung, Verstaatlichung,* die Überführung von Privateigentum (z. B. Industriebetriebe) in Staatseigentum, meist aus ideologischen Gründen.

Was ist … Sozialismus

Sozialismus ist ein Sammelbegriff für Ideen und Bestrebungen, die auf das allgemeine Wohl der Gesellschaft im Sinne von Gleichheit und Solidarität zielen. Die Ziele des Sozialismus unterscheiden sich von denen des Liberalismus und Kapitalismus. Die politische Bewegung des Sozialismus entstand im 19. Jh. angesichts der gesellschaftlichen Missstände, die mit der Entwicklung der Industriegesellschaft verbunden waren.

Inhalte und Ziele: Nach sozialistischer Vorstellung sollen Gleichheit, Gerechtigkeit und Freiheit für alle Menschen verbürgt sein. Jeder Mensch soll gerechten Anteil an den materiellen Gütern haben, das große Privateigentum einiger weniger soll in das Gemeineigentum aller übergehen. Verbunden damit sind eine staatliche, dem allgemeinen Wohl dienende Planung und Kontrolle der Gesellschaft. Wirtschaftliche Ausbeutung soll verhindert, gerechte Entlohnung und soziale Sicherheit sollen garantiert werden.

Geschichte: Frühsozialistische Ideen entstanden bereits während und nach der *Französischen Revolution.* Da es in den Industriestaaten im 19. Jh. noch an den einfachsten Schutzmaßnahmen für die Arbeiterschaft fehlte (geringe Löhne und noch geringere Bezahlung für Kinder- und Frauenarbeit, keine Sicherung im Krankheitsfall, bei Invalidität oder Arbeitslosigkeit) fanden die Ideen des Sozialismus bald viele Anhänger. Besonders in Frankreich, England und Deutschland traten bedeutende Personen auf, die diese Gedanken unterstützten. K. *Marx* und F. *Engels* begründeten den sogenannten *wissenschaftlichen Sozialismus (Marxismus),* der zur theoretischen Grundlage der Arbeiterbewegung wurde und die Entstehung der sozialistischen Parteien in der 2. Hälfte des 19. Jh. beflügelte. Die Begriffe Sozialismus und Kommunismus wurden zu dieser Zeit oft gleichbedeutend verwendet. Schon vor dem Ersten Weltkrieg zeichnete sich eine Spaltung der sozialistischen Bewegung ab. Im Anschluss an die Oktoberrevolution 1917 zerfiel der internationale Sozialismus endgültig in eine sozialistisch-sozialdemokratische und eine sozialistisch-kommunistische Richtung. Der *Marxismus-Leninismus* betrachtete dabei den Sozialismus als Übergangsphase zur kommunistischen Gesellschaft ohne staatliche Zwangsordnung. Bei den gemäßigten Sozialdemokraten setzte sich vor allem angesichts des Ost-West-Gegensatzes nach dem Zweiten Weltkrieg endgültig die Auffassung durch, dass sozialistische Ziele auch durch schrittweise Reformen innerhalb des demokratischen Verfassungsstaates zu erreichen seien. In vielen europäischen Ländern wurden reformsozialistische bzw. sozialdemokratische Parteien zu staatstragenden Kräften, so die SPD in der Bundesrepublik Deutschland. Das sozialistische Programm in seiner marxistischen Gestalt scheiterte endgültig mit dem Zusammenbruch der Herrschaftssysteme des *Ostblocks*, des sogenannten *real existierenden Sozialismus* seit 1989. Das Selbstverständnis der reformsozialistischen Kräfte wandelte sich. So rückten mehr und mehr umweltpolitische Fragestellungen *(Ökosozialismus)* in den Mittelpunkt der Aufmerksamkeit. In jüngster Zeit löste die Globalisierung neue Diskussionen über die Gestaltung des Sozialstaates, über Arbeitsplatzsicherheit und gerechte Einkommensverteilung aus. Damit wurden Kernthemen des sozialistischen Ideengutes angesprochen. In diesem Zusammenhang entstand in Deutschland 2007 die linkssozialistische Partei *Die Linke.*

Sozialistische Einheitspartei Deutschlands [die], Abkürzung SED, 1949–1989 herrschende Staatspartei der DDR. Sie wurde 1946 durch die Zwangsverschmelzung der KPD und SPD in der damaligen sowjetischen Besatzungszone gegründet. Andere Parteien in der DDR waren ohne Bedeutung. In der friedlichen Revolution von 1989 musste die Partei ihre Führungsposition aufgeben. Seit 1990 nannte sie sich *Partei des Demokratischen Sozialismus (PDS).* Im Jahr 2005 erfolgte die Umbenennung in *Die Linkspartei. PDS.* Auch → *Die Linke.*

Sozialistische Partei Österreichs [die], Abkürzung SPÖ, eine große politische Partei in Österreich. Die 1888/1889 als *Sozialdemokratische Partei Österreichs* gegründete Partei wurde 1934 verboten. 1945 wurde sie wieder gegründet.

Sozialprodukt [das], die in einer Geldsumme ausgedrückten wirtschaftlichen Leistungen, die eine Volkswirtschaft innerhalb eines bestimmten Zeitraums (meist 1 Jahr) erbracht hat. Das *Bruttonationaleinkommen* umfasst die von Land- und Forstwirtschaft, von Industrie und Handwerk, von Handel und Verkehr und allen anderen Wirtschaftszweigen erstellten Güter und Dienstleistungen, unabhängig davon, ob dies im Inland oder Ausland erfolgte. Die Steigerung des Bruttonationaleinkommens oder des Bruttoinlandproduktes nennt man wirtschaftliches Wachstum.

Sozialstaat [der], siehe ZEIT-Beitrag → »Sozialstaat: Starke helfen Schwachen«, Seite 220–223.

Sozialversicherung [die], eine staatliche Pflichtversicherung, die die Krankenversicherung, Unfallversicherung, Arbeitslosenversicherung, Rentenversicherung und Pflegeversicherung umfasst. Sie schützt die Versicherten und ihre Familien vor wirtschaftlicher Not bei Arbeitslosigkeit, Krankheit, Arbeitsunfähigkeit u.Ä. Die Versicherten müssen einen monatlichen Beitrag zahlen, dessen Höhe sich nach ihrem Verdienst richtet. Die Arbeitgeber tragen meist die Hälfte davon.

Soziologie [die], die Wissenschaft von den Formen und Gesetzen des menschlichen Zusammenlebens innerhalb einer Gesellschaft.

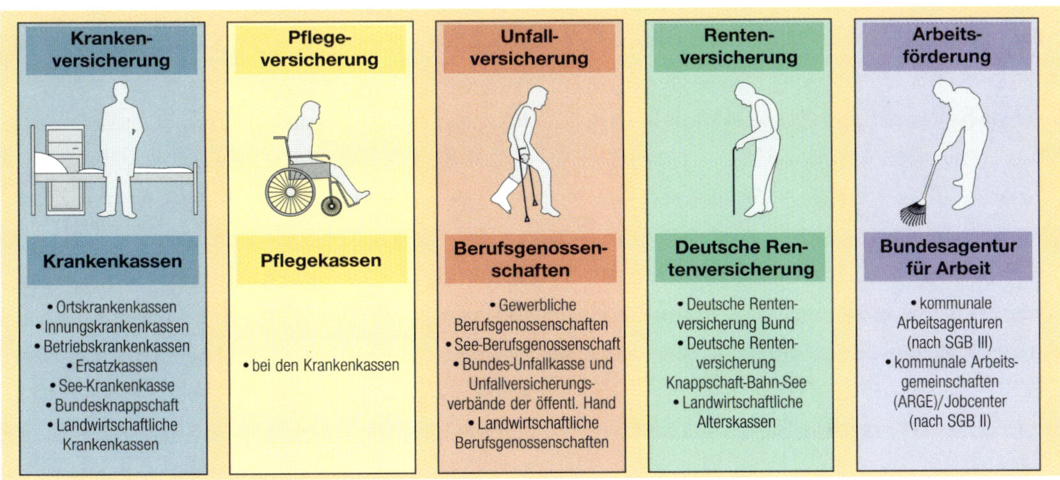

Sozialversicherung: Die Grafik zeigt eine Übersicht über die Träger der Sozialversicherung.

Auf der Straße: Ein Obdachloser und seine Habseligkeiten

Sozialstaat

Starke helfen Schwachen

Von Elisabeth Niejahr

Im 19. Jahrhundert, als die ersten großen Fabriken gebaut wurden, hatten es die Arbeiter sehr schwer. Sie mussten oft zwölf Stunden am Tag und länger schuften, Männer wie Frauen. Von morgens bis abends waren sie in den Fabriken, auch jeden Samstag, und sie hatten keine Ferien. Ihr Lohn war ein Hungerlohn.

Selbst die Kinder mussten in vielen Familien mitarbeiten, weil das Geld sonst nicht für alle zum Leben gereicht hätte. Doch irgendwann reichte es den Arbeitern. Sie schlossen sich zusammen und protestierten: Sie wollten mehr abhaben von dem Geld, das die Fabrikbesitzer verdienten! Und langsam änderte sich tatsächlich etwas. Die Arbeiter erkämpften sich mehr und mehr Rechte.

Da bekamen es die Reichen, aber auch die deutsche Regierung mit der Angst zu tun: Was, wenn die Arbeiter – sie waren viele! – auf die Barrikaden gingen? Wenn sie eine Revolution in Gang setzten?

Eine Versicherung für Arbeiter

Um dies zu verhindern, führte Ende des 19. Jahrhunderts der damalige deutsche Kanzler Bismarck eine Regelung ein, die später von Ländern in der ganzen Welt übernommen wurde: ein Versicherungssystem für die Arbeiter. Dieses Versicherungssystem bewirkte damals eine riesige Veränderung. Jeder musste nun ein wenig Geld einzahlen und bekam dafür Unterstützung, wenn es ihm oder seiner Familie schlecht ging. Der Fabrikbesitzer musste auch etwas dazugeben. Man konnte sich gegen Krankheit, gegen die Folgen von Unfällen und gegen Armut im Alter versichern. Das Leben der Arbeiter hat sich dadurch stark verbessert. Auch heute gibt es noch Krankenversicherungen, die so ähnlich funktionieren wie die von Bismarck eingeführten – zum Beispiel die Allgemeine Ortskrankenkasse (AOK).

Den Reichtum gerecht verteilen

Im Gegensatz zu damals aber sind heute fast alle Menschen in Deutschland Mitglied in einer Krankenkasse, nicht mehr nur die Arbeiter. Und im Laufe der Jahre kamen immer mehr neue Gesetze hinzu. Die Regierungen wollten ihre Bürger nicht nur vor Armut durch Krankheit oder Alter schützen, sondern beispielsweise auch Familien mit vielen Kindern helfen oder Soldaten, die im Krieg verletzt worden waren. Hinzu kamen Schutzrechte wie zum Beispiel der Kündigungsschutz, der verhindert, dass ein Chef seine Mitarbeiter ohne Grund von heute auf morgen entlassen kann. Einen Staat, der solche Rechte und Hilfen für den Einzelnen gewährt, nennt man Sozialstaat.

Die Idee, die einem Sozialstaat zugrunde liegt, ist einfach: Alle Bürger geben etwas von ihrem Geld ab, damit den Armen, den Alten oder den Kranken geholfen werden kann. Der Sozialstaat funktioniert also ein bisschen wie eine Klassenkasse, in die alle Schulkinder etwas einzahlen, damit am Ende für die kranke Mitschülerin in der Klinik ein Blumenstrauß gekauft werden kann. Er ist eine große Umverteilungsmaschine, die von der Regierung benutzt wird, damit die Starken im Land den Schwachen helfen: Die Jungen zahlen für die Alten, die Reichen für die Armen, die Gesunden für die Kranken und die Berufstätigen für die Arbeitslosen. Manchmal wird der Umverteilungsapparat des Sozialstaats deshalb auch »Solidarsystem« genannt. Das kommt vom Begriff »Solidarität«. Solidarität bedeutet, dass Menschen zusammenhalten und sich gegenseitig in der Not helfen. Selbst in den ärmsten Ländern Afrikas versuchen die Regierungen, ein wenig Geld an die Armen zu geben. Und auch in Diktaturen, also Ländern, in denen die Bürger nicht frei über ihre Regierung entscheiden können, fühlen sich die Staatschefs verpflichtet, für ein bisschen Ausgleich zu sorgen.

Der deutsche Sozialstaat besteht dabei aus zwei Teilen: Einerseits gibt es Versicherungen wie zum Beispiel die Krankenkasse, bei der ein Bürger Mit-

Hoffnung auf einen Arbeitsplatz: Jobsuchende bei der Agentur für Arbeit

glied werden kann und dann Beiträge zahlt. Dafür bekommt er eine Gegenleistung. Wenn er sich einen Arm bricht und ins Krankenhaus muss, oder wenn der Hausarzt kommt und ein Mittel gegen Grippe verschreibt, bezahlt die Krankenkasse dafür. Wie eine Versicherung funktioniert auch die Organisation für Arbeitslose, die Bundesagentur für Arbeit. Man muss erst einen Job haben, Mitglied der Versicherung werden und einen Beitrag zahlen. Damit es gerecht zugeht, zahlen bei den staatlichen Versicherungen nicht alle gleich viel ein. Wer nur wenig verdient, weil er zum Beispiel Briefträger ist, muss nur wenig bezahlen und bekommt im Krankenhaus die gleiche Hilfe wie jemand, der viel Geld verdient.

Andererseits zahlt der Staat aber auch Geld an Menschen, die nie irgendwelche Beiträge eingezahlt haben und auch keine Steuern zahlen. An Studenten verleiht der Staat beispielsweise Geld, wenn die Eltern ihnen nicht helfen können, ihr Studium zu finanzieren. Und ganz arme Menschen bekommen Geld vom Staat, auch wenn sie selbst nie etwas von ihrem Einkommen abgegeben haben. Das nennt man Sozialhilfe. Davon kann man gerade das Allernötigste bezahlen.

Politiker haben es nicht leicht!

Im Laufe der Zeit ist das Umverteilungssystem in Deutschland dabei ziemlich unübersichtlich geworden – da immer mehr Sozialleistungen hinzugekommen sind. Bauarbeiter etwa bekommen Ausgleichszahlungen, wenn sie wegen schlechten oder kalten Wetters nicht arbeiten können. Und auch für alle, die am Wochenende arbeiten müssen, gibt es Hilfe vom Staat – sie zahlen ein bisschen weniger Steuern, weil sie kein freies Wochenende haben. Der Sozialstaat hilft heute also nicht mehr nur in den allerschwersten Notlagen, wie es früher der Fall war – er gleicht auch Ungerechtigkeiten aus. Was aber ist gerecht und was nicht? Welche Hilfen sind unbedingt nötig und welche verzichtbar?

Darüber wird seit einigen Jahren viel diskutiert – denn dem Staat steht nicht unbegrenzt Geld für soziale Leistungen zur Verfügung. Es ist für die Politiker daher nicht leicht, Lösungen zu finden. Bei ihnen beschweren sich die Leute, die unzufrieden sind. Da sind diejenigen, die gern mehr Geld vom Staat hätten, weil sie sonst kein Auskommen haben. Andere haben das Gefühl, dass sie zu viel Geld abgeben müssen für Leute, die – so glauben sie wenigstens – gar keine Hilfe brauchen. Unterneh-

Wer alt und krank ist, braucht Hilfe

Im Notfall kommt der Rettungswagen – den Einsatz zahlt die Krankenversicherung

men beklagen sich, dass sie zu viel Geld für soziale Leistungen hergeben müssen. Und dann gibt es die vielen Leute, denen etwas fehlt, die sich aber nicht zu Wort melden, weil sie schüchtern sind, sich für ihre Notsituation schämen oder auch weil sie nicht so gut deutsch sprechen wie manche Einwanderer, die in eine schwierige Lage geraten sind.

Jede Menge Gesetze

So bleibt die Diskussion um den Sozialstaat ständig in Gang. Und deswegen macht jede Regierung immer wieder neue Gesetze, mit denen der Sozialstaat verändert wird. Das alles macht es selbst für Fachleute schwer, den Überblick zu behalten. Zum Glück sind die meisten wichtigen Gesetze alle in einem Buch zusammengefasst, dem Sozialgesetzbuch. Streng genommen, handelt es sich dabei um mehrere einzelne Bücher, die alle ziemlich dick sind. Das sogenannte Sozialgesetzbuch Fünf enthält zum Beispiel die Vorschriften für die Krankenversicherung, das Sozialgesetzbuch Sechs die Regeln für die Rente, und das elfte Buch enthält die Vorschriften für die Pflegeversicherung. Die in diesen Büchern aufgelisteten Paragrafen bestimmen, an wen Geld fließt und welche Summen die Bürger genau bekommen.

Wenn sich daran ausnahmsweise einmal nichts ändert, liegt das meistens daran, dass gerade Wahlkampf ist. Dann fahren Vertreter der Parteien durch das Land, um mit den Bürgern über ihre Arbeit zu sprechen und darüber, was im Land geschehen soll. Kein Politiker aber, der gewählt werden möchte, erzählt den Menschen kurz vor einer Wahl gern, dass sie in Zukunft vielleicht weniger Ansprüche auf staatliche Hilfe haben könnten! Zwar fürchten sie nicht mehr, wie einst die Politiker des 19. Jahrhunderts, eine Revolution – sehr wohl aber, dass sie ihren Job als Abgeordnete verlieren, wenn sie nicht wiedergewählt werden.